A GAROTA
DINAMARQUESA

David Ebershoff

A GAROTA DINAMARQUESA

Tradução de Paulo Reis

FÁBRICA231

Título original
THE DANISH GIRL

Edição brasileira publicada mediante acordo com
a Viking, um selo da Penguin Publishing Group,
uma divisão da Penguin Random House LLC.

FÁBRICA231
O selo de entretenimento da Editora Rocco Ltda.

Direitos para a língua portuguesa reservados
com exclusividade para o Brasil à
EDITORA ROCCO LTDA.
Av. Presidente Wilson, 231 – 8º andar
20030-021 – Rio de Janeiro – RJ
Tel.: (21) 3525-2000 – Fax: (21) 3525-2001
rocco@rocco.com.br / www.rocco.com.br

Printed in Brazil/Impresso no Brasil

Preparação de originais
MÔNICA MARTINS FIGUEIREDO

CIP-Brasil. Catalogação na fonte.
Sindicato Nacional dos Editores de Livros, RJ.

E16g Ebershoff, David
A garota dinamarquesa / David Ebershoff;
tradução de Paulo Reis. – 1ª ed. – Rio de Janeiro:
Fábrica231, 2016.

Tradução de: The danish girl

ISBN 978-85-68432-44-0

1. Romance norte-americano. I. Reis, Paulo. II. Título.

15-27267 CDD-813
CDU-821.111(73)-3

Para Mark Nelson

Nota do autor

Esta é uma obra de ficção inspirada na história de Lili Elbe e sua esposa, Gerda. Escrevi o romance a fim de explorar o espaço íntimo que definia esse casamento único, e tal espaço só poderia ganhar vida por meio de conjetura, especulação e liberdade de imaginação. Alguns fatos importantes sobre a transição real de Lili encontram-se nestas páginas, mas a história tal como narrada aqui, com detalhes de lugar, tempo, linguagem e vida interior, é uma invenção da minha imaginação. No começo de 1931, quando Lili se assumiu publicamente como uma mulher *trans*, em uma série de entrevistas concedidas a um jornalista dinamarquês, vários jornais ao redor do mundo fizeram reportagens sobre sua vida notável. Muitas dessas matérias me foram úteis para escrever este livro, principalmente as do *Politiken* e de outros jornais dinamarqueses, assim como também foram os obituários publicados na imprensa dinamarquesa. Outras fontes indispensáveis foram os diários e a correspondência de Lili Elbe, que Niels Hoyer editou e publicou após a morte de Lili sob o título *Man into Woman*, uma biografia híbrida, semificcional. Os diários e as cartas forneceram detalhes factuais críticos sobre a transição de Lili, principalmente tendo em vista os acontecimentos no Capítulo um, o sangramento misterioso e o declínio físico, a jornada de Lili até a Clínica Municipal Feminina de Dresden e sua estada lá. Os trechos do meu livro que lidam com esses incidentes devem muito à recuperação feita por Hoyner das palavras originais de Lili. Apesar disto, eu mudei tantos elementos da história que os personagens destas páginas são inteiramente ficcionais. O leitor não deve procurar neste romance muitos detalhes biográficos da vida de Lili Elbe, e nenhum outro personagem do romance tem relação com qualquer pessoa real, viva ou morta.

PARTE UM

COPENHAGUE, 1925

Capítulo um

Sua esposa percebeu primeiro.

– Me faz um favorzinho? – perguntou Greta do quarto naquela primeira tarde. – Para me ajudar numa coisa aqui?

– Claro – disse Einar com os olhos na tela. – O que você quiser.

O dia estava frio, devido ao vento que soprava do Báltico. Eles estavam no apartamento da Casa da Viúva; Einar, que era franzino e estava prestes a fazer trinta e cinco anos, pintava de memória o mar de Kattegat durante o inverno. A água era negra e salpicada de branco; tinha um aspecto cruel, pois já fora o túmulo de centenas de pescadores que voltavam a Copenhague com o pescado já salgado. O vizinho do andar de baixo, um homem de cabeça pontuda que vivia xingando a mulher, era marinheiro; quando Einar pintava a curva de cada onda, imaginava o marinheiro se afogando, com a mão erguida em desespero e a voz de vodca ainda chamando a mulher de piranha de cais. Era para isso que ele escurecia a mistura de tinta: queria torná-la cinzenta o suficiente para engolir aquele marinheiro, para abafar os rosnados dele feito uma gosma, quando ele afundasse.

– Num minuto estou aí – disse Greta, mais jovem do que o marido e bonita, com um rosto largo e achatado. – E a gente pode começar.

Também sob esse aspecto, Einar era diferente da esposa. Ele pintava a terra e o mar – pequenos retângulos iluminados pela luz angulada de junho ou esmaecidos pelo fraco sol de janeiro. Greta pintava retratos, frequentemente em tamanho natural, de gente de importância mediana com lábios rosados e reflexos na textura do cabelo. Gente como I. Glückstadt, o financista por trás do Porto Livre de Copenhague. Ou Christian Dahlgaard, o peleiro do rei. Ou Ivar Knudsen, sócio do estaleiro Burmeister & Wain. Aquele era o dia de Anna Fonsmark, mezzo-soprano da Ópera Real da Dinamarca. Diretores de empresas e magnatas industriais encomendavam a Greta retratos que eram pendurados em escritórios, por cima de arquivos ou ao longo de corredores arranhados por carrinhos de trabalhadores.

Greta apareceu no umbral.

– Tem certeza de que não se incomoda de parar um pouco para me ajudar? – disse ela com o cabelo puxado para trás. – Eu não pediria se não fosse importante. Mas Anna cancelou de novo. Você se incomoda de vestir as meias dela? – perguntou Greta. – E os sapatos?

O sol de abril brilhava por trás de Greta, filtrado pela seda que pendia inerte de sua mão. Através da janela, Einar podia ver a torre do Rundetarn, feito uma enorme chaminé de tijolos, e mais acima o avião do Deutscher Aero-Lloyd no seu retorno diário a Berlim.

– Como assim, Greta? – disse Einar. – Uma gota oleosa de tinta caiu do pincel em cima da sua bota. Edvard IV começou a latir, virando a cabeça branca alternadamente entre Einar e Greta.

– A Anna cancelou de novo – disse Greta. – Tem um ensaio extra de *Carmem*. Preciso de um par de pernas para o retrato dela, ou não vou conseguir terminar nunca. E pensei comigo mesma que as suas talvez servissem.

Greta aproximou-se dele, segurando na outra mão os sapatos amarelos com fivelas de latão. Usava um guarda-pó abotoado na frente, com grandes bolsos onde enfiava as coisas que não queria que Einar visse.

– Mas eu não posso usar os sapatos da Anna – disse Einar. Ao olhar para os sapatos, imaginou que talvez até servissem nele, pois seus pés eram pequenos e arqueados, com calcanhares rechonchudos. Os dedos eram magros, com poucos pelos negros. Imaginou aquela meia enrolada deslizando sobre o osso branco de seu tornozelo. Sobre a pequena almofada de sua panturrilha. Prendendo-se ao gancho da liga. Então teve de fechar os olhos.

Os sapatos eram iguais aos que eles tinham visto na semana anterior na vitrine da Fonnesbech, a loja de departamentos, em um manequim que trajava um vestido azul-marinho. Einar e Greta haviam parado a fim de admirar a vitrine, decorada com uma guirlanda de junquilhos. Greta dissera: "Bonito, não?" Como ele não respondeu, o reflexo de seus olhos arregalados no vidro, Greta precisou arrancá-lo da frente da vitrine da Fonnesbech. Arrastou-o rua abaixo, passou pela tabacaria e disse: "Einar, você está bem?"

O aposento da frente do apartamento servia-lhes de ateliê. O teto era cruzado por vigas finas e abobadado feito um barco invertido. A maresia empenara as janelas, e o assoalho inclinava-se imperceptivelmente para oeste. À tarde, quando o sol batia na Casa da Viúva, um leve odor de arenque emanava das paredes. No inverno, as claraboias vazavam, e a umidade criava bolhas na pintura das paredes. Einar e Greta haviam colocado os cavaletes sob as duas claraboias, ao lado das caixas de tinta a óleo da Salathoff de Munique e das prateleiras de telas em branco. Quando não estavam pintando, cobriam tudo com umas lonas verdes que o tal marinheiro abandonara no patamar da escada.

– Por que você quer que eu ponha os sapatos dela? – perguntou Einar. Sentou-se na cadeira de assento de corda que viera do barracão da fazenda da avó. Edvard IV pulou no seu colo; o cão tremia por causa dos berros do marinheiro lá embaixo.

– Para o retrato da Anna – disse Greta. – Eu faria isso por você. – Havia uma marca de catapora, pequena e rasa, em sua bochecha. Ela coçou-a de leve; Einar sabia que ela só fazia isso quando estava ansiosa.

Greta ajoelhou-se para desamarrar as botas dele. Seu cabelo era comprido e amarelo, com uma cor mais dinamarquesa do que o dele; ela o prendia atrás das orelhas sempre que se engajava numa tarefa nova. O cabelo caiu-lhe por cima do rosto quando ela desatou o nó dos cordões das botas. Ela recendia a óleo de laranja, que a mãe lhe mandava de navio uma vez ao ano em frascos marrons com o rótulo de PURO EXTRATO DE PASADENA. A mãe achava que Greta assava bolos com aquele óleo, mas em vez disso ela passava-o de leve atrás das orelhas.

Greta começou a lavar os pés do marido na bacia. Lavava com suavidade e eficiência, passando a esponja rapidamente entre os dedos. Einar enrolou a calça mais para cima. Subitamente, achou que suas panturrilhas eram bem torneadas. Apontou o pé delicadamente, e Edvard IV foi lamber a água que gotejava do dedo mindinho, o qual era achatado e nascera sem unha.

– Isso vai ficar em segredo entre nós, Greta? – sussurrou Einar. – Você não vai contar para ninguém, vai? – Estava assustado e excitado ao mesmo tempo, e o coração batia-lhe na garganta feito o punho de uma criança.

– Para quem eu contaria isso?

– Para Anna.

– Anna não precisa saber disso – disse Greta. Em todo caso, pensou Einar, Anna era cantora de ópera. Estava acostumada a ver homens usando roupas de mulher. E mulheres usando roupas de homens, o *Hosenrolle*. Era o disfarce mais antigo do mundo. E no palco da ópera isso não significava nada; era só uma confusão. Uma confusão que sempre se esclarecia no último ato.

– Ninguém precisa saber de nada – disse Greta. Einar, que se sentia como que iluminado pelo foco branco de um refletor, relaxou e começou a puxar a meia por cima da panturrilha.

– Você está pondo ao contrário – disse Greta acertando a costura. – Puxe devagar.

A segunda meia se rasgou.

– Tem outra? – perguntou Einar.

O rosto de Greta se imobilizou por um instante, como se ela acabasse de perceber algo; depois ela foi até uma gaveta no guarda-roupa de freixo. O guarda-roupa tinha um armário na parte superior, com um espelho ovalado na porta, e três gavetas com maçanetas de latão embaixo; Greta trancava a gaveta de cima com uma chave pequena.

– Essas são mais fortes – disse Greta, entregando a Einar o segundo par. Dobradas cuidadosamente e formando um quadrado, as meias pareciam a Einar um pedaço de carne humana: um pedaço da pele de Greta, bronzeada depois de férias de verão em Menton. – Por favor, tome cuidado – disse ela. – Eu ia usar esse par amanhã.

O cabelo repartido de Greta revelava uma faixa de pele branco-prateada, e Einar ficou imaginando o que ela estaria pensando ali embaixo. Com os olhos inclinados para cima e os lábios comprimidos, ela parecia estar concentrada em algo. Einar sentiu-se incapaz de perguntar; sentia-se quase amarrado, com um trapo sujo de tinta atado à boca. Ficou ali pensando sobre a mulher em silêncio, com um toque de ressentimento amadurecendo no rosto, que era pálido e liso, bastante parecido com a pele de um pêssego. "Você é um homem tão bonitinho", dissera ela anos antes, ao ficarem sozinhos pela primeira vez.

Provavelmente Greta notou o desconforto do marido, porque estendeu as mãos, segurou-lhe as bochechas e disse:

– Isso aqui não significa nada. Quando você vai parar de se preocupar com o que as pessoas pensam?

Einar adorava quando Greta fazia essas declarações – agitando as mãos no ar e proclamando as próprias crenças como a fé do resto do mundo. Achava que essa era a característica mais americana dela, além da predileção que tinha por joias de prata.

– Ainda bem que você não tem muito pelo nas pernas – disse Greta, como que notando o fato pela primeira vez. Estava misturando as tintas a óleo nas tigelinhas de cerâmica Knabstrup. Já terminara a metade superior do corpo de Anna, que anos de digestão de salmão amanteigado haviam soterrado sob uma fina camada de gordura. Einar ficara impressionado com a maneira com que Greta pintara as mãos de Anna segurando um buquê de lírios. Os dedos tinham sido cuidadosamente desenhados, com as juntas enrugadas e as unhas claras, porém opacas. Os lírios exibiam um belo tom branco-enluarado, com manchas de pólen enferrujado. Greta era uma pintora irregular, mas Einar nunca lhe dizia isso. Ao contrário, elogiava-a ao máximo, talvez até demais. Mas a ajudava sempre que possível, e tentava ensinar-lhe técnicas que achava que ela não conhecia, principalmente sobre luz e distância. Tinha certeza de que Greta se tornaria uma ótima pintora se algum dia encontrasse o tema certo. Uma nuvem se deslocou do lado de fora da Casa da Viúva, e um raio de sol caiu sobre o meio retrato de Anna.

Os modelos de Greta posavam sobre um baú laqueado, comprado da lavadeira cantonesa que passava por lá em dias alternados, anunciando-se não com um grito de rua, mas com o tinir de címbalos dourados.

De pé sobre o baú, Einar começou a sentir calor e tonteira. Baixou o olhar para as canelas e viu os poucos pelos que apareciam através da seda lisa, semelhantes à penugem diminuta de uma vagem. Os sapatos amarelos pareciam delicados demais para sustentá-lo, mas seus pés pareciam estar perfeitamente à vontade arqueados; era como se ele estivesse esticando um músculo caído em desuso. Algo começou a passar pela sua cabeça, fazendo-o pensar numa raposa à caça de camundongos: o fino focinho vermelho da raposa perseguindo o camundongo por entre os canteiros de uma horta.

– Fique parado – disse Greta. Einar lançou o olhar pela janela e viu a abóbada estriada do Teatro Real, onde ele às vezes pintava cenários para a companhia de ópera. Lá dentro, naquele momento, Anna ensaiava *Carmem* com os braços roliços elevados desafiadoramente, tendo como pano de fundo a arena de touros de Sevilha que ele pintara. Às vezes, quando Einar estava pintando no teatro, a voz de Anna elevava-se ali dentro feito uma cascata de cobre. Aquilo o fazia tremer tanto que seu pincel manchava o pano de fundo, e ele esfregava os olhos com os punhos. A voz de Anna não era bonita; era áspera e tristonha, um tanto gasta, estranhamente masculina e feminina ao mesmo tempo. Ainda assim, tinha mais vibração do que a maioria das vozes dinamarquesas, que frequentemente eram finas, esbranquiçadas e bonitinhas demais para empolgar a plateia. A voz de Anna tinha um calor latino; aquecia Einar, como se a garganta dela estivesse em brasa. Então, ele descia a escada no fundo do palco e ia até os bastidores: ficava vendo Anna, com a túnica branca de lã de cordeiro, abrir a boca quadrada enquanto ensaiava com o maestro Dyvik. Ela se inclinava à frente quando cantava; Anna sempre dizia que havia uma gravidade musical puxando seu queixo em direção ao fosso da orquestra. "Sempre vejo uma corrente fina e prateada, ligada à ponta da batuta do maestro e amarrada bem aqui", dizia ela, apontando para a verruga que ostentava no queixo feito uma migalha de pão. "Sem essa correntinha, acho que eu não saberia o que fazer. Não saberia ser eu mesma."

Quando Greta pintava, prendia o cabelo para trás com um pente de tartaruga; isso fazia seu rosto parecer maior, como se Einar estivesse vendo-o através de uma tigela de água. Greta era, provavelmente, a mulher mais alta que ele já conhecera; era tão alta que conseguia enxergar sobre as meias cortinas de renda que os residentes dos andares térreos penduravam nas janelas que davam para a rua. Ao seu lado Einar sentia-se pequeno, como se fosse seu filho, erguendo o queixo, lançando o olhar para seus olhos e esticando-se em busca de uma mão estendida. Aquele guarda-pó com bolsos enormes fora encomendado sob medida à costureira da esquina, a qual medira o peito e os braços de Greta com uma fita amarela, admirada e incrédula diante do fato de uma mulher tão grande e saudável não ser dinamarquesa.

Greta pintava com uma concentração flexível que Einar admirava. Conseguia retocar um reflexo no olho esquerdo do retrato, atender à porta, receber a entrega da Leiteria Busk e depois voltar sem esforço algum ao reflexo levemente mais esmaecido no olho direito. Cantava o que chamava de canções de acampamento enquanto pintava. Falava à pessoa que estava pintando de sua infância na Califórnia, onde os pavões faziam ninho nos laranjais do seu pai; falava às modelos femininas, como Einar certa vez entreouvira no topo da escada escura ao chegar em casa, dos intervalos cada vez maiores entre os momentos de intimidade deles. "Ele leva isso para um lado muito pessoal. Mas eu nunca jogo a culpa nele", dizia, e Einar a imaginava prendendo o cabelo atrás das orelhas.

– Estão caindo – disse Greta, apontando o pincel para as meias. – Puxe as meias mais para cima.

– Isso é mesmo necessário?

O marinheiro lá embaixo bateu a porta; fez-se um silêncio, quebrado apenas pelas risadinhas da mulher.

– Ora, Einar – disse Greta. – Quando você vai relaxar? – O sorriso desfez-se em seu rosto. Edvard IV entrou trotando no quarto e começou a fuçar as roupas de cama; depois soltou um suspiro de bebê bem alimentado. Era um cachorro velho que viera lá da fazenda em Jutland; nascera num pântano, e a mãe e o resto da ninhada haviam se afogado na turfa úmida.

O apartamento ficava no sótão de um prédio que o governo inaugurara no século anterior para as viúvas dos pescadores. Havia janelas que davam para o norte, o sul e o oeste, e, ao contrário da maioria dos prédios em Copenhague, havia espaço e luz suficiente para Einar e Greta pintarem. Eles quase foram para uma das vilas em Christianshavn, no outro lado do Inderhavn; vários artistas haviam se mudado para lá e se juntado às prostitutas e aos bêbados apostadores, perto das importadoras e fábricas de cimento. Greta dissera que podia morar em qualquer lugar, que nada era vagabundo demais para ela; mas Einar, que passara os primeiros quinze anos de sua vida dormindo sob um teto de sapê, fora contra e descobrira aquele lugar na Casa da Viúva.

A fachada era pintada de vermelho, e o prédio ficava a um quarteirão do canal Nyhavns. As janelas se projetavam sob o íngreme telhado de cerâmica, enegrecido de musgo, e as claraboias ficavam quase na cumeeira. Os outros prédios da rua eram caiados, com portas almofadadas pintadas da cor de algas. Bem defronte deles morava um médico chamado Möller, que atendia partos de emergência à noite. Mas poucos automóveis trafegavam pela rua, que terminava num beco sem saída no Inderhavn e era tão silenciosa que se ouviria até o eco do gemido de uma menina tímida.

– Eu preciso voltar a trabalhar – disse Einar por fim, cansado de ficar de pé naqueles sapatos, cujas fivelas de latão o apertavam agudamente.

– Então você não quer experimentar o vestido dela?

Quando Greta pronunciou a palavra "vestido", Einar sentiu um calor no estômago, seguido por uma sensação de vergonha que lhe veio subindo pelo peito.

– Não, acho que não.

– Nem por uns instantes? – perguntou ela. – Preciso pintar a bainha por cima dos joelhos dela. – Greta estava sentada na cadeira de assento de corda ali do lado, alisando-lhe a panturrilha através da seda. Aquela mão parecia hipnótica, e o afago mandava-o fechar os olhos. Ele ouvia apenas aquela unha raspando suavemente a seda, mais nada.

Mas, então, Greta parou.

– Não, desculpe. Eu não devia pedir isso.

Einar percebeu que a porta do guarda-roupa de freixo estava aberta, e que o vestido de Anna estava pendurado lá dentro. Era branco, com miçangas ao longo da barra e dos punhos. Uma das vidraças estava rachada, e o vestido balançava levemente no cabide.

Algo naquele vestido – o brilho opaco da seda, o peitilho de renda no corpete, as casas dos botões nos punhos, desabotoadas e escancaradas feito pequenas bocas – fez Einar ter vontade de tocá-lo.

– Gostou? – disse Greta.

Ele pensou em dizer não, mas seria mentira. Gostava do vestido, e quase podia sentir a própria carne amadurecendo embaixo da pele.

– Então vista isso só por alguns instantes. – Greta trouxe o vestido e ajeitou-o no peito dele.

– Greta – disse ele –, e se eu...

– Tire a camisa.

E ele tirou.

– E se eu...

– Feche os olhos – disse ela.

E ele fechou.

Mesmo de olhos fechados, parecia-lhe obsceno ficar sem camisa na frente da esposa. Parecia que ela o pegara fazendo algo que prometera evitar – não como adultério, mas como a retomada de um velho hábito ao qual jurara renunciar, como beber aquavit nos bares do canal de Christianshavn, comer *frikadeller* na cama ou examinar o baralho de camurça com mulheres nuas, que ele comprara numa tarde solitária.

– E a calça – disse Greta. Estendeu a mão e virou polidamente a cabeça. A janela do quarto estava aberta, e a brisa com cheiro de peixe arrepiava a pele de Einar.

Rapidamente, ele passou o vestido pela cabeça e ajeitou o regaço. Suava nas axilas e no meio das costas. O calor deixava-o com vontade de fechar os olhos e voltar aos seus dias de menino, quando aquilo que pendia entre suas pernas era pequeno e inútil feito um rabanete branco.

– Ótimo – disse Greta. Depois ergueu o pincel para a tela. Seus olhos azuis se estreitaram, como que examinando algo na ponta do nariz.

Ao postar-se sobre o baú laqueado, com a luz do sol movendo-se sobre seu corpo e o aroma de arenques no ar, Einar viu-se tomado por uma sensação estranha e aguada. O vestido estava folgado em todos os lugares, menos nas mangas, e ele sentia-se quente e submerso, como quem mergulha num mar de verão. A raposa estava perseguindo o camundongo, e havia uma voz distante na sua cabeça: o gemido suave de uma menininha assustada.

Einar começou a achar difícil manter os olhos abertos e continuar a observar os movimentos rápidos e dardejantes de Greta; a mão dela lançava-se contra a tela e depois fugia, enquanto as pulseiras e anéis de prata giravam feito um cardume de carpas. Começou a ter dificuldade para continuar a pensar em Anna cantando no Teatro Real, com o queixo inclinado em direção à batuta do maestro. Só conseguia se concentrar naquela seda que envolvia sua pele como se fosse uma bandagem. Sim, foi essa a sensação que ele teve naquela primeira vez: a seda era tão fina e arejada que parecia uma gaze – uma gaze encharcada de bálsamo, e que jazia delicadamente sobre a pele em tratamento. Até o constrangimento de posar diante de sua esposa perdeu a importância, pois ela estava ocupada, pintando com uma intensidade absorta no rosto. Einar começou a penetrar num mundo sombrio de sonhos, onde o vestido de Anna podia pertencer a qualquer um, até a ele. E assim que suas pálpebras ficaram pesadas e o ateliê começou a esmaecer, assim que ele suspirou e deixou os ombros caírem, assim que Edvard IV começou a roncar, a voz de cobre de Anna ressoou no quarto.

– Vejam só o Einar!

Einar abriu os olhos. Greta e Anna apontavam para ele com os rostos alegres e os lábios entreabertos. Edvard IV começou a latir diante dele. E Einar Wegener não conseguiu se mexer.

Greta tomou de Anna um buquê de lírios, presente de um fã na porta do teatro, e enfiou-o nos braços de Einar. Com a cabeça erguida feito um pequeno clarinetista, Edvard IV corria em torno dele, tentando protegê-lo. As duas continuaram a rir, e Einar revirou os olhos, que se encheram de lágrimas. Sentia-se mortificado pelas risadas e pelo perfume dos lírios, cujos pistilos cor de ferrugem estavam manchando de pólen o regaço do vestido, aquele volume escandaloso em sua virilha, as meias e suas mãos abertas e úmidas.

– Tu é uma piranha – disse com ternura o marinheiro lá embaixo. – Tu é uma piranha bonita pra diacho.

O silêncio que se fez no andar inferior sugeria um beijo de perdão. Nesse momento, ouviu-se uma risada ainda maior por parte de Greta e Anna, e, quando Einar ia pedir-lhes que saíssem do ateliê para deixá-lo trocar de roupa em paz, Greta disse num tom de voz suave, cuidadoso e nada familiar:

– Por que não chamamos você de Lili?

Capítulo dois

Greta Wegener tinha vinte e nove anos e era pintora. Nascera na Califórnia. Era da família Waud; seu avô, Apsley Haven Waud, enriquecera com concessões de terras, e seu pai, Apsley Júnior, enriquecera mais ainda com laranjais. Antes de se mudar para a Dinamarca, aos dez anos de idade, ela jamais passara de San Francisco; certo dia estava brincando diante da casa de sua tia Lizzie, em Nob Hill, e acidentalmente empurrara o irmão gêmeo na frente de uma charrete. Carlisle sobrevivera, com uma cicatriz comprida e reluzente encravada permanentemente na canela, mas havia quem dissesse que ele jamais fora o mesmo. Quando mais velha, Greta dizia que Carlisle nunca tivera o que ela chamava de "espinha do oeste". "Certos Waud nascem com isso", comentara ela, aos dez anos e já uma menina alta, no tombadilho de teca enquanto treinava frases em dinamarquês durante a viagem, "e outros não." Os dinamarqueses certamente não tinham "espinhas do oeste"; e por que deveriam tê-las? De modo que Greta os desculpava, ao menos na maior parte do tempo. Desculpava principalmente Einar, seu primeiro professor de arte e segundo marido. Na primavera de 1925, eles já estavam casados havia mais de seis anos: em certas manhãs Greta tinha a impressão de que haviam sido seis semanas; em outras, seis vidas bem vividas.

Einar e Greta se conheceram na Academia Real de Belas-Artes a primeiro de setembro de 1914, poucas semanas antes de as tropas do Kaiser invadirem os morrotes de Luxemburgo e da Bélgica. Greta tinha dezessete anos. Einar tinha vinte e poucos e já era professor de pintura; solteiro, também já era tímido e ficava facilmente constrangido diante de adolescentes. Greta tinha, já nessa época, os ombros largos e a postura de uma infância passada no lombo de cavalos. Deixava o cabelo crescer até o meio das costas, coisa que nas poucas ruas de Copenhague ainda iluminadas a gás parecia ser uma provocação. Os dinamarqueses a desculpavam porque ela era da Califórnia, lugar em que quase nenhum deles estivera, mas onde imaginavam que gente como Greta morava em casas arejadas à sombra de tamareiras, e que pedras de ouro brotavam no solo negro dos jardins.

Um dia Greta depilara as sobrancelhas e elas nunca mais haviam crescido; ela preferira encarar isso como uma conveniência. Toda manhã ela as redesenhava com os lápis de cera que comprava numa sala sem janelas no terceiro andar do Magasin du Nord, onde damas com *situations de beauté* faziam compras discretamente. Greta tinha o hábito irreprimível de ficar cutucando os poros do nariz sempre que abria um livro, e isso já deixara cicatrizes diminutas em sua pele, com as quais ela pouco se preocupava. Pensava em si mesma como a moça mais alta de Copenhague, coisa que provavelmente não era verdade, pois havia Grethe Janssen, uma beldade esbelta que era amante do prefeito e vivia pelas lojas no saguão do Hôtel d'Angleterre exibindo vestidos bordados em cristal em pleno dia.

Em todo caso, Greta também pensava em si mesma como a moça que menos chances tinha de casar. Quando um rapaz – fosse um dinamarquês de expressão solene, herdeiro de um clã aristocrático decadente, fosse o filho de um magnata do aço americano passando o ano em viagem pela Europa – a convidava ao balé ou a um passeio de veleiro pelos canais de Christianshavn, seu primeiro pensamento sempre era: Você não vai me fisgar. Ela só queria ser uma intelectual, uma mulher perpetuamente jovem, livre para pintar diariamente à luz da janela e cujo único convívio social ocorria à meia-noite, quando um grupo de oito se reunia no Sebastian, seu bar favorito, para duas taças rápidas de Peter Heering sabor cereja, antes que a polícia aparecesse solenemente à uma hora da madrugada para encerrar o expediente do lugar.

Mas até ela sabia que isso não só era tolice, como impossível. Ora, a jovem senhorita Greta Waud jamais teria permissão para viver assim.

Ainda menina, ela costumava escrever vezes sem conta no seu caderno de caligrafia: "Greta Greta Greta", omitindo deliberadamente o "Waud" como que para experimentar a sensação de ser apenas Greta, mais nada – pois não estava acostumada a isso. Não queria que soubessem de que família ela vinha. Ainda adolescente, já não queria se aproveitar de ligações de qualquer tipo. Desprezava qualquer um que dependesse excessivamente dos seus antecedentes. Para que aquilo?

Viera para a Dinamarca ainda menina, quando o pai, homem de braços compridos e barbicha, assumira seu posto na embaixada.

– Por que você vai fazer isso? – dissera Greta quando ele lhe falara da nova missão.

– Ora, Greta – retrucara a mãe –, mais respeito. Ele é seu pai. – Greta esquecera que a mãe dele, sua própria avó, Gerda Carlsen, em cuja homenagem ela fora batizada, era uma dinamarquesa de louro cabelo cor de faia. Criada em Bornholm, Gerda era conhecida pelas papoulas vermelho-sangue que usava atrás das orelhas, e por ter sido a primeira moça da família a deixar o mar Báltico, navegando não para Copenhague, como a maioria dos jovens curiosos e desejosos de largar a família, mas para o sul da Califórnia, coisa que naquela época era como dizer à família que você ia emigrar para a Lua. Após alguns anos trabalhando com cavalos no rancho certo, ela atraíra a atenção de Apsley Waud, Sr., e pouco tempo depois a moça alta de Bornholm, cujo cabelo batia na cintura e era adornado por papoulas, tornara-se uma matriarca californiana. Quando o pai lhe dissera que ia levar a família de volta à Dinamarca, fora falta de sensibilidade de Greta (e até ela tivera de admitir isso) não perceber a ligação, não perceber que aquela era a maneira que o pai tinha de fazer uma reparação à própria mãe, Gerda Carlsen Waud dos olhos azuis; a qual perdera a vida quando o filho, Apsley Waud Jr., na época apenas um rapaz, levara-a à borda do Arroyo Seco em Pasadena para tirar sua fotografia com a paisagem ao fundo e vira, horrorizado, o solo carcomido por cupins desmoronar e a mãe despencar no cânion, caindo sobre a forquilha mortífera de um plátano nodoso.

Ao entrar para a Academia Real no outono de 1914, Greta acreditava que a maioria das pessoas, principalmente os administradores, só fofocavam sobre duas coisas: a guerra e sua própria pessoa. Ela sempre causava comoção aonde quer que fosse, com aquela cabeleira loura, que se estendia feito uma cauda. Principalmente no sul da Califórnia. Ora, ainda no ano anterior, quando ela fora passar as férias jogando tênis e tendo aulas de equitação em Pasadena, certo dia sua atenção fora atraída pelo rapaz que guiava a carroça do açougue. O cabelo do rapaz era preto e encaracolado; ele estendera a mão quente, içara-a para a boleia e, juntos, os dois haviam percorrido a avenida Wilshire e voltado. Ela vira-o manipular os ganchos de ferro ao descarregar as costelas de boi e as costeletas de carneiro nas casas de Hancock Park. Na viagem de volta, o rapaz não tentara beijá-la uma única vez, coisa que deixara Greta decepcionada, e pela primeira vez ela tivera dúvidas quanto ao comprimento de sua cabeleira loura. Ao final do passeio o rapaz dissera apenas "Até a vista". De modo que Greta dera de ombros e fora para o quarto. Mas, à mesa do café na manhã seguinte, sua mãe comprimira os lábios finos e dissera "Greta, querida. Quer, por favor, explicar isto?", desdobrando uma folha de papel-carta com o timbre do *American Weekly*. Continha um bilhete enigmático que dizia apenas: "Por acaso a jovem senhorita Greta Waud planeja fazer carreira como açougueira?" Durante semanas, a ameaça de um escândalo nas páginas sociais rondara a mansão. Toda manhã o forte assobio do jornaleiro paralisava o pessoal da casa instantaneamente. A história jamais foi publicada, mas é claro que a fofoca acabara vazando. O telefone no corredor do segundo andar passara dois dias tocando sem parar. O pai de Greta não pudera mais almoçar no clube Califórnia no centro da cidade, e a mãe dera um duro dos diabos para arranjar outro fornecedor de carne. Pouco depois, seus pais haviam suspendido as férias de verão na Califórnia, e Greta voltara a Copenhague a tempo de ver a aurora boreal de agosto e os fogos de artifício explodindo por cima do Tivoli.

Aquele setembro marcara o fim da sua juventude: a guerra já podia ser ouvida em meio às trovoadas nas nuvens, e Greta matriculara-se na Academia Real. No primeiro dia de aula, surpreendera-se quando Einar, de pé diante de um quadro-negro que exibia o fantasma poeirento de uma lição anterior, perguntara: "E o seu nome, senhorita?"

Quando Greta respondera à pergunta, Einar – ou o prof. Wegener, como ela pensava nele à época – marcara o livro de chamada passando adiante. Seus olhos, que eram castanhos e grandes como os de uma boneca, haviam voltado a ela e logo se desviado. Avaliando aquele nervosismo, Greta começara a pensar que ele jamais conhecera uma americana na vida. Então, jogara a cabeleira sobre o ombro, como que desfraldando uma bandeira.

Ainda no começo do ano letivo, alguém deve ter cochichado algo a Einar sobre o pai dela, sobre a embaixada e talvez até sobre a história da carroça do açougue, porque as fofocas já então cruzavam o Atlântico; pois Einar tornara-se ainda mais desajeitado perto dela. Ela se decepcionara ao ver que ele era do tipo que não conseguia ficar à vontade com uma moça rica. Isso era algo que a deixava louca da vida, porque ela não pedira para ser rica, embora não ficasse pensando nisso o tempo todo. Einar não soubera dizer-lhe quais as pinturas que deviam ser vistas em Kunstudstillingen, e tampouco fora capaz de indicar-lhe o melhor itinerário até a loja de materiais artísticos perto de Kommunehospitalet. Ela o convidara à recepção oferecida pela embaixada americana a um armador de Connecticut em visita, mas ele declinara. Também recusara seu pedido para acompanhá-la à ópera. Mal olhava para ela quando conversavam. Mas ela olhava para ele: cara a cara quando se encontravam pessoalmente, e através das janelas quando ele cruzava o pátio da academia com passos curtos e rápidos. Ele tinha o peito pequeno, rosto redondo, pele pálida e olhos tão escuros que Greta não fazia ideia do que havia por trás deles. Ela conseguia fazê-lo enrubescer do pescoço às têmporas simplesmente por falar com ele. Ele parecia uma criança, e isso fascinava Greta, em parte porque ela sempre fora tão madura, franca e direta que as pessoas a tratavam mais ou menos como adulta, mesmo quando era pequena. Certa vez perguntara-lhe:

– O senhor é casado, professor? – E isso fez com que as pálpebras de Einar começassem a tremer descontroladamente. Ele comprimiu os lábios ao tentar dizer essa palavra aparentemente pouco familiar:

– Não.

Os outros alunos cochichavam a respeito do prof. Wegener.

– Vem de uma família de gnomos – dizia uma das moças.

– Era cego até os quinze anos – dizia outra.

– Nasceu num pântano – dizia um rapaz que andava tentando conquistar Greta. O rapaz pintava quadros de estátuas gregas, e Greta não conseguia imaginar nada, ou ninguém, mais entediante. Quando ele se oferecera para levá-la à roda-gigante do Tivoli, ela simplesmente revirara os olhos para o alto. – Bom, o prof. Wegener não vai levar você, se é o que você está esperando – retrucara o rapaz, dando um pontapé com a bota no tronco de um olmo.

A mãe de Greta, sempre vigilante após o incidente com a carroça do açougue, examinava cuidadosamente a filha quando ela voltava para casa à noite; mas a luz da lareira nada revelava nos olhos de Greta. Certa noite a mãe dissera:

– Greta querida, se você não arranjar acompanhante para sua festa de aniversário, vou ter que convidar alguém para você. – Estava tricotando junto à lareira da sala, e Greta podia ouvir Carlisle lá em cima, fazendo uma bola de tênis quicar. – Tenho certeza de que o filho da condessa Von der Recke gostaria de ir com você – dissera a mãe. – Ele não dança, claro, mas até que é bonito, se você esquecer aquela corcunda horrorosa, concorda, Greta? – A mãe ergueu o rosto afilado. O fogo da lareira estava fraco e avermelhado, e o barulho da bola de Carlisle ressoava na sala, fazendo o candelabro tremer. – Mas quando ele vai parar com isso? – dissera rispidamente a mãe. – Que bolinha idiota. – Dobrara o trabalho de tricô e levantara-se; seu corpo assumira uma postura rígida, como se fosse uma flecha acusatória apontada na direção do quarto de Carlisle. – Bom, tem o Carlisle – dissera com um suspiro. Então, como se as chamas da lareira houvessem se reavivado subitamente, iluminando a sala, a mãe dissera: – É isso mesmo. Tem o Carlisle. Por que você não pode ir com o Carlisle? Ele também não tem quem levar. Vocês podiam ir juntos como casal aniversariante. – Mas Greta, que continuava no umbral da porta, fizera um gesto de protesto e dissera:

– Eu não posso ir com o Carlisle! Não teria graça nenhuma. Além disso, sou perfeitamente capaz de encontrar um acompanhante. – As sobrancelhas da mãe, que eram cinzentas feito penas de pombo, haviam se erguido.

– Ah, é mesmo? Quem?

Greta sentira as unhas se enfiando na palma das mãos ao dizer:

– É só esperar para ver. Vou levar quem eu quiser. Mas não vou com o meu próprio irmão. – Brincara com o cabelo e encarara a mãe, enquanto lá em cima o barulho da bola de tênis continuava. – É só esperar para ver. Afinal, vou fazer dezoito anos.

Na semana seguinte, Greta encontrara Einar apoiado na balaustrada branca da escadaria da Academia Real. Ela colocara-lhe a mão no pulso e dissera:

– Posso falar com o senhor?

Era tarde; não havia ninguém por perto, e a escadaria estava inteiramente silenciosa. O prof. Wegener usava um terno marrom, com colarinho branco matizado de marrom. Carregava uma pequena tela em branco, do tamanho de um livro.

– Nós vamos dar um jantar para comemorar o meu aniversário – dissera Greta. – Vou fazer dezoito anos. Meu irmão gêmeo e eu. Queria saber se o senhor gostaria de ir.

A expressão de Einar era de quem comera algo podre; a cor sumira-lhe do rosto.

– Por favor, senhorita – dissera ele por fim. – Acho que a senhorita deveria matricular-se em outro seminário. Talvez seja melhor. – Levara a mão à garganta, como se algo delicado e valioso estivesse pendurado ali.

Fora então que Greta percebera que o prof. Wegener era, sob alguns aspectos, até mais jovem do que ela. Tinha o rosto de um menino, com a boca pequena e as orelhas constantemente vermelhas. O cabelo castanho-claro caía-lhe à testa com um jeito travesso. Naquele momento, algo dissera a Greta para segurar o rosto de Einar entre suas mãos. Ele se assustara levemente quando os dedos dela lhe tocaram as faces, mas ficara imóvel. Ela segurara a cabeça estreita do professor, com as têmporas quentes entre as palmas. Continuara segurando Einar, e ele deixara. Então beijara-o, com a pequena tela entre os dois. E percebera que Einar Wegener era não só o homem que ela queria que a acompanhasse à sua festa de aniversário de dezoito anos, mas também o homem com quem ela se casaria. "Você é um homem tão bonitinho", dissera.

– Posso ir? – perguntara Einar, afastando-se.

– Está falando da festa?

– Bom, não é disso...

– Claro que pode ir à festa. Foi por isso que eu perguntei.

Então, para surpresa de ambos, Einar virara o rosto para Greta em busca de um segundo beijo.

Mas antes da festa de aniversário de dezoito anos, o pai de Greta decidira que a Europa já não oferecia segurança. Pouco depois da invasão da França pela Alemanha, o pai mandara toda a família de volta para casa.

– Se o Kaiser invadir a Bélgica, quem impedirá que chegue até aqui? – perguntara ele à mesa de madeira clara na sala de jantar.

– Boa pergunta – retrucara a mãe de Greta, deslizando pela sala com montes de palha para embalagem. Greta, que se sentia uma refugiada em fuga, embarcara no *Princesa Dagmar* levando nos bolsos apenas um curto bilhete de Einar que dizia: "Por favor, me esqueça. Talvez seja melhor."

Mais de dez anos depois, naquela úmida primavera de 1925, Greta tinha a impressão de possuir um segredo sobre o marido. Depois da tal sessão com o vestido de Anna, eles haviam passado várias semanas sem mencionar o assunto. Trabalhavam em suas telas, evitando cuidadosamente perturbar um ao outro. O retrato de Anna estava pronto, e Greta já procurava outra encomenda. Em uma ou duas ocasiões, ao jantar ou quando ambos liam tarde da noite, algo fizera Greta pensar no vestido, e ela quase chamara o marido de Lili. Mas conseguira calar-se a tempo. Só uma vez respondera a uma pergunta dele dizendo: "O quê, Lili?" Mas se desculpara imediatamente. Ambos riram, e ela beijara-o na testa. Não voltara a pensar naquilo, e era como se Lili fosse a personagem de uma peça que haviam visto no Folketeatret.

Certa noite, Greta estava lendo um artigo sobre os sociais-liberais no *Politiken*, com o abajur lançando um cone de luz em torno da cadeira. Einar aproximou-se e sentou-se aos pés dela, colocando a cabeça no colo da mulher. Ela sentiu o calor pesado daquela cabeça sobre suas coxas enquanto lia o jornal. Alisou-lhe o cabelo, erguendo a mão de vez em quando para virar a página. Quando acabou, dobrou-o para começar a fazer as palavras cruzadas, tirando um lápis do bolso do guarda-pó.

– Andei pensando sobre ela – disse Einar.

– Sobre quem?

– Lili.

– Então por que ela não aparece de novo? – disse Greta, quase sem erguer o olhar das palavras cruzadas e coçando com o dedo sujo de tinta de jornal a marca de catapora.

Greta era capaz de dizer coisas sem pensar; seu espírito de contradição e radicalismo vivia borbulhando. Ao longo dos anos de casamento, ela já fizera outras sugestões absurdas: Por que não nos mudamos de volta para Pasadena, para cultivar laranjas? Por que não abrimos uma clínica aqui em casa para as prostitutas de Istedgade? Por que não nos mudamos para um lugar neutro, feito Nevada, onde ninguém vai saber quem somos? Muitas coisas são ditas na grande caverna do matrimônio, e felizmente a maioria delas fica pairando inofensivamente, negra, pequena e de cabeça para baixo feito um morcego adormecido. Ao menos era assim que Greta encarava aquilo; como Einar encarava, ela não saberia dizer.

Certa vez, ela tentara pintar um morcego adormecido – com a dupla membrana de pele negra dobrada sobre o corpo de camundongo – mas fracassara. Faltava-lhe habilidade técnica para retratar os dedos alongados, o polegar pequeno e dotado de garra e a translucidez cinzenta das asas estendidas. Ela ainda não aprendera a pintar o dorso de animais. Einar, que às vezes pintava uma porca, um pardal ou até Edvard IV nas suas paisagens, vinha prometendo ensinar-lhe havia anos. Mas sempre que se sentavam para a primeira aula, algo acontecia: um telegrama chegava da Califórnia, a lavadeira retinia os címbalos na rua, ou eles recebiam um telefonema de um dos clientes de Einar, os quais geralmente tinham cabeleiras prateadas e títulos de nobreza, e moravam atrás de estreitas persianas verdes eternamente aferrolhadas.

Poucos dias mais tarde, Greta chegou à Casa da Viúva após uma reunião com o proprietário de uma galeria que acabaria por rejeitar seus quadros. O negociante, um homem bonito com uma sarda que parecia uma mancha de chocolate na garganta, não chegara a despachar Greta; mas ela percebera, pelo jeito com que ele tamborilava os dedos no queixo, que não o impressionara. "Só retratos?", perguntara ele. O sujeito sabia, como toda a cidade de Copenhague, que ela era casada com Einar Wegener. Greta sentira que o negociante esperava, devido a isso, paisagens pitorescas por parte dela. "Já pensou que seus quadros talvez sejam", ele lutara para encontrar a palavra certa, "extasiados demais?" Isso fizera o sangue de Greta ferver, e ela sentira-se acalorada dentro do vestido com lapelas de smoking. Extasiados demais? Como algo poderia ser extasiado demais? Ela arrancara a pasta da mão do negociante e girara sobre os calcanhares. Ainda estava afogueada e com o rosto úmido ao chegar ao topo das escadas na Casa da Viúva.

Quando abriu a porta, encontrou uma moça sentada na cadeira de assento de corda, e a princípio não a reconheceu. A moça estava sentada de frente para a janela, com um livro nas mãos e Edvard IV no colo. Usava um vestido azul com gola branca destacável; uma das correntes de ouro de Greta podia ser vista em torno do osso no topo de sua espinha. A moça – será que Greta a conhecia? – recendia a leite e hortelã.

O marinheiro berrava com a mulher lá embaixo, e, toda vez que a palavra "piranha" atravessava o assoalho, o pescoço da moça enrubescia. Depois o rubor esmaecia. *"Luder"*, berrava o homem sem parar, e o rubor aumentava e diminuía na garganta da moça.

– Lili? – disse Greta por fim.

– É um livro maravilhoso. – Lili mostrou a história da Califórnia que o pai de Greta mandara num caixote com latas de limões açucarados, o suprimento de Puro Extrato de Pasadena e um saco de aniagem cheio de ramos de eucalipto para vaporização facial.

– Não quero incomodar você – disse Greta.

Lili murmurou suavemente. Edvard IV soltou um rosnado preguiçoso, erguendo as orelhas. A porta do apartamento ainda estava aberta, e Greta não tirara o casaco. Lili voltou a ler o livro, e Greta olhou para o pálido pescoço, que se projetava das pétalas da gola. Não sabia ao certo o que o marido queria que ela fizesse a seguir. Disse a si mesma que aquilo era importante para Einar, e que seguiria a orientação dele – coisa que para ela não era um impulso natural. Ficou parada na entrada do apartamento, com a mão segurando a maçaneta da porta; Lili continuou sentada na cadeira em silêncio, sob a claridade que vinha da janela. Ignorou Greta, que gostaria que ela se erguesse e lhe estendesse as mãos. Mas isso não aconteceu, e por fim Greta percebeu que devia deixá-la a sós; recuou, fechou a porta do apartamento atrás de si, desceu as escadas escuras e saiu à rua, onde encontrou a lavadeira cantonesa e mandou-a embora.

Mais tarde, ao voltar à Casa da Viúva, encontrou Einar pintando. Estava usando calça e colete de *tweed* xadrezado, com as mangas da camisa enroladas até os cotovelos. Sua cabeça parecia pequena dentro do colarinho, por cima do nó volumoso da gravata. Tinha o rosto cheio e as faces rosadas, com os lábios carnudos e pequenos chupando a ponta do pincel de aveleira.

– Está andando – disse alegremente. – Finalmente acertei a mistura de cores para a neve na charneca. Quer dar uma olhada?

Einar pintava paisagens tão pequenas que você podia equilibrar as telas nas mãos. Aquele quadro específico era escuro: um pântano ao crepúsculo durante o inverno. Uma linha fina de neve encardida era a única distinção entre o solo esponjoso e o céu.

– É o pântano de Bluetooth? – disse Greta. Recentemente, cansara-se das paisagens de Einar. Nunca entendia como ele conseguia pintar a mesma coisa vezes sem conta. Terminaria a charneca naquela noite e começaria outra pela manhã.

Sobre a mesa havia um pão de centeio. Einar fora ao mercado, coisa rara para ele. Havia também uma travessa de camarões no gelo, e um prato de carne desfiada. E uma tigela de picles de cebolas miúdas, que lembravam a Greta os colares de contas que ela e Carlisle faziam quando eram crianças e ele ainda estava incapacitado demais para brincar ao ar livre.

– Lili esteve aqui? – Greta sentiu necessidade de mencionar o assunto, pois sabia que Einar nada diria.

– Durante uma hora. Talvez menos. Você não consegue sentir o cheiro dela? O perfume? – Ele estava enxaguando os pincéis numa jarra, dando à água um esbranquiçado pálido parecido com o leite ralo que Greta tivera de comprar ao retornar à Dinamarca depois da guerra.

Greta não sabia o que dizer; não sabia o que o marido queria que ela dissesse.

– Ela vai voltar?

– Só se você quiser – disse Einar, de costas para ela.

Seus ombros não eram mais largos do que os de um garoto. Ele era um homem tão franzino que às vezes Greta achava que podia enrolar os braços duas vezes em torno dele. Ela ficou observando o ombro direito de Einar mexer-se ao enxaguar o pincel, e algo a mandou postar-se atrás dele, segurar-lhe os braços e cochichar-lhe que ficasse parado. Tudo o que ela queria era permitir que os desejos dele florescessem, mas ao mesmo tempo sentia o impulso irreprimível de abraçá-lo e dizer-lhe o que fazer quanto a Lili. Ficaram ali parados naquele apartamento, no sótão da Casa da Viúva, enquanto o crepúsculo enchia as janelas; Greta apertava Einar, que tinha os braços caídos ao longo do corpo. Por fim, e somente quando lhe ocorreu, ela disse:

– Ela é quem sabe. Vai ser como ela quiser.

* * *

Em junho a cidade promovia o Baile dos Artistas na Rådhuset. Greta passou uma semana com o convite dentro do bolso, sem saber o que fazer. Pouco antes disso, Einar dissera que não queria mais ir a bailes. Mas Greta tinha outras ideias; pois vira nos olhos de Einar um anseio que ele mesmo não estava preparado para admitir.

Certa noite, no teatro, ela perguntou suavemente:

– Você gostaria de ir ao baile como Lili? – Perguntou porque achava que era isso o que Einar queria. Ele mesmo jamais confessaria tal desejo; raramente confessava-lhe alguma coisa, a não ser que ela insistisse, e nesse caso seus sentimentos verdadeiros transbordavam enquanto ela escutava pacientemente com o queixo afundado na mão.

Estavam nas galerias superiores do Teatro Real. O veludo vermelho dos braços das poltronas estava puído, e sobre o proscênio lia-se a inscrição EJ BLOT TIL LYST. Os assoalhos de carvalho negro haviam sido encerados naquela tarde, e um doce aroma medicinal pairava no ar, fazendo Greta pensar no cheiro do apartamento depois que Einar fazia a faxina.

As mãos de Einar tremeram, e sua garganta enrubesceu. Eles estavam quase à altura do candelabro elétrico, com seus grandes globos de vidro fosco. A luz revelava a penugem nas faces de Einar, logo abaixo das orelhas, onde a maioria dos homens tinha costeletas. Sua barba era tão rala que ele só se barbeava uma vez por semana; o lábio superior tinha tão poucos pelos que Greta poderia contá-los se quisesse. Suas faces ostentavam uma cor parecida com o rosa-chá, que Greta às vezes invejava pelo canto do olho.

A orquestra afinava os instrumentos, preparando a longa entrada em *Tristan und Isolde*. O casal ao lado de Einar e Greta descalçou discretamente os sapatos.

– Pensei que tivéssemos combinado não ir ao baile este ano – disse Einar por fim.

– Não temos de ir. Só achei que...

As luzes diminuíram, e o maestro avançou até a boca do fosso. Einar passou as cinco horas seguintes sentado rigidamente, com as pernas juntas e o punho cerrado em torno do programa. Greta sabia que ele estava pensando em Lili, como se ela fosse uma irmã mais nova prestes a voltar para casa após uma longa ausência. Naquela noite Anna estava cantando o papel de Brangäne, a aia de Isolda. Sua voz fazia Greta pensar em brasas no fogão e, embora não fosse bonita como a de um soprano, tinha um contorno caloroso e era correta; não era assim que a voz de uma aia devia ser? "Algumas das mulheres mais interessantes que eu conheço não são especialmente bonitas", comentaria ela com Einar mais tarde, quando estivessem na cama, quando a mão de Greta estivesse sob o calor do quadril dele, quando ela estivesse à beira do abismo do sono e já não soubesse direito onde estava, se em Copenhague ou na Califórnia.

No dia seguinte, ao voltar de uma reunião com outro proprietário de galeria, um sujeito tão tímido e insignificante que nem sua rejeição fora capaz de irritá-la, Greta foi beijar Einar. Sentiu na face e no cabelo do marido o fantasma de Lili, aquele aroma persistente de leite e hortelã.

– Lili esteve aqui de novo?

– A tarde toda.

– O que ela fez?

– Foi até a Fonnesbech comprar umas coisas para ela.

– Sozinha? – disse Greta.

Einar assentiu. Já terminara de pintar naquele dia e estava sentado na poltrona de leitura com braços de nogueira, com o *Politiken* aberto nas mãos e Edvard IV enroscado a seus pés.

– Ela mandou dizer a você que quer ir ao baile.

Greta não disse nada. Sentia-se como se alguém estivesse lhe explicando as regras de um novo jogo de salão; ela escutava e assentia, mas na realidade pensava consigo mesma: Tomara que eu entenda isso melhor quando o jogo começar.

– Você quer que ela vá, não quer? – perguntou Einar. – Tudo bem para você, se ela for no meu lugar?

Greta, que estava enrolando o cabelo num coque que mais tarde viraria um nó, disse:

– Não me importo nem um pouco.

À noite, Greta ficava deitada na cama com o braço sobre o peito de Einar. Na época do casamento, a avó de Einar lhes dera uma cama de casal feita de faia. Era um tanto pequena, como todos os membros da família Wegener, com exceção do pai de Einar. Ao longo dos anos, Greta se acostumara a dormir na diagonal, com as pernas jogadas sobre as do marido. Às vezes, quando duvidava daquela vida que criara para si mesma na Dinamarca, ela tinha a impressão de que era uma menininha, e que Einar, com aquele rosto de boneca de porcelana e pés bonitinhos, era seu brinquedo mais adorado. Quando ele dormia, fazia um bico com os lábios, que reluziam. O cabelo caía-lhe como uma coroa de flores em torno do rosto. Greta perdera a conta das noites que passara acordada vendo aqueles longos cílios tremelicarem enquanto ele sonhava.

De madrugada o quarto deles ficava em silêncio, quebrado apenas pela buzina da barca que partia para Bornholm, a ilha no Báltico onde a avó dela nascera. Greta passava cada vez mais tempo deitada pensando em Lili, naquele rosto rural com o lábio superior tremulamente ousado e naqueles olhos tão castanhos e úmidos que ela não sabia se estavam ou não à beira das lágrimas. Pensando no narizinho carnudo de Lili, que de certa forma a fazia parecer uma menina que ainda estava assumindo o corpo de uma mulher.

Lili revelou-se ainda mais tímida do que Einar. Ou pelo menos a princípio. Baixava a cabeça quando falava, e às vezes ficava tão nervosa que não conseguia dizer nada. Quando ouvia uma pergunta simples como "Você soube do incêndio terrível nas docas da Companhia de Comércio Real da Groenlândia?", ela ficava olhando para Greta ou Anna e depois desviava o olhar. Preferia escrever bilhetes e pregá-los pelo apartamento, deixando sobre o guarda-roupa de freixo, ou então sobre a prateleira do cavalete de Greta, uns cartões-postais comprados de uma cega nos portões de ferro do Tivoli.

Mas eu não conheço ninguém que vai ao baile. Você acha mesmo que eu devo ir?

É justo não levar o Einar? Ele não vai se incomodar?

E certa vez:

Acho que não sou bonita o suficiente. Por favor, me dê a sua opinião.

Greta respondia, deixando outros bilhetes encostados num jarro de peras antes de sair de casa:

É tarde demais. Já disse a todo o mundo que você vai. Por favor, não se preocupe, todo o mundo acha que você é uma prima de Einar lá de Bluetooth. Houve quem perguntasse se você precisava de acompanhante, mas eu disse que não era necessário. Você não se importa, não é? Achei que você não estava – será essa a palavra? – pronta.

À noite, Einar e Greta jantavam com amigos no seu café predileto, à margem do canal Nyhavns. Às vezes ele ficava meio bêbado de aquavit e se gabava, em tom infantil, do sucesso de alguma exposição sua. "Todos os quadros vendidos!", dizia, fazendo Greta lembrar-se de Carlisle, que costumava gabar-se sem parar de uma nota boa em geometria ou de um belo amigo novo.

Mas a conversa de Einar constrangia Greta, que tentava não prestar atenção sempre que o assunto era dinheiro; afinal, o que havia a dizer? Não podiam fingir que o dinheiro não era importante para eles? Ela ficava olhando irritada para Einar por cima da mesa, com as espinhas do salmão nuas e oleosas sobre a travessa. Jamais contara a Einar que o pai instituíra um fundo para ela na Dinamarca, para não falar dos depósitos feitos na conta do Landmandsbanken ao final de cada safra de laranja – não por egoísmo, mas porque tinha medo que todo aquele dinheiro a transformasse em outra pessoa, uma pessoa de quem ela não gostaria muito. Numa ocasião lamentável, comprara o prédio inteiro da Casa da Viúva, mas jamais conseguira confessar isso a Einar, que todo mês caminhava relutantemente até um caixa do Landmandsbanken para entregar o cheque do aluguel. Até Greta sabia que aquilo fora um erro, mas como poderia corrigi-lo agora?

Quando Einar se entusiasmava, batia com os punhos sobre a mesa e o cabelo caía-lhe em torno do rosto; a gola de sua camisa se abria, revelando o peito rosado e liso. Ele não tinha gordura alguma no corpo, a não ser nas mamas macias, que eram pequenas feito dois pãezinhos. Greta dava-lhe tapinhas no pulso, tentando instá-lo a tomar menos aquavit – do jeito que sua mãe fazia quando ela era menina e bebia Coquetéis de Tênis no clube Valley Hunt. Mas Einar parecia nunca compreender aqueles sinais, e em vez disso levava a taça esguia aos lábios e sorria ao redor da mesa, como que em busca de aprovação.

Fisicamente Einar era um homem incomum; disso Greta sabia. Pensava nisso quando a camisa se abria ainda mais e todos à mesa espiavam o peito dele, que era obsceno feito o seio de uma menina recém-entrada na puberdade. Com aquele cabelo bonito e o queixo liso feito uma xícara, ele apresentava um quadro intrigante. Era tão belo que às vezes as velhas de Kongens Have infringiam a lei e lhe ofereciam tulipas tiradas de canteiros públicos. Seus lábios eram mais rosados do que os bastões coloridos que Greta comprava no terceiro andar do Magasin du Nord.

– Conte para eles por que você não vai ao baile – disse Greta ao jantar certa noite. Fazia calor, e eles comiam sentados a uma mesa ao ar livre, sob a luz de um archote. Um pouco antes, dois barcos haviam colidido no canal, e o ar da noite recendia a querosene e madeira rachada.

– O baile? – disse Einar, inclinando a cabeça.

– Greta diz que sua prima vem de Jutland – disse Helene Albeck, secretária da Companhia de Comércio Real da Groenlândia. Era de constituição compacta, e usava um vestidinho verde com cintura baixa; certa vez se embebedara, pegara a mão de Einar e a pusera no regaço. Einar resistira instantaneamente, o que agradara a Greta, que testemunhara o incidente através da fresta da porta da cozinha.

– Minha prima? – disse Einar, parecendo ficar confuso. Seu lábio superior se umedeceu e ele calou-se, como se houvesse desaprendido a falar.

Isso acontecia com frequência. Greta mencionava Lili a uma amiga, mesmo que fosse Anna, e Einar contorcia o rosto como se não fizesse ideia de quem era Lili. Ele e Greta jamais tocavam no assunto, nessa falta de compreensão infantil, mais tarde: Lili quem? Ah, sim, Lili. Minha prima? Sim, minha prima Lili. No dia seguinte, a coisa ocorria novamente. Era como se o segredinho dos dois fosse na realidade o segredinho particular de Greta, como se ela estivesse tramando algo por trás de Einar. Ela até pensou em discutir o assunto com ele diretamente, mas resolveu não fazer isso. Talvez tivesse medo de que aquilo o abalasse. Ou que ele se ressentisse da intrusão dela. Ou talvez seu maior temor fosse o da Lili desaparecer para sempre, com a gola branca destacável balançando enquanto fugia, e a deixasse sozinha na Casa da Viúva.

Capítulo três

O pai de Einar era um fazendeiro falido que cultivava cereais, e que fora expulso da Sociedade de Cultivo da Charneca. Saíra pela primeira vez da casa da mãe em Bluetooth na noite em que cavalgara até Skagen, na pontinha da Dinamarca, para buscar a noiva numa oficina de redes de pesca. Dormira num alpendre com telhado de sargaços e acordara ao alvorecer para se casar. Saíra de Bluetooth pela segunda e última vez na noite em que voltara a Skagen com o cadáver da mulher e Einar, ainda bebê, enrolado num cobertor xadrezado. Como o solo em Skagen estava duro demais para cavar, devido à geada, eles removeram as guelras de uma rede de pesca, enrolaram a mãe de Einar nela e a lançaram como uma âncora no mar gélido. Na semana anterior, uma onda arrastara o tal alpendre de telhado de sargaços para o mar de Kattegat, de modo que dessa vez o pai de Einar dormira na oficina de redes, entre os anzóis enferrujados, as cordas e o leve aroma de prímula pelo qual a mãe de Einar era conhecida.

O pai era alto e fraco, uma vítima de ossos delicados. Caminhava com um cajado nodoso, apoiando-se na mobília. Quando Einar era pequeno, o pai vivia acamado com moléstias que o médico simplesmente chamava de raras. Durante o dia, o pai dormia, e Einar entrava furtivamente no quarto dele. Via o pai respirando com os lábios cheios de espuma borbulhante. Avançava pé ante pé, estendendo a mão para os cachos dourados do pai. Sempre quisera ter um cabelo assim, tão grosso que um pente de prata poderia ficar espetado nele feito um enfeite numa árvore de Natal. Mais admirável do que o cabelo, porém, era a doença dele, a misteriosa moléstia que minava-lhe as energias, coalhava-lhe os olhos ovalados e amarelava-lhe os dedos frágeis. Einar achava o pai lindo – um homem perdido numa carcaça corporal inútil, resfolegante e levemente podre. Um homem traído por um corpo que não mais lhe servia.

Às vezes Einar subia na pequena cama de faia e se enfiava embaixo do edredom. Sua avó remendara os buracos na coberta com diminutas pelotas de goma de hortelã, e a cama tinha um cheiro fresco e verdejante. Einar deitava-se com a cabeça afundada no travesseiro, e o pequeno Edvard II se enroscava entre ele e o pai, com a cauda branca batendo nos lençóis. O cão gemia, suspirava e depois espirrava. Einar o imitava. Fazia isso porque sabia o quanto o pai adorava Edvard, e queria que o pai o adorasse da mesma forma.

Descansava ali, sentindo o calor débil que emanava dos ossos do pai; as costelas dele podiam ser vistas através do camisolão. As veias esverdeadas da garganta latejavam de exaustão. Einar pegava a cabeça do pai e ficava segurando-a até a avó, de corpo pequeno e retangular, aparecer na porta e espantá-lo dali. "Você só vai fazer com que ele piore", dizia ela, ocupada demais com as plantações e as visitas de consolo dos vizinhos para cuidar do neto.

Apesar daquela admiração, porém, Einar também sentia raiva do pai; às vezes xingava-o enquanto cavava no pântano, cortando a turfa com a pá. Sobre a mesinha ao lado do leito do pai havia um daguerreótipo ovalado da mãe de Einar, com a cabeleira formando uma coroa de flores em torno do rosto e os olhos prateados. Sempre que Einar pegava aquilo, o pai tomava-lhe o retrato e dizia: "Você está perturbando sua mãe." Na frente da cama, havia um guarda-roupa de freixo com as roupas dela, exatamente como as deixara no dia em que dera à luz Einar. Uma gaveta cheia de saias de feltro, com pedrinhas costuradas nas bainhas para segurá-las contra o vento; uma gaveta cheia de roupas de baixo de lã, cinzentas como o céu; nos cabides, alguns poucos vestidos de gabardine com mangas bufantes; o vestido de noiva, já amarelado, envolto em um papel que se rompia ao ser tocado. Havia também uma bolsa fechada por cordões, que chacoalhava com contas de âmbar, um broche negro e um pequeno diamante engastado em dois alfinetes.

De vez em quando, a saúde do pai melhorava subitamente, e ele saía de casa. Certo dia voltara depois de uma hora de prosa à mesa da cozinha de um vizinho, e encontrara Einar, miúdo para seus sete anos, mexendo nas gavetas, com as contas de âmbar ao redor do pescoço e um lenço amarelo amarrado à cabeça feito uma bela cabeleira.

O rosto do pai se avermelhara, e seus olhos pareceram afundar no crânio. Einar ouvira a voz do pai vibrando de raiva na garganta. "Você não pode fazer isso!", dissera o pai. "Meninos não fazem isso!" E o pequeno Einar retrucara: "Mas por que não?"

O pai morrera quando Einar tinha catorze anos. Os coveiros cobraram dez coroas a mais para cavar uma cova onde coubesse aquele caixão comprido. No cemitério a avó, que enterrava o último de seus filhos, dera a Einar um caderninho com capa de camurça. "Anote seus pensamentos íntimos aí dentro", instruíra ela, com o rosto achatado e redondo feito um pires; o rosto demonstrava apenas alívio por aquele filho estranho e inútil ter enfim partido. O caderninho era do tamanho de uma carta de baralho, com um lápis preso à lombada por argolas de couro de avestruz. Ela o surrupiara de um soldado prussiano adormecido quando a Confederação Alemã ocupara Jutland durante a guerra de 1864. "Tomei o caderno dele, e depois dei um tiro nele", dizia ela às vezes, fazendo requeijão.

Bluetooth tinha esse nome em homenagem a um dos primeiros reis da Dinamarca. Ninguém sabia ao certo quando fora fundada, ou de onde tinham vindo os habitantes, embora lendas contassem que os antigos colonizadores da Groenlândia haviam abandonado aquela terra pedregosa e soltado seus carneiros para pastar ali. Não passava de uma aldeia cercada por um pântano. Tudo em Bluetooth estava sempre molhado: os pés, os cães, e às vezes os carpetes e as paredes dos corredores durante a primavera. Havia uma passarela de tábuas cruzando o terreno esponjoso que levava à estrada principal e depois aos campos de cereais. Todo ano a passarela afundava tanto que o braço de uma menina podia sumir ali e, em maio, quando a geada se derretia em pedacinhos do tamanho de escamas de peixe, os homens de Bluetooth martelavam de novo as pranchas empenadas nos poucos montículos amarelos de terreno sólido.

Quando garoto, Einar tivera um amigo chamado Hans, que morava nos limites da aldeia, num casarão de tijolos que abrigava o único telefone da aldeia. Certo dia, antes que eles se tornassem amigos íntimos, Hans cobrara a Einar um *ore* só para pegar no telefone. Ele não ouvira nada, apenas o silêncio oco e cheio de estática. "Você sabe que eu deixaria você ligar, se houvesse a quem ligar", dissera Hans, lançando o braço em torno dos ombros de Einar e balançando-o levemente.

O pai de Hans era um barão. A mãe, que vivia com o cabelo grisalho puxado para trás, só falava com ele em francês. Hans tinha sardas na metade inferior do rosto e era, tal como Einar, menor do que a maioria dos garotos. Mas, ao contrário de Einar, Hans tinha uma voz rápida e rouca; era a voz de um garoto bom e sempre entusiasmado, que falava com igual empolgação e confiança com seu melhor amigo, sua governanta corsa e o diácono de nariz avermelhado. Era o tipo do garoto que adormecia instantaneamente à noite, exausto e feliz, subitamente mais silencioso do que o pântano. Einar sabia disso porque sempre que dormia no casarão ficava acordado até o alvorecer, excitado demais para fechar os olhos.

Hans era dois anos mais velho do que Einar, mas isso não parecia ter importância. Aos catorze, Hans era pequeno para a idade, porém mais alto do que Einar. Com uma bela cabeçorra em proporção ao corpo miúdo, Hans parecia, quando Einar tinha doze anos, mais adulto do que qualquer outro garoto da vizinhança. Hans compreendia os adultos que governavam o mundo: sabia que eles não gostavam de ter suas incoerências apontadas. "Não, não... não diga nada", aconselhava ele quando o pai de Einar, quase sempre lamentando seu estado doentio, lançava longe o edredom e corria ao bule de chá nas ocasiões em que a sra. Bohr ou a sra. Lange paravam para dois dedos de prosa. Ou então Hans sugeria, juntando os dedos e formando um remo que parecia uma barbatana, que Einar não contasse ao pai que queria ser pintor. "Você ainda vai mudar de ideia muitas vezes. Para que dar a ele motivo de preocupação agora?" Falava isso passando os dedos pelo braço de Einar, fazendo com que os pelinhos pretos se eriçassem, arrepiados e endurecidos. Como Hans sabia muitas coisas, Einar achava que ele devia ter razão. "Os sonhos não devem ser compartilhados", dissera Hans a Einar certo dia, enquanto o ensinava a trepar no velho carvalho que se erguia na borda do pântano. As raízes se retorciam misteriosamente em torno de um rochedo tão branco e salpicado de mica que ofuscava o olhar num dia ensolarado. "Eu quero fugir para Paris, mas não vou contar isso a ninguém. Vou guardar segredo. Um dia, já terei ido. *Só aí* as pessoas vão saber", dissera Hans, balançando de ponta-cabeça num galho, enquanto a camisa deslizava para baixo e revelava os pelos que brotavam no meio de seu peito. Caso ele se soltasse e caísse, desapareceria rapidamente na lama borbulhante ali embaixo.

Mas Hans jamais desaparecera no pântano. Quando Einar completou treze anos, ele e Hans já haviam se tornado os melhores amigos um do outro. Isso surpreendera Einar, que esperava apenas desprezo da parte de um garoto como Hans. Mas, em vez de desprezá-lo, Hans convidava-o para jogar tênis na quadra de grama demarcada com linhas de açúcar polvilhado que ficava ao lado do casarão. Quando descobrira que Einar não tinha a menor destreza no manejo da raquete, treinara-o para ser juiz, afirmando que isso era mais importante. Certa tarde, Hans e um de seus irmãos, que eram quatro ao todo, haviam resolvido jogar tênis nus, só para provocar a mãe. Einar sentara-se de suéter num rochedo coberto de liquens, e Hans instalara ali um guarda-sol de papel cor-de-rosa para protegê-lo do sol. Einar tentara apitar o jogo de forma objetiva, embora se sentisse inclinado apenas a ajudar Hans a vencer. Ficara sentado no rochedo marcando os pontos: "Quarenta a zero para Hans... um *ace* para Hans." Enquanto isso, Hans e o irmão corriam pela grama perseguindo a bola. Seus pênis alegremente rosados balançavam feito rabinhos de *schnauzers*, fazendo Einar começar a suar ali embaixo do guarda-sol, até Hans marcar o ponto decisivo. Depois, os três garotos se enxugaram com uma toalha, e o braço desnudo de Hans caíra sobre as costas de Einar.

Hans tinha uma pipa feita de papel e pau-de-balsa, trazida de Berlim pela baronesa. A pipa tinha o formato de um submarino, e Hans adorava vê-la navegando pelo céu. Ficava deitado sobre a alfafa, vendo a pipa flutuar sobre o pântano, com o rolo de linha preso entre os joelhos. "O Kaiser tem uma pipa igualzinha a essa", dizia ele, com folhas de relva entre os lábios. Tentara ensinar Einar a empinar a pipa, mas ele nunca conseguia achar a corrente de ar certa. A pipa de papel de arroz subia velozmente numa rajada de brisa e depois despencava ao chão; Einar sempre via Hans fazer uma careta quando a pipa retornava ao solo. Os dois corriam até a pipa, que estava sempre de cabeça para baixo.

– Não sei o que aconteceu, Hans – dizia Einar. – Desculpe.

Hans apanhava a pipa, espanava os dentes-de-leão e dizia:

– Novinha em folha. – Mas Einar nunca conseguira aprender a levantar a pipa; de modo que um dia, quando os dois estavam estendidos sobre a alfafa, Hans dissera: – Tome. Agora você guia. – Colocara o rolo de linha entre os joelhos de Einar e reacomodara-se sobre a relva. Einar sentia os buracos de raposa sob seu corpo. Toda vez que a pipa forçava a linha, o rolo girava e suas costas se arqueavam. – É isso mesmo – dissera Hans. – Guie a linha com os joelhos.

– Einar fora se acostumando com o giro do rolo, e com o movimento da pipa entre as cambaxirras. Os garotos riam, com os narizes ardendo sob o sol. Hans fazia cócegas na barriga de Einar com uma palha. Seus rostos ficavam tão próximos que Einar sentia o hálito dele por cima da relva. Queria deitar-se tão junto de Hans que seus joelhos se tocassem, e naquele momento Hans parecia estar aberto a qualquer coisa, Einar arrastara-se mais para perto do amigo; então, a única nuvem no céu desfizera-se, e o sol caíra sobre os rostos dos garotos. No momento em que Einar deslocara o joelho magricela na direção de Hans, uma lufada raivosa de vento puxara a pipa e o rolo de linha soltara-se dos seus joelhos. Os garotos viram o submarino passar por cima dos olmos, subindo a princípio, mas depois despencando no centro negro do pântano, que o engolira como se a pipa fosse pesada feito uma pedra.

– Hans – dissera Einar.

– Tudo bem – dissera Hans num sussurro atordoado. – Só não conte para a minha mãe.

No verão anterior à morte do pai, Einar e Hans estavam brincando nos campos de esfagno da avó de Einar, enfiando as botas na lama. Fazia calor, e eles haviam passado a maior parte da manhã nos campos; subitamente Hans pegara no pulso de Einar e dissera: "Einar, querido, o que tem para o almoço?" Era cerca de meio-dia, e Hans sabia que não havia ninguém na casa exceto o pai de Einar, que dormia sentado na cama.

Hans já começara a crescer nessa época. Tinha quinze anos, e seu corpo estava aumentando para combinar com o tamanho da cabeça. Um vestígio de gogó já aparecera em sua garganta, e ele já era muito mais alto do que Einar, que aos treze anos ainda não ganhara altura. Hans empurrara Einar em direção à casa. Na cozinha, sentara-se à cabeceira da mesa e enfiara um guardanapo no colarinho. Einar jamais cozinhara uma refeição, e ficara parado, sem ação, junto ao fogão. Hans dissera em voz baixa: "Acenda o fogo. Ferva um pouco de água. Jogue dentro umas batatas e um pernil de carneiro." Depois, num tom mais vago e com a voz áspera subitamente suavizada, dissera: "Einar. Vamos fazer de conta."

Em seguida, achara o avental da avó de Einar pendurado pelos cordões ao lado da chaminé do fogão. Pegara-o e amarrara-o cautelosamente em torno da cintura de Einar. Alisara a nuca do amigo como se houvesse ali uma cabeleira que precisasse ser afastada. "Você nunca brincou disso?", sussurrara com voz quente e pastosa no ouvido de Einar, passando as unhas roídas pelo pescoço do outro. Apertara mais ainda os cordões do avental, até Einar precisar erguer as costelas com um arquejo de espanto e gratidão, enchendo os pulmões; nesse instante o pai entrara na cozinha, com os olhos arregalados e a boca aberta num grande O.

Einar sentira o avental cair aos seus pés.

– Deixe o menino em paz! – O cajado nodoso do pai erguera-se sobre Hans.

A porta batera com força, e a cozinha tornara-se sombria e pequena. Einar ouvira as botas de Hans chapinhando na lama, indo em direção ao pântano. Ouvira os arquejos da respiração do pai e o estalo seco do tapa caindo sobre o próprio rosto. Então, por cima do pântano e das poças de girinos, por cima do campo de esfagno, flutuando pela tarde, surgira a voz de Hans entoando uma cançoneta:

Era uma vez um velho num pântano horroroso. Seu filho bonitinho, e seu cachorro preguiçoso.

Capítulo quatro

Greta passara seu décimo oitavo aniversário no *Princesa Dagmar*, emburrada junto à balaustrada. Não voltava à Califórnia desde o verão do incidente com a carroça do açougue. Enchia-se de tristeza ao pensar na casa de tijolos caiados sobre a colina, com vista para os ninhos de águia do Arroyo Seco e o crepúsculo arroxeado das montanhas San Gabriel. Sabia que a mãe queria que ela retomasse a amizade com as filhas de suas amigas: Henrietta, cuja família era proprietária dos campos de petróleo à beira-mar em El Segundo; Margaret, cuja família era proprietária do jornal; Dottie Anne, cuja família era proprietária do maior rancho da Califórnia, um pedaço de terra ao sul de Los Angeles do tamanho de quase toda a Dinamarca. Os pais de Greta esperavam que ela agisse como se fosse uma delas, como se jamais houvesse ido embora; esperavam que ela se tornasse a jovem californiana que nascera para ser: inteligente, bem-educada, boa amazona e silenciosa. Havia o baile de debutantes natalino no clube Valley Hunt, onde as moças desciam a escadaria com vestidos de organdi brancos e folhas albinas de poinséttia presas ao cabelo.

– Nada mais apropriado do que voltarmos a Pasadena a tempo de você debutar – cacarejava a mãe de Greta quase todo dia, durante a viagem de volta no *Princesa Dagmar*. – Deus abençoe os alemães!

O quarto de Greta ficava nos fundos da tal casa sobre a colina, e tinha uma janela arqueada com vista para o gramado e para as rosas, cujas pétalas ficavam marrons no outono, devido ao calor.

Apesar de bem iluminado, o quarto era pequeno demais para servir de ateliê. Dois dias após chegar, Greta começara a se sentir sufocada naquela casa; era como se os três andares de quartos e as empregadas japonesas cujos tamancos ressoavam para cima e para baixo nas escadas dos fundos estivessem estrangulando sua imaginação.

– Mãe, eu preciso voltar para a Dinamarca imediatamente... amanhã, até! Aqui é sufocante demais para mim – reclamara ela. – Pode ser bom para você e o Carlisle, mas eu tenho a impressão de que não consigo fazer nada aqui. Tenho a impressão de que desaprendi a pintar.

– Mas, Greta querida, isso é impossível – dissera a mãe, ocupada com a transformação das estrebarias numa garagem. – Como a Califórnia pode sufocar alguém? E comparada com a pequenina Dinamarca! – Greta concordara que aquilo não tinha lógica, mas era assim que ela se sentia.

O pai enviara-lhe, então, uma pesquisa estatística da Dinamarca publicada pela Sociedade Real de Controle Científico. Greta passara uma semana com aquilo, examinando os gráficos com autopiedade e saudade ao mesmo tempo: no ano anterior havia na Dinamarca 1.467.000 porcos e 726.000 ovelhas. O número total de galinhas: 12.000.000. Ela lia os números e virava a cabeça para a janela arqueada. Decorava as cifras, certa de que precisaria delas em breve, embora não soubesse dizer para quê. Tentava com a mãe mais uma vez. "Eu não posso voltar? Não dou a mínima para os alemães!"

Solitária, Greta ia até o Arroyo Seco e caminhava ao longo do leito ressecado do rio, onde os maçaricos procuravam água. No outono, a terra parecia queimada: as moitas de capim, os arbustos de mostarda, a alfazema e os lírios do deserto não passavam de frágeis esqueletos marrons; a fotínia, o grão de café, a baga de sabugueiro e o sumagre de limonada estavam todos secos nos galhos. O ar da Califórnia era tão ressecado que a pele de Greta estava rachando; enquanto ela andava pelo leito arenoso do rio, tinha a impressão de que a parte interna de suas narinas estava rachando e sangrando. Uma ou outra toupeira saía correndo à sua frente, percebendo um falcão voando em círculos lá em cima. Uma ou outra rajada de brisa agitava as folhas de carvalho. Ela pensava nas ruas estreitas de Copenhague, onde os prédios inclinados agarravam-se ao meio-fio feito anciãos temerosos de enfrentar o trânsito. Pensava em Einar Wegener, que lhe parecia vago como um sonho.

Em Copenhague, todos a conheciam, mas ninguém esperava nada dela, que era mais exótica do que aquelas lavadeiras morenas de Cantão que já haviam percorrido meio mundo e agora trabalhavam nas lojinhas de Istedgade. Em Copenhague, ela era respeitada independentemente de sua conduta, da mesma forma que os dinamarqueses toleravam aquelas dúzias de condessas excêntricas que tricotavam em mansões cobertas de musgo. Mas na Califórnia, ela voltara a ser a srta. Greta Waud, irmã gêmea de Carlisle e herdeira de laranjais. Todos os olhares viravam-se continuamente para ela. Em todo o município de Los Angeles, havia menos de dez homens com quem ela poderia casar-se. Do outro lado do Arroyo Seco, havia uma casa em estilo italiano, para a qual todos sabiam que ela se mudaria. A casa tinha quartos de bebê e quartos de brinquedos fechados por telas que ela encheria de crianças. "Agora não há mais necessidade de esperar", dissera a mãe uma semana depois de voltar. "Não vamos esquecer que você já fez dezoito anos." E obviamente ninguém esquecera a carroça do açougue. Havia um rapaz diferente fazendo as entregas, mas um breve instante de constrangimento sempre se abatia sobre a casa caiada quando a carroça aparecia chacoalhando na alameda.

Carlisle, o aleijado, cuja perna sempre doía na friagem dinamarquesa, já se preparava para ir para a Universidade de Stanford; pela primeira vez Greta sentira inveja dele, e do fato de que ele teria permissão para mancar pelo pátio arenoso até a sala de aula sob o sol forte de Palo Alto, enquanto ela teria de sentar-se no solário com um caderno de esboços no colo.

Começara a usar um guarda-pó de pintor, e no bolso da frente guardava o bilhete de Einar. Sentava-se no solário e escrevia-lhe cartas, embora fosse difícil pensar em algo que lhe quisesse contar. Não queria dizer-lhe que não pintava desde que deixara a Dinamarca. Não queria escrever sobre o tempo; isso era algo que sua mãe faria. Em vez disso, escrevia cartas acerca do que faria quando voltasse a Copenhague: ia matricular-se novamente na Academia Real; ia tentar organizar uma pequena exposição de suas pinturas em Den Frie Udstilling; ia convencer Einar a acompanhá-la à sua festa de aniversário de dezenove anos. Durante aquele primeiro mês na Califórnia, ela andava até o correio na rua Colorado para enviar as cartas.

– Talvez demore – dizia o atendente através da grade de bronze do guichê. E Greta retrucava:

– Não me diga que agora os alemães também estragaram o correio!

Não podia viver daquele jeito, dissera a uma das empregadas japonesas, Akiko, uma moça com coriza no nariz. A empregada curvara-se e trouxera-lhe uma camélia boiando numa tigela de prata. Alguma coisa vai ter de mudar, dissera Greta a si mesma, ardendo de raiva, embora não estivesse zangada com ninguém em particular, exceto o Kaiser. Lá estava ela, a garota mais livre de Copenhague, se não do mundo todo, e agora aquele alemão imundo praticamente arruinara a sua vida! Uma exilada, era isso que ela se tornara. Banida para a Califórnia, onde as roseiras passavam de três metros de altura e os coiotes uivavam no cânion à noite. Mal podia acreditar que se tornara o tipo de moça para quem a melhor coisa do dia era a chegada da correspondência, trazendo um monte de cartas, nenhuma delas de Einar.

Mandara um telegrama ao pai, implorando-lhe permissão para voltar à Dinamarca. "Os mares já não oferecem segurança", fora a resposta dele. Greta exigira que a mãe a deixasse ir para Stanford com Carlisle, mas ela dissera que as únicas escolas apropriadas para uma moça eram as Sete Irmãs, lá nas neves do leste.

– Eu me sinto sufocada – dissera à mãe.

– Deixe de ser dramática – retrucara a mãe, ocupada com a semeadura dos gramados de inverno e dos canteiros de papoulas.

Certo dia, Akiko batera delicadamente na porta de Greta, e com a cabeça curvada entregara-lhe um panfleto. "Desculpe", dissera. Depois saíra correndo, fazendo barulho com os tamancos. O panfleto anunciava a próxima reunião da Sociedade de Artes & Ofícios de Pasadena. Greta pensara nos amadores daquela sociedade, com suas palhetas em estilo parisiense, e jogara fora o panfleto. Virara-se para o caderno de esboços, mas não conseguira pensar em nada para desenhar.

Uma semana mais tarde, Akiko voltara à sua porta. Entregara a Greta um segundo panfleto. "Desculpe", dissera, cobrindo a boca com a mão. "Mas acho que moça gosta."

Greta só resolvera comparecer a uma reunião depois de Akiko entregar-lhe o terceiro panfleto. A sociedade possuía um bangalô nos morrotes acima de Pasadena. Na semana anterior, um puma, amarelo feito um girassol, pulara do pinheiral ao final da estrada e levara o bebê de um vizinho. Os membros da sociedade não falavam de outra coisa. A pauta fora abandonada, e discutia-se a criação de um mural que retratasse a cena. "Irá se chamar *Leão Descendo*!", dissera alguém. "Por que não um mosaico?", propusera outro membro. A sociedade era composta principalmente por mulheres, mas havia alguns homens, muitos dos quais usavam boinas de feltro. A reunião encaminhava-se para a aprovação de uma pintura coletiva a ser presenteada à biblioteca da cidade no Dia de Ano-Novo, e Greta fora recuando para o fundo da sala. Acertara em cheio.

– Você não vai se oferecer? – dissera um homem.

Era Teddy Cross, com sua testa branca e pescoço comprido inclinado para a esquerda. Teddy Cross, que sugerira que eles abandonassem a reunião e fossem para seu ateliê de cerâmica na rua Colorado, onde troncos de nogueira ardiam no forno dia e noite; e cujo tornozelo direito era inchado de músculos, de tanto pedalar a roda de oleiro. Teddy Cross, que se tornaria marido de Greta como resultado do baile de debutantes no clube Valley Hunt; e que, antes do final da Grande Guerra, morreria sob o olhar de Greta.

Era o segundo homem que Greta amava. Ela o amava pelos vasos de gargalo fino que ele formava com argila branca e vidro moído. Amava aquele rosto calmo e barbado, e o jeito com que ele entreabria a boca quando mergulhava as peças de cerâmica nas tinas de vitrificação. Ele era de Bakersfield, filho de plantadores de morangos; a infância passada com o olhar semicerrado enrugara-lhe permanentemente a pele ao redor dos olhos. Perguntava a Greta sobre Copenhague, sobre os canais e o rei, mas nunca fazia comentários sobre o que ela lhe contava; as pálpebras eram as únicas coisas que se mexiam em seu rosto. Ela lhe dissera que lá havia um grande pintor de paisagens apaixonado por ela, mas Teddy ficara simplesmente olhando para ela. Nunca passara do leste do deserto de Mojave, e só entrara numa das mansões ao longo da avenida Orange Grove quando fora contratado para ladrilhar as lareiras e os pisos dos alpendres de sesta.

Greta adorara a ideia de namorá-lo; de levá-lo aos pavilhões das quadras de tênis, onde no outono eram realizados os jantares dançantes de Pasadena; de mostrá-lo às moças do clube Valley Hunt, como que para dizer que já não era uma delas, pois afinal ela morara na Europa. Subiria na carroça do açougue se quisesse, ou então namoraria um ceramista.

Tal como esperado, a mãe de Greta recusara-se a receber Teddy Cross em casa. Mas isso não impedira Greta de passear com ele por Pasadena, visitando as entediantes Henrietta, Margaret e Dottie Anne em seus jardins sombreados. As moças não demonstraram se incomodar com Teddy, e Greta concluíra que aquilo, na verdade, era esnobismo da parte delas. Mas as obras de cerâmica dele eram tão requisitadas, descobrira ela, que havia um charme até respeitável na maneira com que ele comparecia às festas com as unhas sujas de argila. A mãe de Greta, que frequentemente dizia durante os jantares dançantes que preferia a *terra infirma* da Califórnia à "velha, velha Europa", dava tapinhas na mão de Teddy sempre que eles se encontravam em público, gesto esse que enfurecia Greta. A mãe sabia que a discussão acabaria no *American Weekly* se ela destratasse Teddy publicamente.

– Eles esnobam você – dissera Greta para Teddy durante uma dessas festas.

– Só alguns – retrucara ele, parecendo feliz por estar sentado com ela naquele divã de vime ao lado da piscina, enquanto o vento derrubava as folhas das palmeiras ao chão e a festa pegava fogo nas janelas da mansão. Se ele soubesse!, pensou Greta, pronta para brigar, embora ignorando contra quem e até o quê; mas pronta ela estava.

Certo dia a correspondência chegara num pacote amarrado com barbante, e Akiko levara um envelope azul até a porta de Greta. Ela ficara muito tempo olhando para aquilo, equilibrando o peso delicado na palma da mão. Mal podia acreditar que Einar lhe escrevera, e seus pensamentos começaram a girar em torno daquilo que ele poderia ter a lhe dizer: *Parece-me que a Guerra está prestes a terminar, e provavelmente nos reuniremos por volta do Natal.* Ou então: *Viajo à Califórnia no próximo navio.* Talvez até: *Mal posso dizer o quanto suas cartas são importantes para mim.*

Era possível, dissera Greta a si mesma com o envelope no colo. Ele podia ter mudado de ideia. Tudo era possível.

Então abrira o envelope.

A carta começava com "Cara senhorita Waud", e dizia apenas "Devido ao curso dos acontecimentos, mundiais e de outra natureza, creio que jamais nos veremos novamente, coisa que provavelmente é a melhor opção".

Greta dobrara o papel e metera-o no bolso. Por que Einar pensava daquela forma?, perguntara a si mesma, enxugando os olhos com a bainha do guarda-pó. Por que ele não tinha a menor sensação de esperança? Entristecida, ela não sabia o que fazer.

Akiko voltara à porta de Greta e dissera: "É o sr. Cross. Ao telefone."

E assim, pelo telefone no corredor do segundo andar, onde a mãe podia ouvi-la, Greta convidara Teddy a acompanhá-la ao baile de debutantes. Ele concordara, com uma única condição: que Greta parasse de se preocupar com seu relacionamento com a mãe dela.

– Vou tirar sua mãe para dançar, e aí você vai ver – dissera ele. Mas Greta revirara os olhos, pensando que Teddy não sabia onde estava se metendo. Desligara, e a mãe apenas dissera:

– Bom, agora que a coisa está feita, pelo menos ajude o rapaz com o fraque.

Havia sete moças no grupo de debutantes. Seus acompanhantes eram rapazes que estavam passando as férias em casa, vindos de Harvard, Princeton ou das bases do Exército em Tennessee e San Francisco. Uma moça com asma convidara Carlisle, pois tinha pulmões tão fracos que não precisava de um parceiro que dançasse bem. E Greta, que pela primeira vez começara a pensar que teria de esquecer Einar Wegener, treinara com afinco sua reverência oficial.

O vestido branco com cintura imperial não lhe caía bem no corpo. Era frouxo nos ombros e um pouco curto demais, deixando os pés à mostra. Pelo menos era assim que Greta se sentia; ao descer a escadaria do salão da frente do clube Valley Hunt, só pensava naqueles pés compridos e pesadões aparecendo. O corrimão da escadaria fora adornado com uma guirlanda formada por sempre-vivas, maçãs e lírios-vermelhos. Os convidados de gravatas brancas se espalhavam pelo clube, bebericando Coquetéis de Tênis "batizados" e observando, com polidez, as sete debutantes descerem. A decoração era composta por quatro árvores de Natal, e nas lareiras troncos de sequoia ardiam em meio a labaredas escuras.

Uma das moças trouxera um frasco prateado de uísque com tampa de madrepérola. As debutantes passavam o frasco umas para as outras enquanto se vestiam e prendiam as folhas de poinséttia no cabelo. O frasco tornava a noite mais brilhante, como se o gerente do clube houvesse ligado os castiçais das paredes na voltagem máxima. Aquilo fazia as chamas negras nas lareiras quase parecerem feras prestes a pular sobre os biombos.

Ao chegar ao pé da escada, Greta fizera uma reverência profunda, levando o queixo ao tapete oriental. Os membros do clube aplaudiram, equilibrando as taças de ponche. Em seguida, ela adentrara o salão de baile, e lá, esperando, estava Teddy Cross. De gravata branca, ele parecia mais alto do que de costume. Seu cabelo reluzia de tônico capilar, e havia algo diferente em sua aparência: ele parecia quase dinamarquês, com aquele cabelo louro-escuro, olhos enrugados, pele bronzeada e gogó pronunciado, que subia e descia nervosamente.

Tarde da noite, depois das valsas, do rosbife e dos morangos embebidos em champanhe do Oregon, Greta e Teddy saíram silenciosamente da sede do clube e foram até as quadras de tênis. A noite estava límpida e fria, e Greta precisara erguer o vestido devido ao orvalho que se acumulava nas linhas demarcadas. Sabia que estava um pouco bêbada, porque pouco antes fizera uma piada infeliz sobre os morangos e os pais de Teddy. Pedira-lhe desculpas imediatamente, mas pelo jeito com que ele dobrara o guardanapo sobre a mesa, ainda parecia estar magoado.

A caminhada pelas quadras de tênis fora ideia dela, como que para tentar compensá-lo por tudo aquilo, todos aqueles estranhos compromissos sociais em que ela o metera. Mas ela não tinha plano algum, não pensara no que ofereceria a ele. Foram até o pavilhão da quadra mais distante, onde havia um bebedouro e um divã de vime pintado de verde. Sobre aquele sofá, que recendia a madeira seca e carcomida por cupins, começaram a se beijar.

Greta não conseguira deixar de pensar na diferença entre o beijo de Teddy e o beijo de Einar. A bordo do *Princesa Dagmar*, ela ficara beijando a si mesma no espelho do camarote. A superfície chata e fria lembrava de certa forma o beijo de Einar, e ela começara a pensar naquele beijo nas escadas da Academia Real como algo semelhante a beijar a si própria. Mas o beijo de Teddy não era nem um pouco assim. Seus lábios eram ásperos e firmes, e os bigodes no lábio superior arranhavam-lhe a boca. Seu pescoço, aconchegando-se ao dela, era forte e duro.

O baile progredia na sede do clube, e Greta achara melhor acelerar as coisas. Sabia o que devia fazer a seguir, mas levara alguns instantes tomando coragem. Ponha a mão em cima da... Ah, já era tão difícil pensar naquilo, que dirá instigá-lo de verdade! Mas ela queria fazer a coisa, ou pelo menos achava que queria, e tinha certeza de que era o que Teddy queria também, pois seu pescoço virava e sacudia fortemente com aqueles bigodes de arame. Greta contara até três e pusera a mão na braguilha de Teddy.

A mão dele a detivera. "Não, não", dissera ele, segurando-lhe o pulso.

Greta jamais pensara que ele diria não. Como o luar estava forte, sabia que se erguesse o olhar para o rosto dele veria ali uma preocupação tensa com os bons modos, coisa que a deixaria profundamente constrangida. Pensara na última vez em que deixara um homem tentar dizer-lhe não: o resultado era que ela e Einar estavam separados por um continente e um mar, para não falar de uma guerra pirotécnica.

Naquele divã de vime da quadra mais distante do clube Valley Hunt, Greta Waud e Teddy Cross ficaram sentados por um instante, com o pulso dela ainda preso pela mão calosa dele.

Mais uma vez ela se perguntara o que fazer a seguir; e, como que impelida por um impulso até então desconhecido, enfiara o rosto no colo de Teddy. Pusera em ação todos os truques que aprendera com aqueles romances comprados no lado bandido da Estação Central de Copenhague e com as empregadas lituanas, faladeiras e safadas, que trabalhavam para sua mãe. Teddy continuava protestando, mas os "nãos" saíam de seus lábios cada vez com menos força. Por fim, ele soltara a mão dela.

Ao terminarem, o vestido dela estava todo amarfanhado em torno da cintura imperial. O fraque dele se rasgara misteriosamente. E Greta, que jamais ousara tanto na vida, estava deitada sob o corpo comprido e esguio de Teddy, sentindo o coração martelar dentro do peito e o cheiro salgado e amargo dele entre as pernas. Já sabia o que aconteceria; resignada, cerrara os braços em torno das costas de Teddy e pensara: Por mim tudo bem, desde que ele me tire daqui.

Casaram-se no jardim da casa dela na avenida Orange Grove, no último dia de fevereiro. As empregadas japonesas salpicaram o gramado com pétalas de camélia, e Teddy usara um fraque novo. Fora um casamento íntimo, apenas para os primos de San Marino, Hancock Park e Newport Beach. A vizinha, uma herdeira de chicletes de Chicago, também comparecera, porque como a mãe de Greta deixara escapar entre os dentes, também passara por aquilo com a própria filha. Os pais de Teddy foram convidados, embora ninguém esperasse que eles viessem; em fevereiro nem sempre era possível vir de Bakersfield pela estrada das montanhas.

Imediatamente após o casamento e uma breve lua de mel numa suíte ajardinada do Hotel del Coronado em San Diego, onde Greta chorara todos os dias – não por estar casada com Teddy Cross, mas por estar cada vez mais longe de sua adorada Dinamarca e da vida que queria levar –, os pais de Greta mandaram o casal morar em Bakersfield. O pai de Greta comprara-lhes uma casa em estilo espanhol, com telhado vermelho, grades de Sevilha nas janelas e uma pequena garagem coberta por uma buganvília. A mãe enviara Akiko para morar com eles. O corrimão da casa de Bakersfield era de ferro forjado, e as portas entre os aposentos eram arqueadas. Havia uma piscina em forma de rim, e uma pequena sala de estar rebaixada e dotada de estantes. A casa ficava num bosque de tamareiras, e seu interior era sempre fresco e sombreado.

Os pais de Teddy foram visitá-los uma vez; eram curvados e tinham as mãos levemente rosadas por causa dos morangos. Moravam no campo, em uns poucos hectares de terra preta, numa casinhola feita de tábuas de eucalipto. Seus olhos pareciam cerrados sob as rugas provocadas pelo sol, e eles ficaram quase mudos na sala de estar rebaixada de Greta, nervosamente abraçados enquanto examinavam aquela riqueza toda: a casa em estilo espanhol, o quadro plenarista sobre a lareira e o barulho dos tamancos de Akiko ao trazer-lhes uma bandeja. Greta servira aos pais de Teddy chá de hibisco gelado, e eles se sentaram nos sofás brancos que sua mãe encomendara na Gump. Todo o mundo estava pouco à vontade, lamentando que as coisas houvessem chegado àquele ponto. Depois Greta levara os pais de Teddy para casa no seu Mercer Raceabout; o carrinho de dois lugares obrigara a mãe de Teddy a enroscar-se no colo do marido. A noite caía rapidamente, enquanto o carro acelerava estrada afora e a friagem do início da primavera espalhava-se pelos campos. O vento soprava pelos sulcos, erguendo a poeira no ar. Greta tivera de acionar os limpadores para tirar a camada arenosa do para-brisa. A distância, uma luz dourada brilhava na casa de tábuas do casal. A poeira erguia-se com tanta força que Greta só conseguia enxergar a luz da casa, e era como se ela e o casal estivessem pensando na mesma coisa, porque nesse momento a mãe de Teddy dissera "Onde Teddy nasceu". O marido, com as mãos em torno da mulher, dissera "Sempre disse que ele ia voltar".

Greta passara o resto da primavera cochilando num dos sofás brancos da sala rebaixada. Detestava Bakersfield, detestava a casa em estilo espanhol, às vezes detestava até o bebê que crescia dentro dela. Mas não detestava Teddy Cross. À tarde, ela lia, enquanto ele renovava o suprimento de compressas quentes em sua testa. Greta inchava rapidamente, e sentia-se mais enjoada a cada dia. Antes de maio, já estava passando também as noites na sala, enjoada e pesada demais para subir a escada. Teddy passara a dormir num catre ao seu lado.

No começo de junho, o calor do verão se abatera sobre Bakersfield; antes de nove da manhã a temperatura já chegava aos quarenta graus. Akiko dobrava leques de papel para Greta; Teddy trazia-lhe compressas frias em vez de quentes. E, quando Greta ficava realmente enjoada, Akiko servia-lhe chá verde frio numa xícara laqueada, enquanto Teddy lia poemas em voz alta.

Mas certo dia, quando Teddy fora a Pasadena pegar uma roda no seu antigo ateliê, o qual jamais chegara a fechar, o calor e o enjoo chegaram ao fim. Greta e Akiko, cujo cabelo era negro feito uma asa de corvo, pariram juntas um menino azulado, com o cordão umbilical enrolado em torno do pescoço feito uma gravatinha. Greta batizara-o de Carlisle. No dia seguinte, em meio a uma nuvem de poeira, ela e Teddy enterraram o bebê no quintal da casa de eucalipto do velho casal, na borda dos sussurrantes campos de morangos.

Capítulo cinco

Aquela ruazinha de paralelepípedos que serpenteava por Copenhague oferecia escuridão e segurança suficientes, pensou Lili, para a privacidade de uma transação secreta. A rua era estreita demais para ter postes de luz, com as janelas de um lado abrindo-se quase diretamente para as janelas do outro. As pessoas que moravam ali economizavam lâmpadas nos aposentos da frente, e tudo estava escuro, exceto pelos poucos estabelecimentos ainda abertos. Havia um café turco onde os fregueses sentavam-se sobre almofadas de veludo na vitrine. Mais abaixo, via-se um bordel por trás de persianas discretas, com uma campainha de latão no formato de um mamilo. Mais além ainda, havia um botequim num porão; quando Greta e Lili passaram, um homem de bigode encerado desceu rapidamente os degraus e desapareceu ali dentro, onde poderia encontrar outros como ele.

Lili usava um vestido de *chiffon* em estilo marinheiro, com gola e punhos de linho. O vestido farfalhava a cada passo, e ela mantinha-se concentrada naquele barulho, tentando nervosamente não pensar no que estava por vir. Greta lhe emprestara o colar de pérolas, que ela enrolara três vezes no pescoço, escondendo-o quase totalmente. Também usava um boné de veludo, comprado naquela manhã na Fonnesbech, e cravara nele um broche de Greta com diamantes amarelos e um ônix em formato de borboleta-monarca.

– Você está tão linda que dá vontade de beijar – disse Greta quando Lili se vestiu. Ficara tão empolgada que tomara Lili nos braços e valsara com ela pelo apartamento, enquanto Edvard IV latia sem parar. Lili fechara os olhos pesados e duros sob a camada de maquiagem, e ficara imaginando que Copenhague era uma cidade onde Lili e Einar podiam viver como se fossem um.

A rua terminava na Rådhuspladsen, a grande praça do outro lado do Tivoli. A água jorrava dos dragões do chafariz, e diante do Hotel Palace erguia-se uma coluna encimada por uma dupla de viquingues de bronze soprando suas *lure*. A praça estava movimentada, com as pessoas chegando para o baile à meia-noite e turistas noruegueses empolgados com a corrida de bicicleta do dia seguinte, de Copenhague a Oslo.

Greta não apressou Lili. Deixou-a ficar parada na borda da Rådhuspladsen, esperando até que a pequena Lili preenchesse Einar como a mão preenche um fantoche.

Parada sob a torre revestida de cobre da Rådhuset, com aquele relógio de quatro faces que se erguia a mais de cem metros de altura, Lili tinha a impressão de carregar o maior segredo do mundo – ela estava prestes a enganar Copenhague inteira. Ao mesmo tempo, um lado seu sabia que aquela era a brincadeira mais difícil em que ela se meteria na vida. Fazia-a pensar naquele verão em Bluetooth, e na pipa-submarino que despencara. Einar Wegener, com seu rosto pequeno e redondo, parecia estar caindo num túnel. Lili olhou para Greta, que usava um vestido preto, e sentiu-se grata por tudo que jazia à sua frente. Do nada surgira Lili. Sim, era preciso agradecer a Greta.

As pessoas que entravam no prédio da prefeitura pareciam elegantes e felizes; o *lagerol* aumentava-lhes a cor nas faces. As moças com vestidos coloridos e vistosos abanavam o regaço, perguntando umas às outras onde estariam os pintores famosos. "Qual deles é o Ejnar Nielsen?", disse uma mulher. "Aquele é o Erik Henningsen?" Havia rapazes com bigodes encerados e charutos de Sumatra. Havia os jovens industriais que, devido ao dinheiro ganho com panelas e louça fabricada em série por máquinas sibilantes, vinham subindo na escala social.

– Você não vai me deixar sozinha? – perguntou Lili a Greta.

– Nunca.

Mas Lili já estava se agitando.

Dentro da Rådhuset, havia um pátio coberto, decorado no estilo da Renascença italiana. Em três de seus lados, viam-se galerias abertas sustentadas por colunas. Uma treliça de madeira cobria o pátio. Uma orquestra tocava no palco, e havia uma mesa comprida com travessas de ostras. Centenas de pessoas dançavam, as mãos dos belos rapazes pousadas na cintura das mulheres, as quais tinham as pálpebras pintadas de azul. Sobre um banco, duas meninas escreviam um bilhete para alguém, dando risadinhas. Formara-se um círculo de homens com as mãos nos bolsos dos smokings, olhando o movimento. Lili estava se agitando. Mal conseguia absorver aquilo tudo. Sentiu um princípio de pânico no peito, sabendo que ali não era lugar para ela. Pensou em ir embora, mas era tarde demais. Lili estava no baile, e a fumaça e a música já estavam se entranhando nos seus olhos e ouvidos. Se dissesse que ia embora, Greta simplesmente lhe diria para ficar quieta e não se preocupar, que não havia com o que se preocupar na face da Terra. Abanaria as mãos no ar e soltaria uma risada.

Ao lado de Lili, havia uma moça alta com vestido de alcinhas, fumando um cigarro prateado e conversando com um homem de rosto tão moreno que só podia ser latino. A mulher era esguia e tinha as costas elegantemente musculosas; o homem parecia tão apaixonado por ela que só conseguia balançar a cabeça e concordar; depois fez com que ela se calasse com um longo beijo.

– Lá está Helene – disse Greta. Do outro lado do salão via-se Helene Albeck, com o cabelo preto e curto cortado ousadamente, num penteado que Greta explicou estar na moda em Paris.

– Vá lá falar com ela – disse Lili.

– E deixar você sozinha?

– Acho que não quero falar com ninguém ainda.

Greta avançou por entre os dançarinos, com a cabeleira batendo-lhe nas costas. Deu um beijo em Helene, que parecia ansiosa para contar-lhe algo. Na Companhia de Comércio Real da Groenlândia, Helene administrava os quadros, gramofones, pratos de jantar com bordas de ouro e outros luxos incluídos nos carregamentos que toda terça-feira zarpavam de Copenhague. Havia dois anos vinha fazendo com que os quadros de Einar fossem encaixotados e enviados para Godthab, onde um agente os leiloava. O dinheiro demorava a cruzar o Atlântico Norte de volta; mas, quando chegava, Einar o apresentava orgulhosamente a Greta numa pasta sanfonada de couro.

Os dançarinos se movimentaram, e Lili perdeu Greta e Helene de vista. Estava sentada num banco de mogno com entalhes em forma de sereias. Fazia calor no pátio coberto, e ela tirou o xale. Enquanto o dobrava, um rapaz aproximou-se do banco e disse:

– Posso sentar? – Era alto e tinha cabelo castanho-amarelado, com grossos cachos em forma de saca-rolhas que lhe batiam abaixo da mandíbula. Pelo canto do olho, Lili viu-o conferir o relógio de bolso, e depois cruzar e descruzar as pernas. Ele tinha um leve aroma amadeirado, e suas orelhas eram rosadas, fosse por nervosismo ou por simples calor humano.

Lili tirou da bolsa o caderninho de camurça que Einar ganhara da avó, e começou a escrever bilhetes para si mesma acerca do rapaz. Ele parece o pai de Einar quando jovem, escreveu ela. Seu próprio pai, quando tinha saúde e ainda trabalhava nos campos de esfagno. Deve ser por isso que estou olhando tanto para ele, pensou Lili, abaixando o caderninho. Por que outro motivo estaria olhando sem parar para ele? Por que não consigo parar de olhar para esses pés grandes, esses bigodes duros, que brotam em suas faces formando uma meia barba? Para esse nariz aquilino e esses lábios carnudos? Para esse cabelo grosso e encaracolado?

O rapaz inclinou-se para ela.

– Você é repórter?

Lili ergueu o olhar do próprio colo.

– Poetisa, então?

– Nem uma coisa, nem outra.

– Então está anotando o quê?

– Ah, isso? – disse Lili, ainda espantada por ele ter falado com ela. – Não é nada de mais. – Embora estivesse sentada ao lado do sujeito, não conseguia acreditar que ele a houvesse notado. Tinha a impressão de que ninguém podia vê-la. Quase não se sentia real.

– Você é artista? – perguntou ele.

Mas Lili pegou o xale e a bolsa e disse:

– Desculpe.

Estava surpresa demais por ver-se ali para continuar a falar com ele. A essa altura, já estava com mais calor ainda, e sentiu o impulso repentino de tirar toda a roupa e sair nadando mar afora. Saiu do salão por um portal que levava a um jardim nos fundos.

Uma brisa soprava lá fora. Um velho carvalho cobria o pequeno jardim, como que protegendo o lugar de alguém que tivesse escalado a torre da Rådhuset para espiar. Sentia-se o cheiro de rosas e solo revirado. O trecho gramado estava prateado, com a cor das barbatanas de um peixe-voador. Lili deu alguns passos e avistou o casal de antes, a moça com o vestido de alcinhas e seu admirador, beijando-se atrás de um carvalho-anão. O homem segurava a mulher com força; o vestido dela estava erguido até o quadril, revelando, na escuridão, o fecho brilhante da liga.

Espantada, Lili virou-se e deu de cara com o rapaz do banco.

– Sabe o que dizem desse velho carvalho? – disse ele.

– Não.

– Dizem que se você comer as bolotas dele, pode fazer um pedido e se tornar quem você quiser por um dia.

– Por que alguém diria isso?

– Porque é verdade. – Pegou a mão dela e levou-a até um banco.

Ela descobriu que ele era um pintor chamado Henrik Sandahl. Recentemente, expusera uma série de quadros sobre peixes do mar do Norte: eram telas quadradas com rodovalhos, vários tipos de linguados, e aquele peixe bicudo e fugidio, o peixe-bruxa. Certo dia, Greta fora ver a exposição. Chegara em casa com os olhos arregalados, largando imediatamente a bolsa e as chaves. "Nunca vi nada assim", dissera a Einar. "Você precisa ir lá, para ver com seus próprios olhos. Nunca pensei que eu pudesse me apaixonar pelo rosto de um bacalhau!"

– Você veio com alguém? – perguntou Henrik.

– A mulher do meu primo.

– Quem é seu primo?

Lili lhe contou.

– Einar Wegener? – disse Henrik. – Entendi.

– Você conhece Einar? – perguntou Lili.

– Não, mas ele é um bom pintor. Melhor do que pensa a maioria. – Fez uma pausa. – Você já deve saber disso, mas muita gente hoje em dia diz que ele é antiquado.

Pela primeira vez Einar percebeu que virava o mundo de ponta-cabeça ao se vestir de Lili. Ele podia se autoanular ao tirar aquela combinação com bainha rendada. Podia desaparecer da sociedade ao erguer os cotovelos e prender as três voltas de pérolas espanholas em torno do pescoço. Podia pentear a cabeleira macia ao redor do rosto, e depois inclinar a cabeça feito uma adolescente animada.

Henrik pegou a mão de Lili. Os pelos duros no pulso dele a chocaram, porque a única mão que já segurara fora a de Greta.

– Me fale de você, Lili – disse Henrik.

– Tenho esse nome por causa dos lírios.

– Por que as moças dizem bobagens desse tipo?

– Porque é verdade.

– Não acredito em nenhuma moça que diz que é como uma flor.

– Não sei o que mais eu posso dizer a você.

– Comece por onde você nasceu.

– Em Jutland. Numa aldeia chamada Bluetooth, num pântano. – Falou a Henrik dos campos de alfafa e da chuva gélida que era capaz de esburacar as laterais das casas.

– Se eu desse a você uma bolota para comer – disse Henrik – quem você gostaria de ser?

– Não tenho ideia – disse ela.

– Mas faça um pedido.

– Não consigo.

– Tudo bem, então, não faça um pedido. – E então Henrik começou a contar a história de um príncipe polonês que livrara da labuta todas as mulheres de seu país; era quem Henrik queria ser.

Antes que ela percebesse, já era tarde, altas horas da madrugada. O vento aumentara, e o carvalho, com suas folhas em forma de orelhas, curvava-se como que para ouvir Henrik e Lili. A lua desaparecera, e na escuridão via-se apenas a luz dourada que jorrava do portal da Rådhuset. Henrik pegara a mão de Lili e massageava-lhe a base carnuda do polegar, mas ela tinha a impressão de que a mão e o polegar pertenciam a outra pessoa. Era como se outra pessoa estivesse assumindo o seu lugar.

– Nós não deveríamos ter nos conhecido antes? – disse Henrik com os dedos trêmulos, repuxando um fio solto no punho do paletó.

Lili ouviu Einar dar uma risadinha que parecia um bolsão de ar borbulhante; dentro do bolsão de ar sentia-se o bafo levemente azedo de Einar. Ele ria da falta de jeito que aquele rapaz demonstrava para cortejá-la e namorar. Será que o próprio Einar já dissera algo tão ridículo para Greta? Não era provável; Greta lhe teria ordenado que parasse de bobagens. Teria agitado as pulseiras de prata e dito "Ah, pelo amor de Deus", revirando os olhos para o alto. Teria dito que iria embora do restaurante, se Einar não parasse de tratá-la feito criança. Ter-se-ia virado abruptamente para o hadoque no prato, e mantido silêncio até sobrar apenas a cabeça oca do peixe num leito de vinagre. Depois teria beijado Einar e ido com ele para casa.

– Preciso procurar Greta – disse Lili.

Um nevoeiro chegara vindo do porto, e ela estava com frio. A ideia se apresentava assim: era Lili, com os braços desnudos, quem sentia o vento, e não Einar; era ela quem sentia aquela brisa úmida na linha quase invisível de pelos que lhe corria pela nuca. Lá no fundo, sob o *chiffon,* a combinação e, em último lugar, as ceroulas de lã amarradas por cordões, Einar também estava ficando com frio – mas apenas como você fica com frio quando observa uma pessoa sem casaco lutar contra a friagem. E aí ele percebeu que compartilhava algo com Lili: um par de pulmões azulados feito ostras; um coração palpitante; dois olhos frequentemente avermelhados de fadiga. Mas dentro do crânio era quase como se houvesse dois cérebros, uma noz dividida ao meio: o dele e o dela.

– Diga a Greta que eu levo você para casa – disse Henrik.

– Só se você prometer me deixar na esquina da Casa da Viúva – retrucou Lili. – Einar pode estar acordado, e não vai gostar de me ver com um estranho. Ele e Greta começariam a achar que não tenho idade para morar em Copenhague. Eles são assim, sempre preocupados comigo, sempre com medo de que eu me meta em confusão.

Henrik, cujos lábios estavam achatados, arroxeados e rachados bem no meio, beijou Lili. Avançou a cabeça depressa, pousou a boca sobre a dela e se afastou. Depois repetiu o gesto, mais de uma vez, enquanto massageava-lhe a carne acima do cotovelo e no centro das costas.

O que mais surpreendeu Lili no beijo de um homem foi a aspereza dos bigodes, e o peso quente e denso do braço do rapaz. A ponta da língua dele era estranhamente lisa, como se um chá escaldante houvesse queimado os bulbos irregulares. Lili teve vontade de empurrá-lo e dizer que ele não podia fazer aquilo, mas subitamente isso se afigurou uma tarefa impossível. Como se sua mão jamais pudesse repelir Henrik, cujos cachos de saca-rolha se contorciam feito cordas em torno do pescoço dela.

Henrik puxou-a do banco de ferro. Lili ficou com medo de que ele a abraçasse e sentisse através do vestido o formato estranho do seu corpo, ossudo e desprovido de seios, com aquele volume dolorido e inchado entre as coxas. Ele foi levando-a por um corredor lateral da Rådhuset, rebocando-a pela mão. Sua cabeça parecia maior do que a de um fantoche, e balançava alegremente; era arredondada e tinha um toque mongol na testa. E foi por isso, talvez, que Einar sentiu-se livre para agarrar o punho úmido de Henrik e segui-lo; era tudo uma brincadeira, parte da brincadeira de Lili, e as brincadeiras não valiam quase nada. Uma brincadeira não era arte, não era pintura; e certamente não era vida. Einar jamais se considerara anormal ou excêntrico, e tampouco naquela noite, com a mão de Henrik suando em sua palma, achou isso. "Você já desejou alguém que não a sua mulher, Einar? Outro homem, talvez?", perguntara o médico no ano anterior, quando ele fora consultá-lo a respeito da incapacidade deles de gerar filhos. "Não, nunca. De modo algum", retrucara ele. "Seu palpite está errado." Dissera ao médico que ele também ficava perturbado quando via aqueles homens de olhar fugidio e assustado e a pele excessivamente rosada rondando o banheiro no Orstedsparken. Homossexual! Nada podia estar mais longe da verdade!

E foi também por isso que Einar segurou a mão de Henrik e saiu correndo pela passagem dos fundos, onde as bandeiras dinamarquesas pendiam das vigas envernizadas. Foi por isso que tropeçou nos sapatos amarelos, que, por necessidade, Greta pintara em suas pernas naquela tarde de abril. Foi por isso que permitiu que o vestido justo lhe limitasse as passadas: ele estava brincando, e sabia disso. Greta também sabia disso. Mas Einar não sabia nada, absolutamente nada, sobre si mesmo.

Lá na Rådhuspladsen, um bonde passava chacoalhando; sua campainha era amigável e triste. Três noruegueses bêbados riam, sentados na borda do chafariz.

– Por onde vamos? – perguntou Henrik. Parecia mais baixo ali na rua, nos *plads* abertos onde se sentia o cheiro do café e dos biscoitos de especiarias que uma carrocinha próxima vendia. Einar sentiu um calor na boca secreta do estômago, e mal conseguiu olhar em torno de si, vendo o chafariz, os viquingues de bronze tocando as *lure* e os íngremes telhados dos prédios que cercavam a praça.

– Por onde vamos? – perguntou Henrik mais uma vez. Olhava para o céu, com as narinas trêmulas.

Então Einar teve uma ideia; Lili teve uma ideia. E, por mais estranho que possa parecer, foi assim: flutuando em algum ponto acima da Rådhuspladsen, Einar viu Lili, com seu lábio superior decidido, sussurrar para Henrik: "Venha." Ouviu-a pensar: Greta jamais saberá. Mas não descobriu ao que Lili se referia naquele momento: Greta jamais saberia o quê? Pois quando Einar, o remoto proprietário daquele corpo emprestado, foi perguntar a Lili ao que ela se referia; quando ele, flutuando em círculos lá em cima feito um fantasma, foi se inclinar e perguntar, quase como um motorista se pergunta qual direção tomar numa encruzilhada: *O que Greta jamais saberá?*, Lili, com os antebraços vermelhos de calor, com *chiffon* nos punhos e metade de seu cérebro de noz eletrificado pela corrente de pensamentos, sentiu algo quente escorrer-lhe do nariz até os lábios.

– Meu Deus, você está sangrando! – exclamou Henrik.

Ela levou a mão ao nariz. O sangue era espesso e lhe escorria sobre a boca. A música da Rådhuset reverberava em seu nariz. Ela sentia-se mais limpa a cada gota; vazia, porém limpa.

– O que aconteceu? – perguntou Henrik. – Como isso foi acontecer? – Estava berrando, e o sangue pareceu correr um pouco mais espesso, como que agradecendo aquela preocupação. – Vou chamar alguém para ajudar você. – Antes que ela pudesse detê-lo, ele saiu correndo, cruzando a Rådhuspladsen na direção de umas pessoas que entravam num carro. Estava prestes a bater no ombro de uma mulher que segurava a porta aberta. Lili viu o dedo de Henrik apontar lentamente. Então percebeu.

Tentou exclamar "Não!", mas não conseguiu falar nada. Henrik batia no dorso forte e negro de Greta, que estava na rua pondo Helene dentro do carro oficial da Companhia de Comércio Real da Groenlândia.

Foi como se Greta nem visse Henrik. Viu apenas Lili, vividamente ensanguentada do outro lado da Rådhuspladsen. Seu rosto se tensionou, e Lili achou que a ouviu sussurrar "Ah, não. Pelo amor de Deus, não". Quando deu por si, o lenço azul de Greta que ela vinha pegando emprestado em segredo já estava encostado em seu nariz, e ela estava desfalecendo nos braços de Greta, ouvindo uma voz suave feito uma canção de ninar:

– Lili, você está bem? Ah, Lili, por favor, fique boa. Ele machucou você?

Lili balançou a cabeça.

– Como isso aconteceu? – perguntou Greta esfregando os polegares em círculo sobre as têmporas dela, que não conseguiu dizer nada; conseguiu apenas ver Henrik, com medo de Greta, cruzar correndo a Rådhuspladsen. Suas pernas eram compridas e velozes, os cachos do seu cabelo balançavam, e o baque forte do seu pé nos paralelepípedos tinha uma semelhança sobrenatural com aquele tapa seco que o pai de Einar dera no rosto do filho, ao vê-lo usando o avental da avó e prestes a receber os lábios de Hans na nuca.

Capítulo seis

Naquele verão, o *marchand* que vendia as obras de Einar concordou em expor dez dos quadros de Greta por duas semanas. Einar conseguiu que ele lhe fizesse esse favor: *Minha esposa está ficando frustrada,* começou ele numa carta a Rasmussen, embora não quisesse que Greta soubesse do pedido. Infelizmente, usando a unha e uma chaleira, ela abriu o lacre da carta que Einar pediu-lhe que enviasse. Na realidade não tinha motivo algum para fazer isso, mas às vezes via-se inundada de curiosidade acerca do marido e do que ele fazia quando estava longe dela: o que lia, onde almoçava, com quem e sobre o que conversava. Não é porque estou com ciúmes, disse a si mesma lacrando delicadamente o envelope de novo. Não, é simplesmente porque sou apaixonada por ele.

Rasmussen era um viúvo calvo, com olhos puxados feito um chinês. Morava com os dois filhos num apartamento perto de Amalienborg. Quando disse que exporia os quadros mais recentes dela, Greta ficou tentada a dizer que não queria a ajuda dele. Depois pensou melhor e percebeu que queria. Para Einar, disse faceiramente:

– Não sei se você falou com Rasmussen ou não. Mas, felizmente, ele concordou.

Comprou dez cadeiras em Ravnsborggade e revestiu os assentos com damasco vermelho. Colocou uma cadeira à frente de cada quadro na galeria. "Para reflexão", sugeriu a Rasmussen, arrumando-as cuidadosamente. Depois escreveu a todos os editores de jornais europeus da lista que Einar compilara ao longo dos anos. O convite anunciava uma estreia importante; Greta teve dificuldade para escrever aquelas palavras que pareciam tão ostentatórias, tão comerciais, mas Einar a convenceu a ir em frente. "Já que é necessário", disse ela. Entregou pessoalmente os convites nas redações do *Berlingske Tidende*, do *Nationaltidende* e do *Politiken*, onde um funcionário de viseira cinzenta despachou-a com um sorriso de escárnio.

Os quadros de Greta eram de tamanho exagerado, e tinham um revestimento brilhante que ela criava com verniz. Eram tão duros e reluzentes que se podia limpá-los feito janelas. Poucos críticos compareceram à exposição, e ficavam passeando entre as cadeiras de damasco vermelho, comendo as bolachas de mel que Greta colocava numa travessa de prata. Ela acompanhava os jornalistas, que mantinham os blocos de anotações abertos; infelizmente, porém, nada anotavam. "Essa aqui é Anna Fonsmark. Você sabe, a mezzo-soprano", dizia Greta. "Como foi difícil para ela arranjar tempo para posar!" Ou então: "Ele é o peleiro do rei. Você notou a guirlanda de estolas ali no canto, simbolizando o ofício dele?" Quando dizia coisas assim, arrependia-se imediatamente; a grossura dos comentários ressoava no ar como que ecoando nas pinturas envernizadas. Ela pensava na mãe e enrubescia. Mas às vezes Greta transbordava com uma energia que a impedia de parar, pensar, planejar e tramar. Essa energia era o fluido que subia e descia pela sua espinha do oeste.

Greta tinha de admitir para si mesma que certos críticos só haviam aparecido porque ela era casada com Einar Wegener. "Como está indo o trabalho de Einar?", perguntavam alguns. "Para quando podemos esperar a próxima exposição dele?" Um dos críticos só fora porque Greta era da Califórnia, e ele queria ouvi-la falar dos pintores plenaristas que trabalhavam lá, como se ela soubesse alguma coisa sobre aqueles barbudos que misturavam suas tintas na claridade ofuscante de Laguna Niguel.

A galeria em Krystalgade era pequena, e, por causa da onda de calor que coincidira com a exposição, sentia-se o forte cheiro da queijaria vizinha. Greta ficara com medo de que o odor de queijo fontina se entranhasse nas telas, mas Einar dissera que isso era impossível devido ao verniz. "São impenetráveis", comentara ele sobre os quadros, numa avaliação pouco generosa que ficara pairando entre eles feito um morcego no ar.

Quando chegou em casa no dia seguinte, Greta encontrou Lili com duas agulhas no colo, fazendo uma rede de crochê para cabelo. Nem ela nem Einar haviam descoberto a causa do sangramento do nariz de Lili no Baile dos Artistas. Cerca de um mês depois, porém, o nariz dela começara a sangrar novamente: duas explosões quentes e vermelhas em apenas três dias de julho. Einar dissera que não era nada, mas Greta ficara preocupada, tal qual uma mãe que vigia a tosse do filho. Recentemente ela dera para sair da cama de madrugada, ir até o cavalete e pintar uma Lili lívida desfalecendo nos braços de Henrik. O quadro era grande, quase em tamanho natural; e mais real, com suas cores vívidas e formas planas, do que a lembrança que Greta tinha de Lili sangrando lá na praça. O fundo era inclinado: mostrava o chafariz com os dragões cuspindo água e os viquingues de bronze tocando as *lure*. Uma frágil Lili preenchia a tela, envolta nos braços de um homem cujo cabelo caía sobre o rosto dela. Greta dizia a si mesma, enquanto pintava, que jamais esqueceria aquela visão; a mistura crescente de horror, confusão e revolta ainda era palpável nas vértebras da sua espinha. Ela sabia que algo mudara.

– Você está aqui há muito tempo? – perguntou ela a Lili ao chegar.

– Menos de uma hora. – As agulhas continuaram se movimentando no colo de Lili. – Eu saí. Fui passear em Kongens Have e fiquei lá fazendo crochê num banco. Você já viu as rosas?

– Acha que isso é uma boa ideia? Sair assim? Sozinha?

– Eu não estava sozinha – disse Lili. – Henrik foi comigo. Encontrei com ele no banco.

– Henrik – disse Greta. – Entendi. – Greta examinou o marido pelo canto do olho. Não tinha noção do que ele pretendia com aquilo, com aquela Lili, mas ainda assim ali estava ele, de saia marrom, blusa branca com mangas compridas, e os tais sapatos antiquados com fivelas de latão que ela lhe dera no primeiro dia. Sim, ali estava ele. Uma vaga sensação de arrependimento assomou à garganta de Greta, pois ela queria estar ao mesmo tempo mais e menos envolvida nas idas e vindas de Lili. Percebeu que jamais saberia exatamente o que era preciso ser feito naquele caso.

– Como vai o pintor de peixes? – perguntou.

Lili inclinou o corpo na cadeira e começou a falar sobre a recente viagem de Henrik a Nova York, onde ele jantara com a sra. Rockefeller.

– Ele está virando um pintor importante – continuou, descrevendo as pessoas do mundo artístico que vinham falando de Henrik. – Você sabia que ele é órfão? – disse, descrevendo a juventude dele como aprendiz de marinheiro numa escuna de pesca no mar do Norte. Depois relatou que Henrik declarara, sentado naquele banco diante das sebes de Kongens Have, que jamais conhecera uma moça como ela.

– É óbvio que ele está caído por você. – Greta viu as faces de Lili se ruborizarem. Acabara de voltar de um dia morto na galeria, com todos os seus dez quadros ainda por vender nas paredes, e aí tudo se juntou: a visão do marido com uma saia marrom caseira, a história de Henrik convidado para jantar com a sra. Rockefeller no National Arts Club de Gramercy Park, e a noção esquisita de Lili e Henrik sentados num banco público à sombra dos torreões de Rosenborg Slot. Ela perguntou subitamente:

– Lili, me diga uma coisa. Você já beijou um homem?

Lili parou, com o trabalho de crochê caído sobre o colo.

A pergunta saiu da boca de Greta como que por vontade própria. Ela nunca se perguntara aquilo antes, pois sexualmente Einar sempre fora desajeitado e sem iniciativa. Achava impossível que ele desse vazão a anseios tão bizarros. Ora, sem ela Einar nem teria descoberto Lili.

– Henrik seria o primeiro? – disse. – O primeiro a beijar você?

Lili ficou pensando, com a testa franzida. A voz de vodca do marinheiro surgiu através do assoalho. "Não mente para mim!", berrou ele. "Sei muito bem quando tu tá mentindo."

– Em Bluetooth – começou Lili – havia um garoto chamado Hans. – Era a primeira vez que Greta ouvia falar de Hans. Lili falava dele em êxtase, com os dedos juntos e erguidos no ar. Falava como se estivesse em transe, descrevendo as peripécias de Hans escalando o velho carvalho, sua vozinha rouca, sua pipa em forma de submarino afundando no pântano.

– E você nunca mais ouviu falar dele? – perguntou Greta.

– Pelo que eu sei, ele se mudou para Paris – disse ela, voltando a fazer crochê. – É *marchand,* mas só sei isso. Negocia obras de arte com os americanos. – Em seguida levantou-se; foi para o quarto, onde Edvard IV rosnava adormecido, e fechou a porta. Uma hora mais tarde, quando Einar apareceu, era como se Lili jamais houvesse estado ali. Não fosse o perfume de leite e hortelã, era como se ela realmente não existisse.

Ao final das tais duas semanas, nenhum dos quadros de Greta fora vendido. Ela já não podia culpar a economia pela sua falta de sucesso, pois a Grande Guerra terminara sete anos antes e a economia dinamarquesa já dava lentos sinais de crescimento e especulação. Mas o fracasso da exposição não a surpreendeu. A reputação de Einar sempre fizera sombra à dela, desde que eles haviam se casado. Seus quadrinhos escuros de pântanos e tempestades, sendo que alguns não passavam de pinceladas de cinza sobre preto, atraíam mais e mais coroas a cada ano. Enquanto isso, Greta ganhava apenas as parcas comissões de executivos que se recusavam até a sorrir. Os retratos mais pessoais que ela pintava, como o de Anna, o da cega no portão do Tivoli, e agora o de Lili, passavam despercebidos. Afinal, quem preferiria comprar as obras de Greta em vez de comprar as de Einar? As brilhantes e ousadas telas da americana em vez dos aconchegantes e sutis quadros do dinamarquês? Em toda a Dinamarca, onde os estilos artísticos do século XIX ainda eram considerados novos e polêmicos, que crítico ousaria elogiar o estilo dela em detrimento do dele? Era assim que Greta se sentia; e até Einar, quando provocado, admitia que isso talvez fosse verdade. "Detesto me sentir assim", dizia ela às vezes, inchando as bochechas com uma inveja que não podia ser atribuída à mesquinharia.

Um dos quadros, porém, atraíra certo interesse. Era um tríptico, pintado sobre tábuas com dobradiças. Greta começara a pintá-lo no dia seguinte ao baile na Rådhuset. Eram três visões da cabeça de uma moça em tamanho natural: uma moça absorta em pensamento, com as pálpebras cansadas e avermelhadas; uma moça lívida de pavor, com as faces encovadas; e uma moça exageradamente excitada, com os lábios orvalhados e o cabelo soltando-se dos grampos. Greta usara um pincel fino, de pelo de coelho, e uma mistura à base de ovo que davam à pele da moça uma translucidez semelhante ao brilho de um verme noturno. Nesse quadro, ela resolvera não usar o verniz. Ao pararem diante da obra, certos críticos haviam tirado o lápis do bolso do paletó. O coração de Greta começava a martelar-lhe as costelas, enquanto ela ouvia as pontas de grafite arranhando os blocos de anotações. Um dos críticos pigarreara; outro, um francês com uma pequena verruga sobre a borda da pálpebra, dissera a Greta: "Esse também é seu?"

Mas o quadro, chamado *Lili Três Vezes,* não conseguira salvar a exposição. Rasmussen, um baixote que recentemente navegara até Nova York para trocar quadros de Hammershoi e Kroyer por ações das indústrias de aço da Pennsylvania, encaixotara os retratos de Greta para devolvê-los. "Vou ficar com o da moça em consignação", dissera ele registrando-o no seu cadastro.

Várias semanas depois, um recorte de um jornal de arte parisiense chegou pelo correio, aos cuidados da galeria de Rasmussen. O artigo era um resumo da arte escandinava moderna; no meio do parágrafo sobre os artistas mais talentosos da Dinamarca havia uma menção breve de Greta, tão breve que a maioria das pessoas provavelmente nem a viu. "Uma imaginação selvagem e rapsódica", dizia o artigo sobre ela. "Seu quadro de uma jovem chamada Lili seria assustador se não fosse tão belo." A resenha não dizia mais nada. Era burocrática, como a maioria tende a ser. Rasmussen mandou o recorte para Greta, que o leu com uma mistura de sentimentos que não conseguiria articular para ninguém; para ela, mais espantosa do que a frase elogiosa era a ausência do nome de Einar. A arte da Dinamarca estava resumida ali, e o nome de Einar não aparecia em parte alguma. Greta enfiou o recorte numa gaveta do armário de freixo. Colocou-o sob as gravuras em tom sépia de Teddy e as cartas que o pai lhe mandava de Pasadena, descrevendo a colheita de laranjas, as caçadas aos coiotes e a sociedade de pintoras de Santa Monica, para a qual ela poderia entrar caso resolvesse deixar a Dinamarca de vez. Greta jamais mostraria aquele artigo a Einar. Era dela; as palavras de elogio eram dela. Mais uma vez, não sentiu necessidade de compartilhar nada daquilo.

Mas ela não podia simplesmente ler a resenha e enfiá-la numa gaveta. Não, precisava reagir, de modo que imediatamente escreveu ao crítico com uma ideia.

"Obrigada pela resenha atenciosa", começou.

> O recorte terá lugar especial no meu arquivo. Suas palavras foram por demais bondosas. Espero que o senhor me procure da próxima vez que vier a Copenhague. Nossa cidade é pequena, mas refinada. Algo me diz que o senhor não a conhece direito. Enquanto isso, há mais uma coisa que gostaria de pedir-lhe. Meu marido, o paisagista Einar Wegener, perdeu o contato com

um amigo íntimo de infância. Sabemos apenas que ele mora em Paris e provavelmente é *marchand*. Será que o senhor conhece Hans Axgil, o barão? Ele é de Bluetooth, em Jutland. Meu marido gostaria de encontrá-lo. Aparentemente os dois tinham uma amizade extraordinária quando meninos. Meu marido fica muito nostálgico, como é comum entre os homens ao recordar a juventude, quando fala de Hans e de sua infância em Bluetooth, que na realidade é apenas um pântano. Mas talvez o senhor tenha ao menos ouvido falar de Hans, já que o mundo das Artes é menor do que todos imaginamos. Se tiver o endereço, espero que não seja bondade demasiada enviá-lo a mim, que o passaria a Einar. Ele ficaria agradecido.

Capítulo sete

Uma semana depois do Baile dos Artistas, Lili encontrou-se três dias seguidos com Henrik em Kongens Have. Ainda insegura, concordava em vê-lo apenas à hora do crepúsculo, que ao final de junho ocorria bem depois do jantar. Toda noite, ao vestir-se, tirando a saia do armário e se preparando para seu compromisso, ela sentia o fardo da culpa. Greta ficava lendo o jornal na sala, e Lili tinha a impressão de sentir o peso de seu olhar enquanto passava o pó e o batom, enchendo a combinação com meias enroladas. Edvard IV jazia esparramado no pequeno tapete ovalado diante do espelho, e ela rodeava-o pé ante pé. Examinava seu perfil no espelho, primeiro do lado esquerdo e depois do direito. Sentia-se culpada por deixar Greta entregue ao jornal sob o cone da luz do abajur, mas não o suficiente para deixar de ir ao encontro de Henrik, no poste de ferro combinado.

– Você vai sair? – disse Greta na primeira noite em que Lili dirigiu-se para a porta, no instante em que soava a buzina da barca de Bornholm.

– Vou dar uma caminhada – disse Lili. – Em busca de ar fresco. A noite está agradável demais para ficar aqui dentro.

– A essa hora?

– Se você não se importar.

– Eu não me importo – disse Greta, apontando para a pilha de jornais a seus pés que ainda queria ler antes de dormir. – Mas sozinha?

– Não vou estar sozinha, exatamente – disse Lili, desviando o olhar para o chão sem conseguir encarar Greta. – Vou me encontrar com Henrik. Mas só para dar um passeio.

Depois olhou para o rosto de Greta, cujas bochechas tremiam e os dentes pareciam estar rangendo. Greta sentou-se ereta na cadeira. Dobrou com força o jornal no colo.

– Não chegue tarde demais – disse por fim.

Henrik deixou Lili esperando quase vinte minutos sob o poste da rua. Ela ficou com medo de que ele tivesse mudado de ideia, que talvez tivesse percebido algo a respeito dela. Estava assustada por estar sozinha na rua. Mas também sentia-se empolgada com aquela sensação de liberdade; a vibração acelerada de sua garganta dizia-lhe que podia fazer quase tudo que quisesse.

Quando Henrik finalmente chegou, estava sem fôlego e tinha o lábio superior coberto de suor. Pediu desculpas.

– Estava pintando e perdi a noção da hora. Isso acontece com você também, Lili? Esquecer quem você é, ou onde está?

Caminharam por meia hora no calor da noite. Não conversaram muito, e Lili tinha a impressão de que não havia nada a dizer. Henrik pegou-lhe a mão. Quando se viram numa rua onde havia apenas um vira-lata, ele a beijou.

Encontraram-se novamente nas duas noites seguintes; nas duas vezes Lili saiu de casa esgueirando-se sob o olhar que Greta lhe lançava por cima da página do jornal. Nas duas vezes Henrik chegou atrasado, correndo, com tinta sob as unhas e nos cachos do cabelo.

– Queria conhecer Greta um dia – disse Henrik. – Para provar a ela que na verdade não sou do tipo que sai correndo quando uma mulher desmaia.

Ficaram passeando até tarde naquela noite, depois do apito do último bonde, depois de uma da madrugada, quando os bares fechavam. Foram caminhando de mãos dadas pela cidade, vendo o reflexo negro e plano das vitrines e beijando-se na escuridão propiciada pelos umbrais. Lili sabia que precisava voltar à Casa da Viúva, mas algo no seu íntimo queria ficar ali para sempre.

Tinha certeza de que Greta estaria acordada esperando por ela, e que não teria despregado o olho da porta. Mas, quando chegou, o apartamento estava às escuras; ela lavou o rosto, tirou a roupa e foi deitar-se como Einar.

No dia seguinte, Greta disse que ela devia parar de se encontrar com Henrik.

– Acha que é justo fazer isso com ele? – perguntou. – Enganá-lo desse jeito? O que você acha que ele pensaria?

Mas Lili não sabia direito do que Greta estava falando. O que Henrik pensaria do quê? A não ser que Greta lhe dissesse claramente, Lili com frequência esquecia até quem era.

– Não quero parar de me encontrar com ele – disse ela.

– Então, por favor, pare de se encontrar com ele por mim.

Lili disse que tentaria, mas assim que falou percebeu que seria impossível. Parada na sala, ao lado do cavalete vazio de Einar, ela percebeu que estava mentindo para Greta. Mas não podia fazer nada. Mal podia fazer alguma coisa por si mesma.

De modo que Lili e Henrik começaram a se encontrar secretamente, nos fins de tarde, antes que Lili tivesse de voltar para jantar. A princípio, foi difícil para ela encontrá-lo na claridade, com o sol forte no rosto. Tinha medo de que ele descobrisse que ela na verdade não era linda, ou até coisa pior. Amarrava um lenço ao redor da cabeça, dando um nó sob o queixo. Só ficava à vontade com ele de mãos dadas na escuridão do cinema Rialto, ou então na silenciosa biblioteca da Academia Real, em meio à penumbra oferecida pelas persianas de lona verde do salão de leitura.

Certa noite, Lili combinou encontrar-se com Henrik junto ao lago do Ørstedsparken às nove horas. Dois cisnes deslizavam sobre a água, e um salgueiro inclinava-se em direção à grama. Henrik atrasou-se, e quando chegou beijou-a na testa.

– Sei que só temos alguns minutos – disse ele, enquanto seu cabelo roçava o pescoço dela.

Mas naquela noite Greta fora a uma recepção na embaixada americana. Só chegaria em casa dali a duas horas, e Lili estava prestes a dizer a Henrik que eles poderiam jantar tranquilamente num restaurante com paredes revestidas de lambris em Gråbrodre Torv. Poderiam passear pela Langelinie como qualquer outro casal dinamarquês numa bela noite de verão. Ela mal conseguia acreditar na boa notícia que estava prestes a dar a ele, que já se acostumara a encontrá-la por poucos minutos a cada vez.

– Tenho uma coisa para dizer a você.

Henrik pegou-lhe a mão, beijou-a e segurou-a de encontro ao peito.

– Ah, Lili, não diga mais nada – disse. – Eu já sei. Não se preocupe com nada, pois eu já sei. – Tinha uma expressão franca e as sobrancelhas erguidas.

Lili retirou a mão. O parque estava silencioso; os operários que o cruzam a caminho de casa já estavam à mesa do jantar, e um homem vadiava perto do banheiro público, acendendo um fósforo atrás do outro. Um segundo homem passou por ele, e depois lançou o olhar por cima do ombro.

O que Henrik já sabe?, perguntou-se Lili, mas logo compreendeu.

As sobrancelhas de Henrik continuavam erguidas, e um terrível tremor passou por Lili; de repente, era como se Einar fosse uma terceira pessoa ali, como se ele estivesse apenas a um passo do círculo de confissão íntima formado por Lili e Henrik, testemunhando aquilo tudo. Ali estava ele, Einar, dentro do vestido da moça, flertando com o rapaz. Era uma visão pavorosa.

Lili estremeceu novamente. O homem parado diante do banheiro entrou, e ouviu-se o estrondo de uma lata de lixo sendo derrubada.

– Lamento, mas não posso mais me encontrar com você – disse Lili por fim. – Vou ter que me despedir de você hoje.

– Do que você está falando? – disse Henrik. – Por que está dizendo isso?

– Não posso mais me encontrar com você. Pelo menos por enquanto – disse ela.

Ele tentou segurar-lhe a mão, mas ela não deixou.

– Mas para mim não faz diferença. É esse o motivo? É isso que eu estou tentando dizer a você. É por isso que você acha que eu não vou... Por enquanto, não – disse Lili novamente, e foi embora. Cruzou o gramado, que de tão ressecado devido ao verão quase estalava sob suas passadas, e subiu a trilha que saía do parque.

– Lili – gritou Henrik sob o salgueiro. Ainda havia algumas horas para pendurar de volta o vestido de Lili, tomar banho e começar outro quadro. Seria Einar quem esperaria por Greta. Ela chegaria em casa, tiraria o chapéu e perguntaria: "Teve uma noite boa?", beijando-lhe a testa de uma maneira que mostraria a ambos que ela tinha razão.

Capítulo oito

Como faziam todo verão, nas férias de agosto Greta e Einar voltaram a Menton, um balneário francês na fronteira com a Itália. Após o longo verão, Greta despediu-se de Copenhague com uma sensação de alívio. Enquanto o trem chacoalhava rumo ao sul sobre os Alpes Marítimos, ela tinha a impressão de estar deixando algo para trás.

Seguindo o conselho de Anna, que em maio cantara na ópera de Monte Carlo, Greta e Einar resolveram alugar um apartamento na avenida Boyer, perto do cassino municipal de Menton. O dono do apartamento era um americano que depois da guerra correra à França para comprar as fábricas de roupa desativadas na Provença. Enriquecera e se mudara para Nova York, recebendo pelo correio os gordos lucros obtidos com os vestidos caseiros, simples e sem forro, que vendia a todas as donas de casa ao sul de Lyon.

O apartamento tinha um piso frio, de mármore alaranjado; havia um segundo quarto pintado de vermelho, e um biombo chinês revestido de madrepérola na sala. As janelas da frente davam para pequenas varandas onde cabiam uma fileira de vasos de gerânios e duas cadeiras de ferro. Nas noites de calor, Einar e Greta sentavam-se ali, com os pés de Greta na balaustrada; de vez em quando uma brisa soprava, vinda dos limoeiros e laranjeiras do parque lá embaixo. Greta estava cansada, e às vezes eles passavam a noite inteira sem dizer mais do que "Boa-noite" um para o outro.

No quinto dia das férias, o tempo mudou. Vindo do norte da África, o siroco soprava sobre o Mediterrâneo encapelado; escalando os rochedos da praia, o vento entrou pelas portas abertas das varandas e derrubou o biombo chinês.

Greta e Einar cochilavam no quarto vermelho quando ouviram o estrondo. Encontraram o biombo caído sobre o sofá de encosto recurvo. O biombo escondia um cabideiro, com amostras dos tais vestidos caseiros fabricados pelo dono do apartamento. Os vestidos, brancos com estampas florais, ondulavam no cabideiro, como se as bainhas estivessem sendo puxadas por uma criança.

Eram vestidos feios, pensou Greta, abotoados na frente e com mangas curtas, perfeitos para amamentar; eram tão banais e práticos que ela sentiu uma certa ojeriza pelas mulheres que os usavam. Avançou para endireitar o biombo chinês.

– Pode me ajudar aqui? – disse. Einar estava parado ao lado do cabideiro; as bainhas dos vestidos roçavam-lhe a perna. Tinha o rosto imóvel. Greta podia ver as veias latejando-lhe nas têmporas. Podia ver-lhe os dedos, que sempre imaginava como os dedos de um pianista, e não de um pintor, tremendo.

– Estava pensando em convidar Lili a nos visitar – disse ele. – Ela nunca veio à França.

Greta jamais rejeitara Lili. Ao longo do verão, houvera ocasiões em que Einar anunciara a vinda de Lili para jantar, e Greta, exaurida após mais um dia infrutífero na exposição, pensara: Ah, caramba, era só o que me faltava, jantar com meu marido vestido de mulher. Mas guardara esses pensamentos para si mesma, mordendo os lábios até sentir o gosto do próprio sangue. Sabia que não conseguiria deter Einar. Sabia, pelo que acontecera com Henrik, que Lili tinha vontade própria.

Nas semanas anteriores à ida deles para Menton, Lili começara a aparecer de surpresa, à tarde. Greta saía da Casa da Viúva para um compromisso. Quando voltava, encontrava Lili à janela com um vestido frouxo e desabotoado nas costas. Então ajudava Lili a terminar de se vestir, colocando-lhe um colar de contas de âmbar em torno do pescoço. Nunca deixava de se espantar quando encontrava o marido ali, esperando-a com a gola do vestido aberta sobre os ombros pálidos. Mas jamais dizia nada, nem a Einar, nem a Lili. Em vez disso, recebia Lili como se ela fosse uma amiga estrangeira divertida. Cantarolava e fofocava enquanto a ajudava a se calçar. Virava um frasco de perfume sobre o indicador e passava a ponta do dedo no pescoço e nas axilas dela. Colocava-a diante do espelho e sussurrava com aquela voz suave e íntima que advém do casamento: "Pronto... tão linda."

Fazia tudo isso com um sentimento de devoção, pois sempre acreditara que podia desafiar qualquer pessoa do mundo, com exceção do marido. O mesmo acontecera com Teddy. Ela podia desobedecer à mãe, discutir com o pai e esnobar a cidade inteira, tanto em Pasadena quanto em Copenhague, mas em seu peito havia um poço sem fundo de tolerância para com o homem que amava. Jamais se perguntava por que permitia que Lili entrasse na vida deles. Qualquer coisa para deixar Einar feliz, dizia para si mesma. Absolutamente qualquer coisa.

Mas como Greta era Greta, tamanha devoção às vezes a irritava. Depois que Lili parara de se encontrar com Henrik, Greta começara a acompanhá-la nos passeios pelas ruas de Copenhague. Lili lhe dissera que jamais veria Henrik novamente, que eles haviam tido um desentendimento, mas Greta sabia que existiam dúzias de rapazes prontos para dizer-lhe galanteios até ela enrubescer e cair em seus braços. E assim as duas iam passear de braços dados ao longo das sebes do parque. Os olhos de Greta patrulhavam as alamedas de cascalho contra os cortejadores em potencial, sabendo o que Lili, com seus úmidos olhos castanhos, podia provocar nos rapazes dinamarqueses. Certo dia, Greta tirara uma fotografia de Lili no portão de Rosenborg Slot, com o esguio castelo de tijolos, enevoado e vagamente ameaçador, ao fundo. Em outro dia, Lili detivera Greta no teatro de marionetes e sentara-se no meio das crianças, com o rosto tão atento e as pernas tão ariscas quanto elas.

– Greta? – disse Einar mais uma vez. Apoiara-se sobre o cabideiro com os tais vestidos. O biombo chinês ainda jazia sobre o sofá. – Você não vai se incomodar se Lili nos visitar aqui?

Greta começou a endireitar o biombo. Não pintara nada desde a chegada deles à França. Não conhecera ninguém que merecesse um convite para posar. O tempo andava pesado e úmido, fazendo com que a tinta demorasse a secar sobre a tela. Ao longo do verão, ela começara a mudar de estilo, usando cores mais alegres, principalmente rosados, amarelos e dourados, linhas mais retas e uma escala maior ainda. Era uma maneira nova de pintar para ela, que levava mais tempo até começar uma tela nova. Ela sentia-se pouco confiante em relação aos quadros. Com aquele tom pastel de alegria exagerada, os quadros mais recentes exigiam uma sensação interior de êxtase por parte dela. E nada a deixava mais feliz do que pintar Lili.

Ela pensou em começar um retrato em tamanho natural de Lili na varanda: a brisa lhe ergueria o cabelo e a bainha do vestido caseiro; as pequenas rosas marrons no vestido seriam apenas um borrão; e a expressão no rosto de Lili seria exatamente igual à de seu marido naquele instante – acalorada, ansiosa, com a pele esticada, vermelha e prestes a se romper.

Greta e Lili estavam indo a pé para o L'Orchidée, no *quai* Bonaparte. O restaurante era famoso pelas lulas cozidas na própria tinta, ou assim escrevera Hans quando as convidou para jantar. Nas ruas, as lojas já haviam fechado. Os pequenos sacos de lixo do dia jaziam no meio-fio. No calçamento viam-se vários paralelepípedos soltos, arrancados pelos pneus dos automóveis.

Greta levava a carta de Hans no bolso, e esfregava a aliança no canto do envelope enquanto caminhava com Lili pela rua St. Michel em direção ao cais. Para ela, um dos costumes dinamarqueses mais simpáticos era o de usar a aliança de casamento na mão direita.

Quando voltou à Dinamarca, já viúva, jurara a si mesma que jamais tiraria a aliança de ouro escovado que Teddy lhe dera. Mas Einar, então, lhe oferecera outra aliança, uma simples argola dourada. Ela não via como remover a primeira; lembrava-se de Teddy dando-lhe aquilo, procurando desajeitadamente nos bolsos a caixinha de veludo negro. Mas percebera que não precisaria tirá-la, e agora usava as duas. Brincava com as duas alianças ao mesmo tempo, revirando-as nos dedos distraidamente.

Greta jamais falara muito de Teddy Cross a Einar. Voltara à Dinamarca no Dia do Armistício, viúva já havia seis meses e novamente seu nome era Greta Waud. Quando os amigos perguntavam pelo primeiro marido, ela dizia que ele morrera sem motivo algum. Afinal, pensava ela, morrer aos vinte e quatro anos no clima quente e ar puro da Califórnia não passa de crueldade por parte do mundo. Na verdade, naquilo não havia lógica alguma. Certamente Teddy não tinha a espinha do oeste, o que era mais uma injustiça do destino. Às vezes, com os olhos cerrados para conter a tristeza, ela também pensava que talvez eles nunca devessem ter-se casado. Talvez ele jamais a houvesse amado tanto quanto ela o amara.

Quando já estavam quase chegando ao restaurante, ela deteve Lili e disse:

– Não fique zangada comigo, mas tenho uma surpresinha para você. – Afastou a franja dos olhos de Lili. – Desculpe não ter dito isso antes, mas achei que seria mais fácil se você só ficasse sabendo na hora.

– Sabendo o quê?

– Que nós vamos jantar com Hans.

O rosto de Lili empalideceu, e ficou claro que ela compreendera. Encostou a testa na vitrine de um açougue fechado. Lá dentro, leitões esfolados pendiam de uma corda feito flâmulas rosadas. Mesmo assim, ela perguntou:

– Hans quem?

– Ora essa. Não precisa entrar em pânico. É Hans. Ele quer ver você.

O tal crítico parisiense com a verruga na borda do olho respondera prontamente à carta de Greta, enviando o endereço de Hans e perguntando pelo trabalho dela. A atenção do crítico a deixara quase louca. Paris queria saber da obra dela!, dissera a si mesma, abrindo a caixa de papel-carta da Århus e enchendo a caneta de tinta. Primeiro escrevera ao crítico: Existe uma vida para mim em Paris?, perguntara. Meu marido e eu deveríamos pensar em deixar a Dinamarca, onde ninguém sabe o que achar de mim? Nossas vidas seriam mais livres em Paris?

Depois escrevera a Hans: Meu marido parece jamais tê-lo esquecido, começara. Quando ele devaneia diante do cavalete, sei que está pensando no seu vulto pendurado no carvalho sobre o pântano. O rosto dele se suaviza e quase encolhe. É como se ele tivesse treze anos novamente, com os olhos brilhantes e o queixo liso.

Aos trinta e tantos anos de idade, Hans Axgil tinha nariz fino e pulsos cobertos por grossos pelos louros. Tornara-se um homem grande e robusto, com o peito encimado por um pescoço grosso, lembrando a Greta o velho tronco de sicômoro nos fundos do seu jardim na Califórnia. Einar descrevera Hans como pequeno: era o nanico do pântano. Seu apelido era Valnod, ou noz; alguns diziam que isso era porque no verão a pele dele ficava marrom-pálida, como que levemente suja pela lama perpétua de Bluetooth, cujas poças haviam lhe servido de berço quando a carruagem da mãe, derrubada durante uma tempestade de granizo, deixara-a atolada numa charneca com duas empregadas, um punhado de fósforos e apenas o casaco de lona do cocheiro como manta para o parto.

Mas Hans se tornara um homem grande, à maneira dos alemães. Apertava a mão dos outros com as duas mãos; e frequentemente juntava as mesmas mãos atrás da nuca quando contava uma história. Só bebia champanhe, ou então água com gás. Só jantava peixe, pois certa vez comera uma costeleta de veado e perdera o apetite por um mês inteiro. Era um *marchand*, e levava os mestres holandeses aos americanos ricos que os colecionavam por puro espírito de acumulação. Era um negócio frequentemente imoral, conforme ele descrevia com um sorriso que revelava dois dentes incisivos feito brocas. "Nem sempre, mas frequentemente, sim", dizia. O esporte favorito de Hans ainda era o tênis. "A melhor coisa da França é a *terre battue*. O saibro vermelho. As bolas brancas com suas costuras e gomos. O juiz sentado na cadeira."

O restaurante ficava na rua do cais. Havia oito mesas na calçada, sob guarda-sóis listados e ancorados em tinas de pedras. No porto, viam-se os veleiros voltando para casa. Ingleses de férias espalhavam-se pelas docas, de mãos dadas, com a parte de trás dos joelhos vermelhas de sol. Havia vasos de cravos-de-defunto sobre as mesas do restaurante, e folhas de papel branco protegiam as toalhas.

Greta só começou a ficar ansiosa com aquele plano quando elas se aproximaram da mesa, onde Hans já esperava com as mãos atrás da nuca. Só então ficou com medo de que Hans percebesse a semelhança do rosto de Lili com o de Einar. O que ela faria se Hans se inclinasse sobre a mesa e dissesse "Esta linda criatura é o meu velho amigo Einar?". Isso parecia inimaginável; mas mesmo assim, o que ela faria se Hans fizesse tal pergunta? E o que faria Lili? Olhou para Lili, tão bonita naquele vestido caseiro, e bronzeada de tanto flutuar no mar sobre a boia. Balançou a cabeça. Não, não havia ninguém ali além de Lili. Até ela, Greta, só enxergava Lili. Quando o garçom puxou as cadeiras e Hans ergueu-se, beijando primeiro Greta e depois Lili, ela pensou que ele já não parecia o menino descrito por Einar.

– Bom, agora me falem de Einar – disse Hans quando as lulas cozidas na própria tinta foram servidas numa terrina.

– Vai passar a noite sozinho em Copenhague, infelizmente – respondeu Greta. – Anda ocupado demais com o trabalho para tirar férias.

Lili assentiu, levando o canto do guardanapo à boca. Hans recostou-se na cadeira, espetando uma lula com o garfo.

– Típico de Einar. – Depois contou-lhes que Einar ia para a estrada com uma caixa de giz colorido e ficava desenhando cenas do pântano nos rochedos. À noite, os desenhos sumiam com a chuva, e no dia seguinte ele levava a caixa de volta e desenhava tudo de novo.

– Às vezes, ele desenhava você – disse Lili.

– Ah, sim, durante horas. Eu ficava sentado na borda da estrada e ele desenhava meu rosto numa pedra.

Greta notou que Lili empurrara os ombros um pouco para trás, empinando os seios feito as delicadas mimosas pregueadas que brotavam nas montanhas ao redor de Menton. Greta esquecia, ou quase esquecia, que não eram seios; eram caroços de abacate enrolados em lenços de seda e enfiados na combinação que ela própria comprara pela manhã na loja de departamentos junto à estação.

Também notou como Lili, com os olhos escuros de Einar animados sob as pálpebras empoadas, falava com Hans sobre Jutland. Havia uma ânsia na maneira com que ela mordia o lábio antes de responder às perguntas dele, e na maneira com que empinava o queixo.

– Sei que Einar gostaria de se encontrar com você algum dia – disse Lili. – Ele me contou que o dia em que você fugiu de Bluetooth foi o pior dia da vida dele. Disse que só você deixava que ele pintasse em paz e achava bom ele se tornar pintor, acontecesse o que acontecesse. – Sua mão, que sob a luz das velas parecia magra e delicada demais para a de um homem, abriu-se e estendeu-se para o ombro de Hans.

Tarde da noite, ela e Greta pegaram o elevador gradeado até o apartamento alugado. Greta estava cansada, e queria que Einar tirasse o vestido e limpasse os lábios. "Hans não percebeu nada, não é?", disse ela com os braços cruzados sobre os seios, que na realidade pareciam menores que os de Lili. Havia duas lâmpadas sem globos no teto do elevador; a luz revelava as rugas na testa e ao redor da boca de Einar onde a base alaranjada formara coágulos. O pequeno gogó surgiu subitamente acima das contas de âmbar. O odor dele era masculino: aquele cheiro de folhas úmidas que vinha dos recessos escuros onde os braços juntavam-se aos ombros e a perna esquerda, à direita.

Greta adormeceu antes de Einar ir para a cama. Quando acordou, descobriu Lili ainda de combinação sob o lençol. Seu cabelo estava desgrenhado, e, sob a luz fraca, os pelos já começavam a brotar no rosto limpo. Ela estava deitada de costas; o diminuto peso do lençol realçava-lhe os seios em formato de pera, e, mais abaixo, o volume que crescia entre as pernas. Lili jamais dormira com Greta. Elas até já haviam tomado o café da manhã juntas, trajando quimonos de seda estampados com garças, e ido comprar meias que Greta sempre pagava, como uma mãe ou uma tia solteirona; mas Einar jamais fora para a cama vestido de Lili. O coração de Greta martelava-lhe o peito, duro feito o caroço de uma fruta. Aquilo também se tornaria parte da brincadeira? Ela deveria beijar Lili como se beijasse o marido?

Raramente havia momentos de intimidade entre eles. Era típico de Greta pôr a culpa em si mesma. Ela ficava acordada até tarde, pintando ou lendo, e quando se enfiava sob as cobertas Einar já estava dormindo. Às vezes, ela o cutucava, na esperança de acordá-lo. Mas ele tinha o sono pesado, e logo ela também adormecia. Passava a noite abraçada a ele, e acordava ainda com o braço sobre o peito dele. Os olhos dos dois se encontravam no silêncio matinal. Às vezes, ela ansiava por tocá-lo, mas quando sua mão acariciava-lhe primeiro o peito e depois a coxa, Einar esfregava os olhos com os punhos e pulava da cama.

– Fiz alguma coisa errada? – exclamava Greta ainda enrolada nas cobertas.

– Nada – retrucava ele abrindo a torneira do banheiro. – Absolutamente nada.

Quando chegavam a fazer amor – em ocasiões geralmente, mas nem sempre, instigadas por ela –, Greta acabava sentindo que algo de inapropriado ocorrera. Como se ela já não devesse querer tocá-lo. Como se ele já não fosse seu marido.

Lili mudou de posição e virou o corpo, que lembrava um rolo comprido, de lado; nas costas dela Greta podia ver sardas e uma verruga com o formato da Zelândia, horrível e negra feito uma sanguessuga. Sob o lençol amarfanhado, o quadril erguia-se como o sofá de encosto recurvo da sala. De onde surgira aquele quadril curvo, semelhante à estradinha que serpenteava pela Côte, desde a fronteira italiana até Nice, ou aos vasos arredondados de gargalo esguio que Teddy esculpia pedalando na roda? Greta pensou que aquilo parecia o quadril de uma mulher, e não o do próprio marido. Era como se alguém que ela não conhecesse estivesse ali na cama. Ficou pensando sobre aquele quadril até a aurora surgir nas estreitas varandas do apartamento; então uma chuvarada esfriou tanto o apartamento que Lili teve que puxar o lençol até o queixo para se aquecer, e a curvatura do quadril desapareceu sob o tecido esticado. Adormeceram novamente, e quando Greta acordou viu Lili segurando duas xícaras de café. Ela sorriu e tentou enfiar-se de novo sob as cobertas, mas entornou o café das xícaras. Greta viu o líquido se espalhar sobre a cama em direção à sua mão, e Lili começou a chorar.

Já à tarde, quando Einar estava no outro quarto se transformando em Lili, ela desfez a cama. O lençol estava mofado e leitoso devido à mistura dos cheiros de café, de Einar e de Lili. Ela levou-o até a varanda, segurou-o sobre a balaustrada e encostou um fósforo num dos cantos. Algo dentro dela queria ver o lençol arder. Logo as labaredas se erguiam, e Greta ficou vendo os pedacinhos em chamas desprendendo-se, enquanto pensava em Teddy e Einar. Fragmentos de lençol, soltando finas colunas de fumaça, saíam flutuando da varanda, subindo e descendo delicadamente na brisa do verão e por fim pousando nas reluzentes folhas dos limoeiros e laranjeiras do parque lá embaixo. Uma mulher que passava pela rua chamou a atenção de Greta, mas ela a ignorou e fechou os olhos.

Nunca contara nada a Einar sobre o incêndio no ateliê de cerâmica que Teddy tinha na rua Colorado. No escritório da frente havia uma lareira rasa, decorada com os ladrilhos alaranjados em estilo missionário de Teddy. Certo dia de janeiro, resolvida a fazer uma arrumação, Greta enfiara as guirlandas natalinas na lareira, onde um fogo baixo já ardia. Uma fumaça branca e grossa elevara-se dos delicados ramos verdes, que começaram a estalar como se fossem tiros de espingarda e Teddy viera correndo da oficina dos fundos. Ficara parado na soleira das portas duplas. Greta lera no rosto dele a pergunta: *O que você está fazendo?* Então uma labareda erguera-se da fumaça das guirlandas; depois uma segunda esticara-se feito um braço e lambera a cadeira de balanço de vime.

Quase instantaneamente, o aposento se incendiara. Teddy puxara Greta para a rua Colorado. Poucos segundos depois de eles terem chegado à calçada, os punhos das chamas haviam arrebentado as duas janelas envidraçadas. Greta e Teddy haviam recuado para a rua em meio ao trânsito, fazendo os cocheiros frearem boquiabertos e os cavalos empinarem diante do prédio em chamas e dos carros que se desviavam.

Tudo o que Greta pensara em dizer naquele momento lhe parecera desprezível. Um pedido de desculpas soaria vazio, repetira ela para si mesma enquanto as labaredas se erguiam acima dos postes de luz e dos fios telefônicos, que normalmente pendiam sob o peso dos gaios azuis. Diante daquela cena impressionante, restara-lhe dizer apenas:

– O que foi que eu fiz?

– Eu posso começar tudo de novo – dissera Teddy. Lá dentro, as centenas de vasos e ladrilhos, os dois fornos, o arquivo cheio de encomendas e toda a sua vida de ceramista autodidata estalavam e explodiam em estilhaços negros, reduzindo-se a nada. A tal desculpa vazia ainda estava entalada na garganta de Greta. Parecia grudada à sua língua, feito um cubo de gelo que não derrete. Ela não conseguira dizer nada por vários minutos, até que o teto do prédio desabara com a leveza de um lençol em brasa e cheio de fumaça.

– Não foi de propósito – dissera ela, duvidando que Teddy acreditasse. Um repórter do *American Weekly* aparecera no local, com os lápis enfiados no elástico que lhe prendia as mangas, e Greta então duvidara que alguém em Pasadena acreditasse nela.

– Eu sei – repetira Teddy várias vezes. Pegara a mão de Greta entre as suas e pedira-lhe que não dissesse mais nada. Depois eles viram as chamas derrubarem a parede da frente. Viram os bombeiros desenrolarem a mangueira achatada e inerte. Ficaram em pé ali, olhando em silêncio, até que um gargarejo úmido erguera-se na garganta de Teddy e brotara-lhe dos lábios feito uma tosse sinistra.

Capítulo nove

Quando Einar perguntava, Greta contava-lhe coisas que ele não conseguia recordar.

– Quer dizer que você esqueceu? – disse ela na manhã seguinte. – Que você pediu para se encontrar com ele de novo?

Einar recordava-se apenas de parte da noite anterior. Quando Greta lhe disse que Lili ficara na ponta dos pés para dar um beijo de boa-noite em Hans, ele ficou tão constrangido que arrastou uma cadeira de ferro até a varanda e ficou quase uma hora olhando para os limoeiros do parque. Não parecia ser possível. Era como se ele não houvesse estado lá.

– Ele gostou de conhecer Lili. E falou com muito afeto de Einar. Mal pode esperar para se encontrar com você novamente. Disso você se lembra? – perguntou Greta. Ela não dormira bem. Seus olhos estavam afundados nas órbitas. – Você prometeu que ele poderia encontrar-se com Lili novamente hoje.

– Não fui eu – disse Einar. – Foi Lili.

– Pois é – disse Greta. – Foi Lili. Sempre esqueço disso.

– Se você não queria que ela nos visitasse aqui, por que não disse antes?

– É claro que eu queria que Lili nos visitasse. Mas não... – Greta fez uma pausa. – Mas não sei bem o que você quer que eu faça com ela. – Virou-se no sofá de encosto recurvo e começou a cutucar a madrepérola do biombo chinês.

– Você não precisa fazer nada – disse ele. – Não percebe isso?

Einar se perguntava por que Greta não podia deixar Lili ir e vir em paz. Se aquilo não o incomodava, por que razão ela deveria envolver-se? Ela podia ao menos tratar Lili com discrição enquanto pintava-lhe o retrato. Podia ao menos parar de bisbilhotar com perguntas – para não falar dos olhares – quando Lili entrava e saía de casa. Às vezes, só por saber que Greta estava do outro lado da porta esperando que ela voltasse, Lili tinha um frêmito de fúria úmida que se empoçava nas suas axilas.

Mas Einar sabia que tanto ele como Lili precisavam de Greta.

Hans esperava Lili às quatro horas. Haviam combinado se encontrar diante do cassino municipal, que ficava na Promenade du Midi, atrás da praia pedregosa. Greta estava pintando na sala naquela manhã. Einar tentava pintar no vestíbulo, que dava para os fundos da igreja de St. Michel, com suas pedras escuras e vermelhas nas sombras matinais. A cada quinze minutos Greta resmungava "Que diabos!", como se fosse o suave gongo de um relógio de mesa.

Quando ele foi ver o que ela estava fazendo, viu-a encostada numa banqueta. Pintara vários tons de azul ao longo das bordas da tela. O caderno de esboços estava em seu colo, poeirento e manchado. Edvard IV se enroscara aos seus pés. Greta ergueu o olhar, com o rosto quase tão branco quanto o pelo de Edvard.

– Quero pintar Lili – disse.

– Ela só vai chegar mais tarde – disse Einar. – Só precisa se encontrar com Hans às quatro. Talvez depois disso.

– Vá buscar Lili, por favor. – Greta não queria olhar para ele, e sua voz estava mais baixa do que de costume.

Por um instante, Einar sentiu vontade de desafiar a esposa. Tinha um quadro para terminar. Dissera a si mesmo que passaria a manhã comprando verduras na feira e pintando, coisa que vinha negligenciando ultimamente, e que só chamaria Lili à tarde. Mas agora Greta queria que ele escolhesse Lili em detrimento de si próprio. Queria que ele renunciasse à sua pintura em prol da dela, Greta. Ele não queria. Não ansiava por Lili naquele momento. Tinha a impressão de que Greta estava obrigando-o a escolher.

– Talvez você possa passar uma hora com ela antes de Hans chegar.

– Einar – disse Greta. – Por favor.

Vários daqueles vestidos caseiros haviam sido pendurados no armário do quarto. Greta dissera que eram feios, mais apropriados para babás, mas Einar achava bonita a simplicidade deles, como se pudessem ser usados por qualquer mulher do mundo. Passou a mão pelos cabides no cano de chumbo, apalpando as pequenas golas engomadas. O vestido estampado com peônias era um tanto transparente; o estampado com rãs ficava largo no busto, e estava manchado. A manhã estava quente, e Einar enxugou o lábio na manga. Tinha a impressão de ter a alma presa numa jaula de ferro forjado: era o seu coração enfiando o focinho nas costelas, enquanto Lili mexia-se lá no fundo, despertando e esfregando o lado do corpo nas barras do corpo de Einar.

Escolheu um vestido. Era branco, estampado com conchas rosadas. A bainha batia-lhe na canela. O branco e o rosa ficavam bonitos em contraste com a perna bronzeada pelo sol francês.

A chave da porta estava frouxa na fechadura. Ele pensou em trancá-la, mas sabia que Greta jamais entraria sem bater. Certa vez, no começo do casamento deles, Greta o surpreendera cantando uma canção folclórica na banheira: *Era uma vez um velho num pântano horroroso*... Einar sabia que aquilo deveria ter sido um momento inocente, uma jovem esposa que encontra o marido tomando banho e cantando alegremente para si mesmo. Da banheira, vira a excitação crescendo no rosto de Greta.

– Não pare – dissera ela, aproximando-se. Mas ele se sentira tão exposto e envergonhado que mal conseguira continuar respirando, com os braços ossudos cruzados sobre o corpo e as mãos abertas feito folhas de figueira. Greta por fim percebera o que fizera, porque ao sair do banheiro dissera: – Desculpe. Eu devia ter batido.

Ele tirou a roupa, dando as costas para o espelho. Na gaveta da mesinha de cabeceira havia um rolo de esparadrapo e uma tesoura. O esparadrapo era grudento e tinha uma textura de lona; Einar mediu o comprimento e cortou cinco pedaços, grudando-os no poste da cama. Então, fechando os olhos e sentindo-se afundar no túnel da própria alma, puxou o pênis para trás e prendeu-o no espaço vazio logo abaixo da virilha.

Suas roupas íntimas eram feitas de um material elástico que Einar tinha certeza de que os americanos haviam inventado.

– Não vale a pena pagar caro por coisas de seda, se você só vai usar isso uma vez ou outra – dissera Greta entregando-lhe o pacote, e Einar não tivera a coragem de discordar.

As calcinhas eram quadradas, e prateadas feito a madrepérola que revestia o biombo chinês. A liga era de algodão com uma franja de renda delicada. Havia oito ganchinhos metálicos para prender as meias, num mecanismo complicado que Einar ainda achava emocionante. Quando os caroços de abacate haviam começado a apodrecer nos lenços de seda, ele passara a inserir duas esponjas marinhas do Mediterrâneo na parte superior da combinação.

Então colocou o vestido.

Começara a pensar no estojo de maquiagem como a sua palheta. Pinceladas na testa. Leves toques nas pálpebras. Linhas nos lábios. Faixas misturadas nas faces. Era igual a pintar, como seu pincel ao transformar uma tela em branco no Kategat invernal.

As roupas e o ruge eram importantes, mas a verdadeira transformação era descer aquele túnel interior com algo semelhante a uma sineta de jantar e despertar Lili. Ela sempre gostava do som tilintante de cristais. Era fazer a escalada de volta com a mão orvalhada de Lili na de Einar, garantindo a ela que aquele mundo brilhante e barulhento era todo seu.

Sentou-se na cama. Fechou os olhos. Na rua ouviam-se os estampidos do escapamento dos automóveis. O vento balançava as portas das varandas. Por trás das pálpebras, Einar via luzes coloridas explodindo no negrume, feito os fogos de artifício sobre o porto de Menton no sábado anterior. Podia ouvir o coração desacelerando. Podia sentir o esparadrapo grudento sobre o pênis. Um leve sopro de ar subiu-lhe pela garganta. Ele arquejou, sentindo arrepios nos braços e nas vértebras da espinha.

Com um tremor, tornou-se Lili. Einar desaparecera. Lili passaria a manhã posando para Greta. Ela passearia pelo cais com Hans, usando a mão como viseira contra o sol de agosto. Einar seria apenas uma referência na conversa: "Ele tem muita saudade de Bluetooth", diria Lili, e o mundo ouviria.

Mais uma vez, havia dois. A noz dividida, a ostra escancarada.

Lili voltou à sala.

– Obrigada por voltar tão rápido – disse Greta. Falava com Lili suavemente, como se ela pudesse rachar-se ao som de uma voz áspera. – Sente-se aqui – disse Greta, afofando as almofadas do sofá. – Jogue um dos braços por cima do encosto, e mantenha a cabeça virada para a tela.

A sessão durou o resto da manhã e a maior parte da tarde. Lili ficou na ponta do sofá, olhando para a cena pintada na madrepérola no biombo chinês: uma aldeia de pesca, com um poeta num pagode perto de um salgueiro. Ela estava faminta, mas obrigou-se a ignorar a sensação. Se Greta não parasse, ela também não pararia. Estava fazendo aquilo por Greta. Era seu presente para ela, a única coisa que lhe podia dar. Teria de ser paciente. Teria de esperar que Greta lhe dissesse o que fazer.

Mais tarde, Hans e Lili foram passear pelas ruas de Menton. Pararam nas bancas que vendiam sabonete de limão, bonecos entalhados em madeira de oliveira e pacotes de doce de figo. Falaram de Jutland, do seu céu cor de ardósia, do barro pisoteado por porcos, e das famílias que viviam na mesma terra por quatrocentos anos, enquanto os filhos casavam entre si e seu sangue engrossava até virar lama. Como o pai morrera, Hans era agora o barão de Axgil, embora detestasse aquele título.

– Foi por isso que deixei a Dinamarca – disse ele. – A aristocracia estava morta. Se eu tivesse uma irmã, tenho certeza de que minha mãe quereria que eu casasse com ela.

– Você está casado agora?

– Infelizmente, não.

– Mas você não quer casar?

– Quis uma vez. Houve uma moça com quem eu quis casar.

– O que aconteceu com ela?

– Morreu. Afogada num rio. – E depois: – Bem na minha frente. – Na banca de uma senhora, Hans comprou uma lata com sabonetes de essência de laranja. – Mas isso foi há muito tempo. Eu era praticamente um garoto.

Lili não conseguiu pensar em nada para dizer. Ali estava ela, com vestido caseiro ao lado de Hans, numa rua fedendo a urina.

– E você, por que não se casou? – disse ele. – Eu diria que uma moça como você já estaria casada e teria uma peixaria.

– Eu não gostaria de ter uma peixaria. – Ela ergueu o olhar para o céu. Como era plano e vazio, sem nuvens, menos azul do que o céu da Dinamarca. Acima de Lili e Hans, o sol pulsava. – Vai demorar um pouco até eu estar pronta para casar. Mas um dia ainda quero fazer isso.

Hans deteve-se numa loja a fim de comprar um frasco de óleo de laranja para ela.

– Mas você não tem a vida toda – disse. – Quantos anos você tem?

Quantos anos tinha Lili? Ela era mais jovem do que Einar, que já tinha quase trinta e cinco. Quando Lili emergia e Einar se retirava, anos desapareciam: anos que haviam enrugado a testa e curvado os ombros de Einar; anos que lhe haviam imposto um silêncio resignado. A primeira coisa que se notava era a postura de Lili, seu frescor e sua agilidade. A segunda era a voz suavemente curiosa. A terceira, como relatava Greta, era o cheiro, o cheiro de uma menina que ainda não azedara.

– Na verdade, não posso dizer.

– Você não parece o tipo de moça que esconde a idade – disse Hans.

– Não sou – disse Lili. – Tenho vinte e quatro anos.

Hans balançou a cabeça. Aquele era o primeiro fato inventado acerca de Lili. Ao dizer aquilo, ela achou que ficaria culpada por mentir. Em vez disso, sentiu-se um pouco mais livre, como se houvesse enfim admitido uma verdade incômoda. Lili *tinha* vinte e quatro anos; certamente não tinha a mesma idade de Einar. Se ela dissesse que tinha, Hans acharia aquilo uma mentira bastante estranha.

Hans pagou a vendedora. O frasco era quadrado e marrom, e a rolha era do tamanho da ponta do dedo mindinho de Lili. Ela tentou puxá-la, mas não conseguiu que se soltasse.

– Você pode me ajudar? – perguntou.

– Você não é tão inábil assim – disse Hans. – Puxe com mais força.

Lili puxou, e dessa vez a pequena rolha saiu; o aroma de laranja subiu-lhe às narinas, fazendo-a pensar em Greta.

– Por que não me lembro de você do meu tempo de garoto? – perguntou Hans.

– Você partiu de Bluetooth quando eu era muito nova.

– Deve ser isso. Mas Einar nunca disse que tinha uma priminha tão bonita.

Quando chegou em casa, Lili encontrou Greta ainda na sala.

– Graças a Deus você voltou – disse ela. – Quero trabalhar mais um pouco ainda hoje. – Levou Lili, que ainda segurava os pacotes de sabonete e óleo de laranja, até o sofá de encosto recurvo. Acomodou-a sobre as almofadas e, com os dedos abertos sobre o crânio dela feito os dentes de um grampo, virou-lhe a cabeça para o biombo chinês.

– Estou cansada – disse Lili.

– Então durma – disse Greta, com o guarda-pó manchado de prateados e rosados oleosos. – Encoste a cabeça no braço. Eu vou continuar pintando mais um pouco.

Na tarde seguinte, Hans encontrou-se com Lili no portão do prédio. Mais uma vez percorreram as ruas estreitas que serpenteavam em torno da colina de St. Michel; depois foram até o porto, onde ficaram vendo dois pescadores separarem os peixes pescados. Ao final de agosto sempre fazia calor em Menton, e o ar ficava úmido e parado. Ali era muito mais quente do que o dia de verão mais quente de Copenhague, pensou Lili. E como ela jamais sentira tanto calor, pois afinal era a primeira vez que saía da Dinamarca, estava achando aquele clima extenuante. Parada ali ao lado de Hans, vendo a rede molhada transbordando de peixes, ela sentia o vestido caseiro grudado nas costas; Hans estava tão próximo que ela achou que estava sentindo a mão dele sobre seu braço, que ardia sob o sol. Era a mão dele, ou outra coisa? Simplesmente uma brisa quente?

Duas crianças ciganas, um menino e uma menina, se aproximaram deles, tentando vender um pequeno elefante de madeira.

– É marfim de verdade – disseram, apontando para as presas do elefante. – Uma pechincha para vocês. – As crianças eram franzinas e tinham círculos escuros ao redor dos olhos; olhavam fixamente para Lili de um jeito que a deixou insegura.

– Vamos embora – disse a Hans; ele pôs a mão no centro de suas costas, que estava quente e úmido, e afastou-a dali. – Acho que preciso me deitar um pouco.

Mas quando voltou para casa, Greta estava à sua espera. Colocou-a diante do cavalete, acomodando-a sobre o sofá.

– Fique parada – disse ela. – Ainda não terminei.

No dia seguinte, Hans levou Lili pela estradinha até Villefranche, com as rodas raiadas do seu Targa-Florio lançando o cascalho no mar lá embaixo.

– Da próxima vez não deixe Einar lá na Dinamarca! – berrou ele, com uma voz tão rouca quanto a que tinha quando garoto. – Até o velho Einar precisa de férias! – O vento soprava quente no rosto de Lili, e ao final da tarde ela sentiu de novo aquela fraqueza no estômago. Hans precisou alugar um quarto no Hôtel de l'Univers para que ela descansasse. – Vou lá para baixo tomar um café e um licor de anis – disse ele inclinando o chapéu. Mais tarde, quando saiu do quarto estreito, ela encontrou Hans no Restaurant de la Régence perto do saguão. Acabara de sair daquele estado sonhador, e disse apenas:

– Às vezes, não sei o que há de errado comigo.

Em outra excursão dessas, Hans e Lili foram de carro até Nice comprar quadros nas bancas de antiguidades.

– Por que Greta nunca quer vir conosco? – indagou Hans.

– Acho que ela está ocupada demais pintando – disse Lili. – Ela trabalha mais do que todas as pessoas que eu conheço. Mais do que Einar. Um dia ela vai ficar famosa. Você vai ver. – Sentia o olhar de Hans sobre si enquanto falava, achando incrível que um homem como ele desse atenção às suas opiniões. Na banca de uma mulher que tinha uma suave penugem branca no queixo, descobriu o retrato funerário ovalado de um rapaz, com as faces estranhamente coloridas e os olhos fechados. Comprou-o por quinze francos, e Hans prontamente comprou-o dela por trinta, perguntando depois: "Hoje você está se sentindo bem?"

Todo dia, antes de seus passeios com Hans, Lili posava para Greta no sofá. Segurava no colo um livro sobre pássaros franceses, ou Edvard IV, pois, quando vazias, suas mãos tremiam nervosamente. A não ser pelo barulho da rua, o apartamento ficava em silêncio, e o tique-taque do relógio em cima da lareira era tão lento que ela se levantava ao menos uma vez em cada tarde para ver se a corda fora dada adequadamente. Em seguida, projetava a cabeça por cima da balaustrada da varanda, esperando a hora em que Hans a chamaria do portão. Ele dera para gritar lá da rua: "Lili! Venha logo, desça!", e então ela descia correndo os sete lances de escadas ladrilhadas, impaciente demais para esperar o elevador gradeado.

Mas, antes da chegada dele, Greta batia palmas e dizia: "É isso! Mantenha o rosto assim... é isso que eu quero. Lili esperando, esperando por Hans."

Certo dia, Lili e Hans estavam num café ao ar livre, ao pé da escadaria de St. Michel. Cinco ou seis crianças ciganas, com as roupas sujas, chegaram à mesa vendendo cartões-postais, nos quais as fotografias das praias da Côte haviam sido coloridas à mão com lápis de cor. Hans comprou um conjunto de cartões para Lili.

O ar estava pesado, e o sol batia quente na nuca de Lili. A cerveja no seu copo estava ficando marrom. Uma semana de tardes passadas com Hans havia começado a enchê-la de expectativas, e ela ficou se perguntando o que Hans achava dela. Ele já caminhara pelo passeio público de braços dados com ela: Hans, com sua risada sombria, suas largas camisas de linho, sua pele morena escurecendo sob o sol de agosto e seu apelido de Valnod, havia tanto tempo abandonado, conhecera Lili, mas não Einar. Ele não via Einar desde a adolescência. Fora Lili e não Einar quem sentira na pele as ásperas pontas dos dedos dele.

– Estou muito feliz por ter conhecido você – disse ela.

– Eu também.

– E por podermos nos conhecer ainda melhor, dessa maneira.

Hans assentiu. Examinava o conjunto de cartões-postais, e ergueu seus favoritos para Lili inspecionar: o do cassino municipal e o de um pomar cítrico ao pé de uma colina.

– Ah, sim, você é uma moça espetacular, Lili. Um dia ainda vai tornar algum rapaz muito feliz.

Provavelmente percebeu o que Lili estava sentindo, porque largou o cigarro e os cartões-postais e disse:

– Ah, Lili? Você achou que talvez... entre nós dois? Eu lamento muito, então. Mas sou velho demais para você, Lili. Já estou muito ranzinza para alguém como você.

Começou a falar a Lili da garota que amara e perdera. Disse que, quando Ingrid ficara grávida, sua mãe lhe pedira para nunca mais voltar a Bluetooth; isso tudo ocorrera anos antes. Os dois foram morar em Paris, num apartamento forrado com papel de parede em frente ao Panthéon. Ela era toda magricela, com exceção da barriga, que crescia, e tinha sardas nos braços compridos. Certa tarde de agosto, eles tinham ido nadar; era uma tarde semelhante àquela, acrescentou Hans meneando a cabeça em direção ao céu. Foram a um rio com leito de pedras brancas e salpicado de folhas amarelas. Ingrid entrara na água com os braços abertos para manter o equilíbrio. Hans ficara olhando da margem, comendo um pedaço de presunto. E então Ingrid torcera o tornozelo, dera um grito, e fora arrastada pela correnteza.

– Não consegui chegar a tempo – disse ele.

Exceto por essa tragédia, ele tivera uma vida boa.

– Por ter saído da Dinamarca – disse. – A vida lá é ordeira e certinha demais para mim. Acomodada demais. – Greta também dizia isso às vezes, quando não conseguia pintar e os amigos os convidavam para mais um *smorgasbord*. "Acomodada demais para se trabalhar", dizia ela agitando as pulseiras de prata. "Acomodada demais para se ter liberdade."

– E agora já estou sozinho há tanto tempo que não sei se conseguiria viver casado. Tenho manias demais.

– Você não acha que o casamento é a única coisa da vida em que todos nós deveríamos ter mais esperança? Casar não faz a pessoa mais inteira do que viver sozinha?

– Nem sempre.

– Eu acho que sim. O casamento é como uma terceira pessoa – disse Lili. – Cria uma nova pessoa, maior do que as duas anteriores.

– Sim, mas nem sempre isso é o melhor – disse Hans. – E de qualquer forma, o que você entende disso?

Nesse momento, algo fez Lili procurar a bolsa. Sua mão apalpou o ferro vazio do encosto da cadeira.

– Sumiu – disse ela, com tanta suavidade que Hans ergueu as sobrancelhas e murmurou:

– O quê?

Ela repetiu:

– Minha bolsa sumiu.

– Os ciganos – disse Hans, levantando-se de um salto. O café ficava numa pequena praça de onde saíam seis vielas. Hans correu alguns metros por uma das vielas e percebeu que os ciganos não estavam por ali; depois correu pela seguinte, já com o rosto avermelhado.

– Vamos à polícia – disse por fim, deixando alguns francos sobre a mesa. Alertou uma freguesa que tinha a bolsa pendurada na cadeira. Puxou a mão de Lili. Provavelmente notou a palidez do rosto dela, porque a beijou delicadamente.

As únicas coisas que estavam na bolsa eram um pequeno maço de dinheiro e um batom. A bolsa pertencia a Greta: era de pelica creme, com alças. Além do batom, de uns poucos vestidos, de dois pares de sapatos, das combinações e das roupas de baixo, Lili não possuía nada. Era livre de posses, e naqueles primeiros tempos parte de sua atração se devia a isso – ela ia e vinha, sem maiores preocupações do que o vento que lhe levantava a barra da saia.

A delegacia ficava numa *place* com um pequeno jardim central onde vicejavam laranjeiras. O sol do fim de tarde rebrilhava nas janelas da frente da delegacia, e Lili podia ouvir o alarido dos lojistas fechando as portas. Percebeu que seus óculos escuros também estavam na bolsa: um par esquisito com lentes dobráveis que o pai de Greta mandara da Califórnia. Pensou que Greta ficaria zangada com o sumiço dos óculos, por ela não ter prestado atenção ao que ou a quem estava à sua volta; e no momento em que eles chegaram aos degraus da delegacia, onde uma família de gatos brancos encardidos rolava de costas, percebeu que não poderia dar queixa da bolsa roubada. Parou diante dos degraus.

Ela não tinha documento de identidade, nem passaporte; além do que – e isso era uma coisa que jamais lhe ocorrera, e ninguém lhe perguntara – não tinha nem sobrenome.

– Não vamos criar confusão por causa disso – disse. – Era só uma porcaria de uma bolsa velha.

– Então você nunca mais vai ver essa bolsa.

– Não vale a pena – disse ela. – E Greta está me esperando. Acabei de perceber que estou atrasada. Tenho certeza de que ela está me esperando. Ela queria pintar hoje à noite.

– Ela vai entender.

– Algo me diz que ela quer me ver imediatamente – disse Lili. – Estou com uma sensação esquisita.

– Ora essa, vamos entrar. – Hans pegou o pulso de Lili. Puxou-a para o primeiro degrau. Ainda estava brincando, de um jeito meio paternal. Puxou novamente, e dessa vez a pressão no pulso chegou a doer, embora não mais do que um aperto de mão agressivo.

E nesse momento – por quê, ela jamais saberia – algo fez com que ambos olhassem para a parte de baixo da frente do vestido dela. Alastrando-se sobre a estampa de conchas do vestido caseiro, via-se uma mancha redonda de sangue, uma mancha tão vermelha que era quase negra. Alastrava-se feito a marola provocada por uma pedra jogada num lago.

– Lili? Você está ferida?

– Não, não – disse ela. – Estou bem. Logo vou estar bem. Mas preciso voltar para casa. Voltar para Greta. – Lili sentiu-se encolhendo por dentro, recuando túnel abaixo, de volta à sua toca.

– Quero ajudar você. Como posso ajudar?

A cada segundo, Hans parecia mais distante; sua voz parecia chegar a Lili abafada, como que passando por um cano de ferro. Era como no baile da Rådhuset; ela sangrava muito, mas não sentia nada. Não fazia ideia de onde aquele sangue vinha. Estava ao mesmo tempo alarmada e atônita, feito uma criança que mata um animal por acidente. Uma vozinha em sua cabeça gritava "Depressa!". Era uma vozinha histérica, ao mesmo tempo apavorada e divertida diante daquele pequeno drama em Menton numa tarde de agosto. Lili deixou Hans nos degraus da delegacia e dobrou três esquinas sucessivamente, fugindo dele como as crianças ciganas haviam fugido dela; enquanto isso, a mancha em seu vestido crescia persistentemente, de modo assustador, feito uma doença.

Capítulo dez

O novo estilo de pintura de Greta incluía tons pastel, alegres, principalmente os amarelos, os rosados e os azul-gelo. Ela continuava pintando apenas retratos. Ainda usava as tintas enviadas pela mesma firma de Munique, naqueles frascos de vidro com tampas pouco confiáveis. Mas enquanto seus quadros anteriores tinham um timbre sério, direto e oficial, a leveza e o colorido de suas novas obras pareciam, como dissera Lili certa vez, caramelados. Os quadros eram grandes e retratavam o tema, que quase sempre era Lili, ao ar livre, num campo de papoulas, num pomar de limoeiros ou junto às colinas da Provença.

Enquanto pintava, Greta não pensava em nada, ou tinha a impressão de não pensar em nada: seu cérebro e seus pensamentos pareciam-lhe leves como as tintas que misturava na palheta. Sentia-se como se estivesse dirigindo ofuscada pelo sol, como se pintar fosse algo semelhante a avançar cegamente, mas de boa-fé. Nos seus melhores dias, ela ficava girando em êxtase entre a caixa de tintas e a tela, e era como se houvesse uma luz branca bloqueando tudo, exceto sua imaginação. Quando sua pintura funcionava, quando as pinceladas capturavam com exatidão a curvatura da cabeça ou a profundidade do olhar de Lili, Greta ouvia dentro de sua cabeça um farfalhar que lhe lembrava a vara de bambu usada para derrubar as laranjas das laranjeiras do pai. Pintar bem era como colher frutas: o baque seco e belo de uma laranja caindo sobre a terra preta da Califórnia.

Mesmo assim, ela ficou surpresa com a recepção que os quadros de Lili tiveram em Copenhague naquele outono. Rasmussen se ofereceu para expô-los na galeria por duas semanas em outubro. O tríptico original, *Lili Três Vezes,* foi vendido imediatamente, após uma breve disputa entre um sueco com luvas de pele de porco roxas e um jovem professor da Academia Real. O retrato de Lili adormecida sobre o sofá de encosto recurvo alcançou mais de 250 coroas; não era tanto quanto as obras de Einar valiam, mas era o mais perto que Greta já chegara disso.

– Preciso ver Lili todo dia – disse ela a Einar. Estava começando a sentir falta de Lili quando ela não aparecia. Greta sempre fora de acordar cedo, levantando bem antes do alvorecer, antes do primeiro chamado das barcas ou do alarido das ruas. Mas naquele outono ela às vezes acordava até antes: o apartamento ainda estava tão escuro que ela não conseguia enxergar a própria mão estendida. Sentava-se ereta na cama. Einar jazia ao seu lado, ainda adormecido, com Edvard IV aos seus pés. Ela própria ainda se encontrava no enevoado saguão do sono, e ficava imaginando onde estaria Lili. Então saía rapidamente da cama e vasculhava o apartamento. Onde Lili se metera?, perguntava-se ela, erguendo as lonas na sala e abrindo o armário de freixo. E só quando destrancava a porta da frente, enquanto seus lábios repetiam a pergunta nervosamente, é que ela emergia plenamente do espesso nevoeiro do sono.

Certa manhã daquele outono, Greta e Einar estavam em casa, e pela primeira vez, desde abril, sentiram que precisavam acender o fogo. O fogão tinha três andares, sendo composto por três caixas negras de ferro empilhadas sobre quatro pés. Greta levou um fósforo ao papel de embrulho que havia sob os troncos de bétula lá dentro. A chama firmou-se e começou a queimar a casca da madeira.

– Mas Lili não pode vir todo dia – protestou Einar. – Acho que você não entende como é difícil mandar Einar embora e convidar Lili a entrar. Querer isso todo dia é exigir demais. – Estava colocando em Edvard IV o suéter de tricô dado pela mulher do pescador. – Eu adoro isso. Adoro Lili. Mas é difícil.

– Preciso pintar Lili todo dia – disse Greta. – Preciso que você me ajude.

E então Einar fez uma coisa estranha: cruzou o ateliê e deu um beijo no pescoço de Greta. Ele tinha, na opinião de Greta, aquela frieza dinamarquesa; ela não conseguia lembrar-se da última vez em que o marido a beijara em outro ponto que não fosse a boca, tarde da noite, quando tudo estava escuro e silencioso, exceto por um ou outro bêbado delirante sendo arrastado pela rua até a porta do dr. Möller.

Os sangramentos dele haviam voltado. Ele nada sofrera desde o incidente em Menton, mas poucas semanas antes levara subitamente o lenço ao nariz. Greta vira a mancha espalhar-se pelo algodão. Aquilo a incomodara, lembrando-lhe os últimos dias com Teddy Cross.

Mas assim como começara repentinamente, o sangramento cessara, deixando como únicos vestígios as narinas avermelhadas e esfoladas de Einar.

Certa noite da semana anterior, porém, a primeira geada caíra sobre os parapeitos das janelas. Greta e Einar estavam jantando em silêncio. Ela desenhava no caderno de esboços, enquanto levava garfadas de arenque à boca. Einar estava sentado distraído, mexendo o café com a colher – devaneando, pelo que Greta podia perceber. Ela ergueu o olhar do esboço, que era um estudo para um novo retrato de Lili junto a um mastro. Do outro lado da mesa, a cor se esvaía do rosto de Einar. Ele endireitou a espinha e pediu licença, deixando uma manchinha vermelha na cadeira.

Greta passara os dois dias seguintes tentando inquiri-lo sobre o sangramento, sobre a causa e a origem daquilo, mas Einar sempre se afastava envergonhado. Parecia que ela estava lhe batendo, e que o rosto dele reagia ao golpe da pergunta. Ela percebera que ele tentava esconder-lhe aquilo, limpando-se com trapos de tinta que mais tarde jogava no canal. Mas ela sabia. Havia aquele cheiro fresco de turfa. Havia o estômago enjoado dele. Havia os trapos ensanguentados na manhã seguinte, grudados na pilastra de pedra da ponte do canal.

Certa manhã, Greta foi ao correio dar um telefonema particular. Quando voltou ao ateliê, Lili estava deitada sobre uma espreguiçadeira vermelho-cereja emprestada pela contrarregragem do Teatro Real. A camisola também era emprestada; uma soprano que se aposentara, e cuja garganta estava cansada, azulada e cheia de tendões, usara-a ao fazer o papel de Desdêmona. Para Greta, parecia que Lili não tinha a menor noção da própria aparência. Pois se tivesse não estaria deitada daquele jeito, com as pernas abertas, os dois pés no chão e os tornozelos virados como os de um bêbado. Com a boca aberta e a língua sobre o lábio, ela parecia ter desmaiado depois de tomar morfina. Greta gostou daquela imagem, embora não a houvesse planejado. Einar acordara na noite anterior com uma cãibra no estômago, e Greta ficara com medo de que ele houvesse tido um sangramento.

– Marquei uma consulta para você – disse ela a Lili.

– Que tipo de consulta? – A respiração de Lili começou a se acelerar, enquanto seus seios subiam e desciam.

– Com um médico.

Lili sentou-se ereta. Parecia alarmada. Foi uma das poucas vezes em que Greta conseguiu ver Einar voltando ao rosto de Lili; subitamente o lábio superior dela corou e exibiu um buço escuro.

– Não há nada de errado comigo – disse Lili.

– Eu não disse que havia. – Greta aproximou-se da espreguiçadeira. Amarrou as fitas de cetim na manga de Lili. – Mas você andou doente – continuou, enfiando as mãos nos bolsos do guarda-pó, onde guardava os lápis roídos, o retrato de Teddy Cross nas ondas da praia de Santa Monica e um pequeno retalho do vestido ensanguentado que Lili usara ao voltar para casa em Menton, chorando e repetindo o nome de Hans. – Estou preocupada com esses sangramentos.

Ficou olhando para o rosto de Lili, cujos cantos pareciam estar se enrugando de vergonha. Mas sabia que tinha razão de mencionar o assunto.

– Precisamos saber por que isso está acontecendo. Se você não está fazendo mal a si mesmo ao... – começou, mas depois estremeceu, sentindo um arrepio nas costas. O que estava acontecendo com o seu casamento?, perguntou-se ela, mexendo nas fitas da gola da camisola. Ela queria um marido. Queria Lili. – Ah, Einar.

– Einar não está aqui – disse Lili.

– Por favor, diga a ele que se encontre comigo na Estação Central a fim de pegar o trem das 11:04 para Rungsted – disse Greta. – Preciso fazer compras.

Foi procurar um cachecol no armário.

– E se ele não voltar a tempo? – perguntou Lili. – E se eu não conseguir achar Einar até essa hora?

– Ele vai voltar. – E depois: – Você viu o meu cachecol? Aquele azul com a franja dourada?

Lili baixou o olhar para o colo.

– Acho que não.

– Estava no armário. Dentro da gaveta. Você pegou o cachecol emprestado?

– Acho que deixei no Café Axel – disse Lili. – Com certeza devem ter guardado o cachecol atrás do balcão. Vou lá buscar. Greta, desculpe. Não peguei mais nada. Não toquei em mais nada.

Greta sentiu a irritação acumular-se nos seus ombros. Tem algo de muito errado aqui, disse a si mesma, mas depois afastou esse pensamento. Não, ela não ia deixar que um cachecol tomado por empréstimo perturbasse o seu casamento. Além disso, não dissera que Lili podia pegar o que bem entendesse? Não queria, acima de tudo, agradar Lili?

– Fique aqui – disse. – Mas faça com que Einar chegue a tempo de pegar o trem.

As paredes do Café Axel eram amareladas de fumaça de tabaco. Os alunos da Academia Real iam lá em busca de *frikadeller* e *fadol*, que entre quatro e seis horas da tarde custavam a metade do preço. Quando Greta ainda estudava, pegava uma mesa perto da porta e ficava desenhando com o caderno em cima do colo. Se um amigo ou amiga entrava e perguntava o que ela estava desenhando, ela fechava firmemente o caderno e dizia: "Uma coisa para o prof. Wegener."

Perguntou ao sujeito atrás do bar pelo cachecol azul.

– Minha prima acha que deixou o cachecol aqui – disse.

– Quem é sua prima? – disse o sujeito, enxugando as mãos numa toalha de chá.

– Uma moça magra. Um pouco mais baixa do que eu. Tímida. – Greta fez uma pausa. Era difícil descrever Lili, pensar nela flutuando pelo mundo com vida própria, com aquela gola branca ondulante e os olhos castanhos se erguendo para estranhos bem-apessoados. As narinas de Greta se dilataram.

– Está falando de Lili? – perguntou o sujeito.

Greta assentiu.

– Boa moça. Entra e fica sentada ali, perto da porta. Você já deve saber disso, mas os rapazes vivem disputando a atenção dela. Ela divide uma cerveja com um deles, e então, quando ele se vira, ela desaparece. É, ela deixou um cachecol aqui.

Entregou-o a Greta, que o amarrou em torno da cabeça, sentindo novamente aquele cheiro de leite e hortelã.

Na rua o ar estava úmido, muito frio e salgado. O bronzeado de verão de Greta já esmaecera, e suas mãos estavam ressecadas e cortadas. Ela pensou na beleza de Pasadena em outubro, com a paisagem seca e amarronzada das montanhas San Gabriel e as buganvílias trepando pelas chaminés.

A Estação Central ressoava com o farfalhar eficiente de pés em movimento. Lá no alto, os pombos arrulhavam nas vigas de madeira, enquanto a titica cor de giz caía nos caibros de carvalho vermelho. Greta comprou pastilhas de hortelã num jornaleiro, cujos fregueses deixavam uma trilha de invólucros de papel pelo piso.

Einar chegou ao quiosque das passagens com ar perdido. Tinha as faces esfoladas de tanto serem esfregadas, e o cabelo reluzia de tônico. Viera correndo, e enxugou a testa ansiosamente. Greta só percebia como ele era pequeno quando o via no meio da multidão; a cabeça dele mal conseguiria se apoiar no peito de outro homem. Era assim que ela o via, exagerando a pequenez dele; dizia a si mesma que, com aqueles pulsos frágeis e costas estreitas e curvas, Einar era praticamente uma criança. E chegava até a acreditar nisso.

Einar ergueu o olhar para os pombos, como se estivesse na Estação Central pela primeira vez. Perguntou timidamente as horas a uma menina de avental.

Algo se acomodou dentro de Greta. Ela foi até Einar e beijou-o. Endireitou-lhe a lapela.

– Aqui está a sua passagem – disse. – Dentro está o endereço do médico com quem eu quero que você fale.

– Primeiro quero que você me diga uma coisa – disse Einar. – Quero que você concorde que não há nada de errado comigo. – Ele balançava sobre os calcanhares.

– É claro que não há nada de errado com você – disse Greta agitando as mãos no ar. – Mas, mesmo assim, quero que você vá ao médico.

– Por quê?

– Por causa de Lili.

– Coitada da mocinha – disse ele.

– Se você quer que Lili fique... fique conosco, quero dizer... acho que devemos conversar com um médico sobre ela. – As pessoas que faziam compras à tarde, na maioria mulheres, se apinhavam em torno deles com as bolsas cheias de queijo e arenque.

Greta perguntou-se por que continuava falando de Lili como se ela fosse uma terceira pessoa. Einar se sentiria esmagado, e ela podia até imaginar aqueles ossos finos desmoronando, se ela admitisse, pelo menos em voz alta, que Lili não passava de seu marido de vestido. Mas essa é que era a verdade.

– Por que você está fazendo isso? – As bordas vermelhas das pálpebras dele quase fizeram com que Greta se virasse para outro lado.

– Eu amo Lili tanto quanto você, mais do que... – mas nesse ponto ela se interrompeu. – O médico pode ajudar Lili.

– Como? Como alguém, que não eu e você, pode ajudar Lili?

– Vamos ver o que o médico diz.

Einar tentou pela última vez.

– Eu não quero ir. Lili não gostaria que eu fosse.

Greta empertigou-se, erguendo a cabeça.

– Mas eu quero que você vá – disse. – Sou sua esposa, Einar. – Virou-o na direção da plataforma número 8 e colocou-o a caminho com um empurrão no meio das costas. – Vá em frente – disse; e ele foi se arrastando pela estação, passando pelo jornaleiro e pela trilha de invólucros de papel; depois seu corpo sumiu na multidão de passantes e sua cabeça tornou-se mais uma entre aquelas cem cabeças, quase todas de mulheres, ocupadas com suas tarefas em Copenhague e gordas de tanto terem filhos; mulheres cujos seios já estavam caindo, enquanto os dele estavam surgindo, e que um dia, como Greta percebeu naquele momento, olhariam para ele na multidão e nada veriam além de si mesmas.

Capítulo onze

Einar sentara-se à janela, com o sol de meio-dia enroscado no colo. O trem passava por casas com telhados vermelhos, onde crianças e roupas estendidas se agitavam nos quintais. Uma velha sentara-se diante dele, com as mãos em torno das alças da bolsa. Ofereceu-lhe uma pastilha de hortelã.

– Vai a Helsingor?

– A Rungsted – disse ele.

– Eu também. – Um quadrado de renda larga prendia-lhe o cabelo branco. Seus olhos tinham um tom azul-neve, e os lóbulos da orelha eram gordos e frouxos. – Tem algum amigo lá?

– Uma consulta.

– Consulta médica?

Einar assentiu, e a velha disse:

– Entendi. – Ajeitou o cardigã. – No instituto de radiologia?

– Creio que sim – disse ele. – Minha mulher marcou a consulta. – Abriu o envelope que Greta lhe dera. Lá dentro havia um cartão bege-claro, com o bilhete que Lili escrevera para Greta na semana anterior: *Às vezes me sinto presa. Você já se sentiu assim? Sou eu? É Copenhague? Beijos...*

– O seu cartão diz dr. Hexler – disse a velha. – Atrás está escrito o endereço do dr. Hexler. Fica perto do lugar aonde vou. Será um prazer levar você até lá. Há quem diga que ele dirige o melhor instituto de radiologia da Dinamarca. – A mulher abraçou a bolsa junto aos seios. – Há quem diga que ele pode curar quase qualquer coisa.

Einar agradeceu à senhora, e depois recostou-se no assento. O sol brilhava forte através da janela. Ele pensara em faltar à consulta. Quando Greta mandou que ele fosse à Estação Central, o clarão furioso de uma imagem passara-lhe pela cabeça; a de Greta, com o queixo erguido acima da multidão, esperando por ele na estação. Pensara em desafiá-la e não aparecer. Pensara no queixo dela, caindo lentamente à medida que os minutos e horas fossem passando e ficasse mais e mais evidente que ele não apareceria. Ela iria para casa cabisbaixa. Abriria a porta do apartamento na Casa da Viúva e o encontraria esperando por ela à mesa. Ele diria: "Não quero ir ao médico." Ela faria uma pausa e diria: "Está bem."

– Chegamos – disse a velha do trem. – Pegue as suas coisas.

Pinhas vermelhas e enceradas, caídas dos teixos, jaziam pelas ruas de Rungsted. Chovera pela manhã, deixando um cheiro úmido de sempre-vivas. A velha inspirou profundamente. Andava com rapidez, com os quadris requebrando sob a saia.

– Não fique nervoso – disse ela.

– Não estou nervoso.

– Não há nada de errado em ficar nervoso. – Viraram numa rua de casas que ficavam atrás de muros baixos com portões de ferro brancos. Um automóvel conversível passou por eles com o motor chacoalhando. O motorista usava boné de golfe, de couro, e acenou para a velha. – Chegamos – disse ela numa esquina perto do porto, diante de um prédio azul tão ordinário que poderia ser uma padaria. Beliscou o braço de Einar pouco abaixo da axila. Então ergueu a gola e partiu em direção ao mar.

Einar teve de esperar quase uma hora no consultório do dr. Hexler. Metade do aposento parecia uma sala de estar, com tapete, sofá-baú, estantes e uma planta num suporte. A outra metade tinha o piso emborrachado, uma mesa acolchoada, jarros de vidro com líquidos transparentes e uma luminária de tamanho exagerado com pés deslizantes.

O dr. Hexler entrou, dizendo:

– A enfermeira não lhe pediu que tirasse a roupa? – Seu queixo era comprido e projetado para frente, com uma fenda tão grande que mais parecia uma fechadura. O cabelo era prateado, e, quando se sentou na cadeira diante de Einar, ele revelou um par de meias xadrezadas em estilo. A velha do trem dissera que ele era igualmente famoso pelas roseiras do seu jardim, que ficava à frente da janela da clínica e já fora aparado para o inverno.

– Problemas conjugais? – disse ele. – É isso que devo presumir?

– Não é bem um problema.

– Há quanto tempo estão casados?

– Seis anos – disse Einar. Recordou o casamento deles na igreja de São Albânio dentro do parque; o jovem diácono era inglês e se cortara ao barbear pela manhã. Com uma voz leve como o ar que entrava flutuando pelos vitrais rosados e caía no colo dos convidados, ele dissera: "Este é um casamento especial. Vejo algo de especial aqui. Daqui a dez anos vocês dois serão pessoas extraordinárias."

– Filhos?

– Não.

– Por que não?

– Não tenho certeza.

– Chegam a ter relações, correto? – A expressão do dr. Hexler mantinha-se impassível, e Einar imaginou-o com a mesma expressão junto às roseiras do jardim, descobrindo com grave decepção um verme comendo as pétalas. – Copulam regularmente?

Einar já estava só de cueca. A pilha de roupas sobre a cadeira tinha um aspecto triste, com as mangas brancas da camisa projetando-se inertes da cintura da calça. O dr. Hexler fez um gesto para que ele se sentasse no sofá-baú. Por meio de uma mangueira com um funil na ponta, mandou que a enfermeira trouxesse um café e um prato de amêndoas cristalizadas.

– Existe ejaculação? – continuou.

Tijolos de indignidade erguiam-se em torno de Einar. Cada insulto, primeiro de Greta e depois do dr. Hexler, era mais um tijolo vermelho de mágoa empilhado sobre os outros para formar um muro.

– Às vezes – respondeu.

– Muito bem. – O dr. Hexler virou uma página no seu bloco. E em seguida disse: – Sua esposa me diz que o senhor gosta de se vestir de mulher.

– Foi isso que ela disse? – Nesse momento, a enfermeira, uma mulher com crespo cabelo ruivo, entrou. Colocou na mesa o café e as amêndoas.

– Açúcar? – perguntou.

– Sua esposa me falou de uma moça – continuou o dr. Hexler. – Uma moça chamada Lili.

– Com licença, sr. Wegener? – perguntou a enfermeira. – Açúcar?

– Não. Nada para mim. – Ela serviu café para o dr. Hexler e saiu. – Meu senhor, eu sou um especialista. Virtualmente, não existe problema algum que eu não tenha tratado. Se o senhor está constrangido, por favor, lembre-se de que eu não estou.

Sem saber por quê, Einar sentiu uma necessidade súbita de acreditar que o dr. Hexler compreenderia; que se ele lhe falasse do túnel que levava à toca de Lili, que se ele admitisse que Lili não era realmente Einar, e sim outra pessoa, Hexler bateria de leve com o lápis nos lábios e diria: "Ah, sim. Não há com o que se preocupar. Já vi isso antes."

Por isso disse:

– Às vezes sinto necessidade de ir encontrar Lili. – Viera a pensar naquilo como uma fome. Não a fome de um estômago vazio uma hora antes do jantar, mas a de quem perdeu várias refeições e está se sentindo oco. A fome de quem não sabe de onde surgirá seu próximo prato de comida, caso este surja. Aquilo podia até deixá-lo tonto. – Às vezes fico sem fôlego quando penso nela – disse.

– Aonde o senhor vai para encontrar essa moça? – perguntou o dr. Hexler. Os óculos grossos faziam seus olhos parecerem enormes, como ovos em conserva numa jarra de azeite.

– Dentro de mim mesmo.

– E ela está sempre lá?

– Está. Sempre.

– O que acharia se eu mandasse o senhor parar de se vestir como ela? – O dr. Hexler inclinou-se à frente na cadeira.

– Acha que eu deveria, doutor? Acha que estou me ferindo ao fazer isso? – Einar sentia-se pequeno de cueca, quase engolido pela fenda entre as almofadas do sofá. Queria um pouco de café, mas não tinha forças para alcançar o bule sobre a mesa.

O dr. Hexler ligou a luminária de exame, e o lustre prateado ficou branco de luz.

– Vamos dar uma olhada nisso – disse. Encostou rapidamente a mão no ombro de Einar ao levantar-se.

– Fique em pé, por favor – disse ele, girando a luminária, cujos pés deslizantes tremeram. Ele apontou a luz para o ventre de Einar. As poucas sardas ao redor do umbigo assumiram uma coloração marrom reluzente, e os poucos pelos pretos lembravam a poeira que se acumula pelos cantos de uma casa. – Sente alguma coisa quando faço isto? – perguntou o dr. Hexler com a palma da mão sobre o estômago de Einar.

– Não.

– E isto?

– Não.

– E aqui?

– Não.

– Entendi. – Sentou-se sobre um banquinho de aço diante de Einar. Acima de tudo, Einar queria que ele declarasse que nada havia de errado com Lili e Einar, que a anormalidade do corpo compartilhado por eles não excedia a de um dedo sem unha, ou até a do queixo longo e profundamente fendido do próprio doutor, onde quase poderia caber uma chave.

– E aí embaixo? – disse o doutor, apontando um abaixa-língua para a virilha de Einar. – Posso dar uma olhada aí?

Quando Einar abaixou a cueca, o rosto do dr. Hexler imobilizou-se; apenas as narinas, com os poros salpicados de pontos pretos, se mexiam.

– Parece estar tudo em ordem – disse. – Pode se vestir novamente. O senhor parece gozar de ótima saúde. Não há mais nada que queira me contar?

No dia anterior, Einar enfiara um trapo dentro da cueca. Teria Greta contado isso ao médico também? Ele sentiu-se encurralado.

– Acho que há mais uma coisa que eu devia mencionar – começou.

Quando falou dos sangramentos, os ombros do dr. Hexler juntaram-se numa corcunda.

– Sim, sua esposa disse algo a esse respeito. Há alguma coisa no sangue? Coágulos?

– Acho que não. – Era mais um tijolo de indignidade acrescentado e cimentado. O único alívio que lhe restava naquele momento era o de fechar os olhos.

– É hora de fazer uma radiografia – disse o doutor. Pareceu ficar surpreso quando Einar disse que jamais fizera uma. – Isso vai nos dizer se há algo de errado – disse. – E também pode expulsar esse desejo do seu íntimo. – Einar percebeu, pelo jeito com que o médico ergueu as sobrancelhas acima dos óculos, que ele tinha orgulho da tecnologia de sua clínica. O médico passou a discutir os raios gama e o rádio natural que emanava dos sais de rádio. – A radiação ionizante está se revelando uma cura milagrosa para todos os tipos de males. Funciona no caso de úlceras, de couro cabeludo ressecado, e com toda a certeza de impotência – disse. – Tornou-se a melhor opção de tratamento.

– E vai fazer comigo o quê?

– Vai olhar dentro do senhor. – E depois, como que ofendido: – Vai *tratar* do senhor.

– Eu preciso mesmo fazer isso?

Mas o dr. Hexler já estava dando ordens pelo funil.

Quando ficaram prontos, um sujeito magricela com gogó pronunciado veio buscar Einar no consultório de Hexler. Era Vlademar, o assistente do médico, que conduziu Einar a um aposento de paredes ladrilhadas e piso com caimento direcionado para um ralo gradeado no canto. Tirantes de lona branca pendiam da cama hospitalar no meio do aposento, com fivelas que reluziam sob as luzes.

– Vamos amarrar o senhor aí – disse Vlademar. Einar perguntou se isso era mesmo necessário, e Vlademar retrucou com um grunhido que fez seu gogó dar um pulo para cima.

O aparelho de raios X tinha o formato de um L invertido, e as placas metálicas que o revestiam haviam sido pintadas de verde-sujo. Estendia-se por cima da cama hospitalar, com uma lente que parecia um grande olho cinzento apontada para o trecho de pele entre o umbigo e a virilha de Einar. Havia uma janela de vidro negro no aposento, e Einar imaginou que por trás dela o dr. Hexler indicava quais alavancas arredondadas Vlademar deveria acionar. Quando as luzes do aposento baixaram, o aparelho fez um ruído e depois começou a girar, com toda a estrutura vibrando levemente. Então ocorreu a Einar que aquilo era apenas o começo de uma série de médicos e exames, pois, de alguma forma, ele sabia que os raios X nada revelariam; ou o dr. Hexler pediria mais exames, ou o mandaria a um segundo especialista, e depois a um terceiro. Mas não ficou perturbado com isso na hora, porque qualquer coisa parecia valer a pena pelo bem de Greta e Lili.

Einar esperava que a luz dos raios X fosse dourada e cintilante, mas era invisível e ele nada sentiu. Pensou até que o aparelho não estivesse funcionando. Quase ergueu o corpo e perguntou: “Há algum problema?”

Então o aparelho passou a funcionar em rotação mais acelerada, com o ruído subindo uma oitava. As placas verdes e dentadas chacoalhavam com mais força: o som era semelhante ao de uma folha de latão sacudida ao vento. Einar teve a impressão de estar sentindo algo no estômago, mas não tinha certeza. Pensou num estômago infestado daqueles vermes fosforescentes que havia no pântano de Bluetooth. Ficou em dúvida se estava sentindo um calor borbulhante ou se aquilo era apenas imaginação sua. Apoiou-se sobre os cotovelos a fim de olhar para baixo, mas nada havia de diferente no seu estômago, que na penumbra do aposento parecia acinzentado.

– Por favor, fique imóvel – disse o dr. Hexler através do alto-falante de um funil. – Deite-se novamente.

Nada estava acontecendo, porém, ou pelo menos essa era a impressão de Einar. Uma sensação vaga espalhou-se pelo seu abdome enquanto o aparelho chacoalhava: ele não sabia ao certo se estava sentindo uma quentura ali. Então achou que sentira a ardência de uma queimadura, mas, quando olhou novamente, o estômago parecia o mesmo. – Fique deitado sem se mexer, sr. Wegener – trovejou mais uma vez a voz de Hexler. – É sério.

Einar não sabia há quanto tempo o aparelho estava funcionando. Quantos minutos haviam se passado, dois ou vinte? E quando aquilo acabaria? O aposento ficou ainda mais escuro, quase em trevas, e um anel amarelo de luz começou a ondular em torno da lente cinzenta. Ele estava entediado, e subitamente sentiu-se sonolento. Fechou os olhos, e teve a impressão de que seu corpo estava ficando densamente pesado. Pensou em dar uma última olhada no estômago, mas seus braços se recusaram a erguê-lo. Como ele ficara tão cansado? Sua cabeça parecia uma bola de chumbo ligada ao pescoço. Ele sentiu o gosto do café matinal na garganta.

– Tente dormir, sr. Wegener – disse Hexler. O aparelho rugiu mais alto ainda, e Einar sentiu uma coisa quente encostar em seu estômago.

Então percebeu que algo estava errado. Abriu os olhos a tempo de ver uma pessoa encostar a testa na vidraça negra, ao lado de outra testa que manchava o vidro. Se Greta estivesse aqui, pensou Einar sonhadoramente, ela me desamarraria e me levaria para casa. Chutaria o aparelho verde até fazê-lo parar. Um estrondo metálico sacudiu o aposento, mas Einar não conseguiu abrir os olhos para ver o que acontecera. Se Greta estivesse ali, berraria com Hexler para desligar o maldito aparelho. Se Greta estivesse ali... mas ele não conseguiu completar o pensamento, porque já caíra no sono... não, além do sono.

Capítulo doze

Enquanto o aparelho de raios X do dr. Hexler continuava a chacoalhar, Greta encostou a testa na vidraça negra. Talvez ela não tivesse razão; talvez seu marido não precisasse de um médico. Ficou imaginando se não deveria ter dado ouvidos aos protestos dele.

Do outro lado do vidro, Einar estava deitado, amarrado à cama hospitalar. Parecia lindo, com os olhos fechados e a pele suavemente acinzentada pelo vidro. O pequeno nariz elevava-se no seu rosto.

– Tem certeza de que ele está confortável? – perguntou ela ao dr. Hexler.

– Na maior parte do tempo, sim.

Greta estava preocupada, porque Einar parecia estar se afastando dela. Às vezes ela se incomodava com a falta de ciúmes por parte dele quando um sujeito na rua passava os olhos pelos seus seios; ele só comentava alguma coisa quando estava vestido de Lili, e então dizia "Como você tem sorte".

Durante a conversa na semana anterior, o dr. Hexler dissera que havia a possibilidade de um tumor na pelve de Einar, que poderia estar causando tanto a infertilidade quanto o estado confuso da masculinidade dele.

– Eu próprio nunca vi isso, mas já li a respeito. Pode passar despercebido, sendo a única manifestação um comportamento esquisito. – Um lado de Greta queria que aquela teoria tivesse lógica. Um lado seu queria acreditar que um simples bisturi, curvo como uma foice, podia extirpar aquele tumor de casca dura e de cor laranja-sangue como um caqui, devolvendo Einar ao casamento deles.

Do outro lado da janela ouviu-se um estrondo metálico, mas o dr. Hexler disse: "Está tudo bem." Einar se contorcia sobre a cama hospitalar, com as pernas forçando os tirantes. Fazia tanta força que Greta achou que os tirantes poderiam arrebentar, lançando o corpo dele ao chão.

– Quando isso vai acabar? – perguntou ela a Hexler. – Tem certeza de que está tudo bem? – Passou os dedos pelas pontas do cabelo, pensando ao mesmo tempo que destestava a grossura daqueles fios, e que se algo acontecesse a Einar ela não saberia o que fazer.

– Uma radiografia leva tempo – disse Vlademar.

– Isso está fazendo mal a ele? Parece que ele está com dor.

– Na verdade, não – disse o dr. Hexler. – Talvez haja uma pequena queimadura superficial, ou uma ulceração, mas nada além disso.

– Ele vai ficar com o estômago um pouco enjoado – acrescentou Vlademar.

– Vai fazer bem a ele – disse o dr. Hexler. Tinha o rosto calmo, com cílios negros e grossos, que batiam ao redor dos olhos. Gaguejava a primeira sílaba de cada frase, mas sua voz tinha o peso da autoridade. Afinal, aquela clínica atraía os homens mais ricos da Dinamarca: homens cujas barrigas se avolumavam por cima dos cintos, e que no frenesi de fabricar sapatos de borracha, tinturas minerais, superfosfatos e cimento de Portland, perdiam o controle sobre tudo que pendia abaixo dos cintos.

– E se o diabo estiver dentro do seu marido – acrescentou Vlademar –, eu vou tirar o bicho de lá.

– Essa é a beleza dos raios X – disse Hexler. – Queimam a parte ruim e deixam a boa. Talvez não seja exagero chamar isso de um milagre. – Os dois homens sorriram, com os dentes refletidos no vidro negro, e Greta sentiu uma palpitação de arrependimento sob o peito.

Quando acabou, Vlademar levou Einar para um aposento com duas janelas pequenas e um biombo dobrável sobre rodízios. Einar dormiu durante uma hora, enquanto Greta desenhava. Desenhava Lili, adormecida sobre a cama do instituto. Se os raios X encontrassem um tumor e o dr. Hexler o removesse, o que aconteceria? Ela jamais voltaria a ver Lili no rosto de Einar, naqueles lábios, naquelas pálidas veias verdes que lhe corriam pela parte de baixo dos pulsos como rios num mapa? Para que contatara o dr. Hexler em primeiro lugar, para tranquilizar Einar ou para se tranquilizar? Não, só telefonara a Hexler da pequena cabine do correio porque sabia que precisava fazer algo por Einar. Ou não era responsabilidade sua garantir atenção adequada a ele? A única coisa que Greta jurara na vida fora jamais deixar o marido simplesmente se afastar. Não depois de Teddy Cross. Ela pensou no sangue irrompendo do nariz de Einar e alastrando-se pelo regaço do vestido de Lili.

Einar virou-se na cama, gemendo. Estava pálido, com a pele das bochechas flácida. Greta colocou-lhe uma compressa quente na testa. Por um lado, ela gostaria que Hexler mandasse Einar viver livremente como Lili, arranjando emprego como balconista da Fonnesbech. Por outro lado, Greta queria ser casada com o homem mais escandaloso do mundo. Sempre se zangava quando as pessoas presumiam que ela estava buscando uma vida mais convencional só porque se casara. "Sei que vocês vão ser tão felizes quanto sua mãe e seu pai", escrevera uma prima de Newport Beach depois que ela se casara com Einar; ela tivera de fazer força para não riscar a prima da lembrança. Mas eu não sou como eles, dissera a si mesma enquanto rasgava a carta e a jogava no fogão de ferro. *Nós* não somos como eles. Isso acontecera muito antes de Lili aparecer, mas na época Greta já sabia que se casara com um homem que a levaria a um lugar onde ela jamais estivera. Fora o que ela primeiro vira em Teddy; mas isso acabara não acontecendo com ele. Einar, porém, era diferente. Era estranho. Quase não pertencia a este mundo. E, na maioria dos dias, Greta sentia que ela também não.

Embaixo da janela, as roseiras aparadas do dr. Hexler tremiam ao vento. A outra janela dava para o mar. Viam-se nuvens negras, escuras e cheias como tinta diluída em água. Um barco de pesca lutava para voltar ao porto. Mas como ela poderia permanecer casada com um homem que às vezes queria viver como mulher? Não vou deixar que uma coisa dessas me detenha, disse a si mesma, com o caderno de esboços no colo. Greta e Einar fariam tudo o que quisessem. Ninguém podia impedi-la de fazer o que bem entendesse. Talvez eles precisassem se mudar para um lugar onde ninguém os conhecesse. Onde nada falasse por eles, onde não houvesse fofocas, nem sobrenomes, nem reputações previamente estabelecidas. Nada, a não ser os quadros dela e o pequeno sussurro da voz de Lili.

Ela estava pronta, disse Greta a si mesma. Para quem, o quê, ou onde, não tinha certeza, mas estava sempre pronta.

Einar mexeu-se de novo na cama, lutando para erguer a cabeça. A lâmpada no teto projetava um cone de luz amarela sobre seu rosto, e suas faces pareciam encovadas. Ele não parecera estar bem pela manhã? Mas talvez ela não houvesse dado suficiente atenção a Einar nos meses anteriores. Talvez ele houvesse adoecido diante dos seus olhos, e ela só houvesse percebido agora. Ela andara ocupada, pintando, vendendo suas obras e escrevendo para Hans em Paris, combinando uma visita de Lili e indagando sobre a disponibilidade de um apartamento no Marais, com uma claraboia para ela e outra para Einar... com tudo isso, podia não ter visto algo de grave acontecendo com o rosto do marido. Pensou em Teddy Cross.

– Greta – disse Einar. – Eu estou bem?

– Vai ficar. Descanse mais um pouco.

– O que aconteceu?

– Foi só uma radiografia forte. Nada preocupante.

Einar encostou o lado do rosto no travesseiro. Adormeceu novamente. Lá estava ele, o marido de Greta. Com aquela pele fina, e a cabeça pequena com as têmporas suavemente côncavas, quase como as de um bebê. Com as narinas se inflando de ar. Com aquele cheiro de terebintina e talco. Com a pele ao redor dos olhos avermelhada e quase pegando fogo.

Ela recolocou-lhe a compressa sobre a testa.

Quando por fim o dr. Hexler chegou, ela disse:

– Finalmente. – Foram até o corredor. – Ele vai ficar bom?

– Vai estar melhor amanhã, e melhor ainda no dia seguinte. – Greta achou que havia certa preocupação nas rugas em torno da boca do dr. Hexler. – Os raios X não acusaram nada.

– Nenhum tumor?

– Nada.

– Então o que há de errado com ele? – perguntou ela.

– Em termos de saúde física, absolutamente nada.

– E o sangramento?

– É difícil ter certeza, mas provavelmente é só uma questão de alimentação. Faça com que ele evite frutas com caroços e espinhas de peixe.

– O senhor acha mesmo que é só isso? A alimentação dele? – Greta deu um passo atrás. – O senhor acha mesmo que ele é um homem perfeitamente saudável, dr. Hexler?

– A saúde dele é normal. Mas ele é um homem normal? Nem um pouco. O seu marido não está bem.

– O que eu posso fazer?

– A senhora tem tranca no armário? Para não deixar que ele pegue as suas roupas?

– É claro que não.

– Pois devia colocar uma imediatamente.

– O que adiantaria isso? Além do mais, ele tem os vestidos dele.

– Livre-se deles imediatamente. A senhora não deve encorajar isso. Se ele achar que a senhora aprova, pode pensar que não há problema em fingir que é Lili. – O dr. Hexler fez uma pausa. – E aí não haverá esperança para ele. A senhora não vem encorajando isso, vem? Espero, pelo bem dele, que a senhora jamais tenha dito que aprova isso.

Era o que Greta mais temia: vir a ser acusada pela existência de Lili. Acusada de ter prejudicado o marido. As paredes do corredor eram arranhadas, de um amarelo-opaco. Ao lado de Greta, via-se um retrato do dr. Hexler, um retrato do tipo que ela costumava pintar.

Poucas semanas antes, ela recebera um telefonema de Rasmussen, dizendo que Lili visitara a galeria.

– É claro que reconheci a moça dos quadros – dissera ele. – Mas achei que havia algo de errado. Ela parecia fraca, ou sedenta. – Rasmussen dissera que dera uma cadeira a Lili, e que ela adormecera rapidamente, com uma bolha prateada nos lábios. Logo depois, a baronesa Haggard chegara à galeria com seu chofer egípcio. A baronesa gostava de pensar em si mesma como uma aristocrata atualizada, e ficara empolgada com a ironia, ou o "modernismo", como ela dissera, de esbarrar com a modelo dos quadros dormindo diante dos próprios quadros. A galeria ressoara com o suave som das luvas de pele de avestruz da baronesa aplaudindo "o momento". Cinco quadros estavam expostos: retratos feitos ao final de agosto no calor do sul da França, todos iluminados, como que por trás, pelo vagaroso e insinuante sol de Menton. Mostravam Lili exatamente como ela se prostrara na tal cadeira: hesitante, interiorizada, exótica em tamanho e postura, com seu nariz grande, joelhos ossudos, pálpebras oleosas e rosto reluzente. "A baronesa comprou todos os cinco", dissera Rasmussen. "E Lili dormiu durante toda a transação. Greta, há algo de errado com ela? Espero que não. Você não obriga a moça a posar até tarde da noite, obriga? Cuide dela, Greta. Para o seu próprio bem."

– O senhor não está mesmo preocupado com o sangramento? – perguntou Greta ao dr. Hexler. – Nem um pouco?

– Não tanto quanto estou com esse delírio de ser mulher – disse o doutor. – Nem raios X podem curar isso. A senhora gostaria que eu conversasse com Einar? Posso dizer que ele está fazendo mal a si mesmo.

– Mas ele está? – perguntou Greta por fim. – Quer dizer, está mesmo?

– Bom, é claro. Creio que a senhora concorda comigo. Creio que a senhora concorda que, se isso não parar, precisaremos tomar medidas mais drásticas. Que vida um homem como seu marido pode levar? É claro que a Dinamarca é um país muito aberto, mas não se trata de abertura. Trata-se de sanidade, a senhora não concorda? Não concorda que há algo de levemente insano nos desejos de seu marido? Que a senhora e eu, como cidadãos responsáveis, não podemos deixar seu marido perambular livremente por aí como Lili? Nem mesmo em Copenhague. Nem mesmo ocasionalmente. Nem mesmo sob a sua supervisão. Creio que a senhora concorda que devemos fazer tudo o que for preciso para tirar este demônio de dentro dele, porque se trata disso, a senhora não concorda? De um demônio. A senhora não concorda?

E nesse momento Greta, que tinha trinta anos, era californiana e já contabilizava pelo menos três ocasiões em que quase se matara por acidente – a segunda, por exemplo, fora aos dez anos de idade, quando ela plantara bananeira na balaustrada de teca do *Frederik VIII*, em sua primeira viagem à Dinamarca –, percebeu que o dr. Hexler sabia muito pouco, se é que sabia alguma coisa. Ela se enganara, e ouviu Einar gemendo na cama, atrás do biombo dobrável.

PARTE DOIS

PARIS, 1929

Capítulo treze

Perto da avenida Sebastopol, ao norte de Les Halles Centrales, havia uma ruazinha com apenas dois quarteirões. Ao longo dos anos, o nome da rua mudara. Já fora conhecida como rua Poivre – pois um depósito de pimenta prosperara e depois falira ali. Na época em que fora conhecida como rua Semaines, havia ali um hotel para veteranos de guerra. Mas atualmente era conhecida – ao menos coloquialmente, porque a placa azul e branca desaparecera – como rua Nuit. Os prédios da rua eram negros, e havia fuligem de carvão sobre os parapeitos, sobre os lampiões a gás abandonados, sobre a canaleta do mictório público e sobre o toldo rasgado da tabacaria, que também oferecia vodca de trigo e raparigas. As portas da rua eram numeradas, mas sem placas. Ninguém, com exceção do dono da tabacaria, cujo bigode ruivo vivia salpicado das migalhas do brioche matinal, parecia morar ou ter algum negócio, legítimo ou não, naquela rua. No número 22, via-se uma porta de vidro fosco, e por trás dela um corredor que fedia tanto quanto o mictório fuliginoso. No topo da escada, havia outra porta, amassada por pontapés; de lá via-se um balcão onde ficava uma mulher chamada, ou que se dizia chamar, Madame Jasmin-Carton, com uma gata sem rabo, Sophie.

Madame Jasmin-Carton era gorda, mas ainda jovem. Uma grossa penugem marrom crescia-lhe nos antebraços, e às vezes se agarrava às suas pulseiras de ouro. Certa vez ela dissera a Einar que uma de suas moças fugira e se casara com um príncipe grego, deixando-lhe a tal gata sem rabo. Também dizia que embaixadores, um primeiro-ministro e uma boa dúzia de condes já haviam, ao longo dos anos, visitado suas *salles de plaisir*.

Por cinco francos Madame Jasmin-Carton dava a Einar uma chave acorrentada a uma bola de bronze. A chave o admitia à *Salle* número 3, um aposento estreito com uma poltrona forrada de lã verde, uma cesta de papéis feita de arame cuidadosamente esvaziada, e duas pequenas janelas com as persianas negras fechadas. No teto havia uma lâmpada que iluminava a poltrona verde. Misturado ao cheiro de amônia, percebia-se o vestígio de algo salgado, amargo e úmido.

Já era maio, e a cada dia frio seguiam-se dois quentes e ensolarados. Mas na tal saleta estava sempre frio. No inverno, Einar sentara-se de sobretudo na poltrona verde, e ficara vendo as baforadas de seu próprio hálito. Ele não frequentava a casa de Madame Jasmin-Carton havia tempo suficiente para saber ao certo, mas imaginava que em agosto as paredes opacas – já amareladas de tabaco, e manchadas – ficariam cheias de umidade.

Naquele dia, Einar tirou a jaqueta, que tinha bolsos grandes e um cinto com ilhoses que estava na moda. A jaqueta fora comprada por Greta, assim como quase todas as roupas dele, pois ela achava que ele não sabia como as pessoas se vestiam em Paris. A não ser, é claro, no caso de Lili. Os vestidos de seda com cintura baixa e fitas para a cabeça, as luvas de pelica com fechos perolados que batiam acima do cotovelo, e os sapatos com tiras de cristal nos tornozelos, tudo isso Lili comprava sozinha. Einar separava a semanada de Lili numa jarra de marmelada, e ela gastava tudo em dois ou três dias, enfiando a mão na boca estreita da jarra e agarrando as moedinhas. Ele rubricava aquelas despesas no seu orçamento como o dinheiro de Lili. Então procurava francos nos bolsos das calças de gabardine para dar-lhe mais. Quando não encontrava nada, ela às vezes corria para Greta, que em relação a Lili só parecia conhecer as palavras "sim" e "mais".

Einar ergueu uma das persianas negras da saleta. Atrás do vidro sujo, havia uma moça de malha de balé e meias pretas, com um dos pés sobre uma cadeira de madeira curva. Ela estava dançando, embora não se ouvisse música. Via-se o rosto de um homem espiando por outra janelinha, com o nariz esbranquiçado e oleoso encostado no vidro. Seu bafo enevoava e manchava o vidro. A moça parecia consciente da presença de Einar e do tal sujeito; antes de arrancar uma peça de roupa, olhava em torno, embora não diretamente para os rostos de nariz achatado, e baixava o queixo.

Tirou lentamente dos braços carnudos um par de luvas semelhante ao de Lili. Não era bonita; cabelo preto crespo e ressecado, uma mandíbula de cavalo, quadris largos demais e estômago estreito demais. Mas havia algo de adorável em seu pudor, pensou Einar; na maneira com que arrumava cuidadosamente, sobre o encosto curvo da cadeira, as luvas, depois a malha e finalmente as meias, como se soubesse que precisaria de tudo aquilo mais tarde.

Logo estava nua, exceto pelos sapatos. Começou a dançar com mais energia, fazendo ponta com os dedos dos pés e estendendo as mãos. Jogava a cabeça para trás, expondo a traqueia azul e branca rente à pele.

Einar vinha visitando a casa de Madame Jasmin-Carton havia quase seis meses; saía à tarde, quando Greta ia ao encontro de colecionadores ou editores de revistas como *La Vie Parisienne* ou *L'Illustration,* que a contratavam para ilustrar suas matérias. Mas não ia lá com a mesma motivação dos outros fregueses, que encostavam os rostos marcados nas janelinhas, com as línguas parecendo criaturas marinhas esmagadas contra o balcão de vidro de um peixeiro. Ele só queria ver as moças tirando a roupa e dançando, para estudar a curvatura e o peso de seus seios, para ver as coxas – estranhamente brancas e trêmulas, como a nata sobre uma tigela de leite fervido – se abrindo e fechando, pois quase conseguia ouvir o barulho dos ossos dos joelhos se chocando através daquela vidraça engordurada.

Também gostava da parte de baixo dos antebraços delas – onde as veias, quentes de vergonha e rancor, fluíam esverdeadas – e do pedaço de carne que se avolumava sob o umbigo, pois essa parte do corpo feminino fazia-o pensar nas almofadas que sustentavam as alianças nos casamentos. Visitava aquela casa para examinar as mulheres, para ver como os membros se ligavam aos troncos naqueles corpos e produziam fêmeas. Como a moça do cabelo preto elétrico baixava o queixo ao segurar distraidamente os seios cremosos. Como a moça que vinha depois dela, uma loura de corpo magro e musculoso, caminhava em semicírculo pela sala negra com os punhos nos quadris, que eram só ossos. Ou como a moça da terça-feira anterior, que Einar jamais vira antes, abria as coxas sardentas e exibia fugazmente a genitália. As coxas fechavam-se rapidamente, e então ela dançava raivosamente, com o suor escorrendo pescoço abaixo, enquanto a imagem do seu sexo fulgurava nos olhos de Einar, mesmo quando ele os fechava e tentava esquecer quem era ou onde estava; continuava fulgurando até mais tarde, quando ele deitava ao lado de Greta e tentava adormecer; e continuava fulgurando enquanto o abajur de Greta ardia e seu lápis de ponta grossa rabiscava no caderno de lombada de couro, o qual guardava desenho após desenho, uma carreira inteira de desenhos, de Lili.

Einar e Greta estavam morando no Marais. Haviam partido de Copenhague mais de três anos antes. Fora ideia de Greta. Certo dia, uma carta chegara à Casa da Viúva, e Einar lembrava-se de ter visto Greta lê-la rapidamente, erguer o tampo do fogão de ferro e jogá-la lá dentro. Lembrava-se do breve clarão amarelo emitido pelo fogão ao devorar a carta. Depois ela lhe dissera que Hans queria que eles se mudassem para Paris.

– Ele acha, e eu também acho, que seria melhor – dissera.

– Mas por que você queimou a carta dele? – perguntara Einar.

– Porque não queria que Lili visse a carta. Não quero que ela saiba que Hans quer receber outra visita dela.

Haviam alugado um apartamento num prédio de pedra na rua Vieille du Temple. O apartamento ficava no quarto andar, o último, com claraboias encravadas no telhado íngreme e janelas que davam para a rua. Os fundos davam para o pátio, onde, durante o verão, os gerânios floresciam nas jardineiras presas com arame às marquises e as roupas lavadas secavam nos varais. O prédio ficava bem perto do Hotel de Rohan, cuja portaria curva avançava pela calçada e tinha duas grandes portas negras. A rua era estreita, mas tinha boa drenagem no inverno; atravessava todo o Marais. Os hotéis imponentes haviam sido transformados em escritórios governamentais, galpões de importadores de cereais, ou estávam simplesmente abandonados, mas havia as lojas judaicas, onde Einar e Greta compravam frutas secas e sanduíches aos domingos, quando o resto do comércio fechava.

No apartamento havia dois ateliês. O de Einar continha poucas paisagens do pântano sobre cavaletes de tamanho exagerado. O de Greta continha os quadros de Lili, já vendidos antes mesmo de secarem, e um trecho de parede perpetuamente úmido e grosso, onde ela testava as cores até acertar o tom exato: o castanho do cabelo de Lili, que virava cor de mel após um mergulho num mar de agosto; o vermelho-arroxeado do rubor que se agarrava à base de sua garganta; o branco-prateado da parte de dentro de seus cotovelos. Cada ateliê tinha um divã coberto por um edredom. Às vezes, Greta passava a noite ali, quando estava cansada demais para ir até a cama que compartilhavam no quartinho dos fundos do apartamento, onde havia uma escuridão que para Einar parecia um casulo. O quarto era tão escuro que ele não conseguia enxergar a própria mão à frente do rosto; ele gostava disso, e ficava deitado ali até o alvorecer, quando a polia dos varais rangia e um dos vizinhos começava a pendurar mais uma batelada de roupa.

Nas manhãs de verão, Lili levantava-se e pegava o ônibus até os Bains du Pont-Solférino no *quai des* Tuileries. Para trocar de roupa, a piscina oferecia uma fileira de cabanas feitas de lona listada: pareciam tendas altas e estreitas. Lá dentro Lili colocava o traje de banho, arrumando-se cuidadosamente sob a saia de babados a fim de preservar o que considerava seu pudor. Seu corpo mudara desde que deixara a Dinamarca: seus seios já estavam carnudos devido à musculatura que afrouxara, e eram suficientes para preencher as pequenas taças frouxas de seu traje de banho. A touca de banho de borracha, com aquele cheiro pneumático, prendia-lhe o cabelo, repuxando-lhe as bochechas e dando-lhe um aspecto exótico, com olhos amendoados e lábios esticados. Lili aprendera a ter sempre um espelho na bolsa, e ficava dentro da cabana de lona, naquelas manhãs de verão, olhando para si mesma e passando o espelho por cada centímetro de sua pele, até a atendente da piscina sacudir a lona e perguntar se mademoiselle precisava de ajuda.

Em seguida, ela entrava na piscina, mantendo a cabeça acima da água. Banhava-se por trinta minutos, girando os ombros e erguendo os braços acima da cabeça no movimento de um moinho, até as outras mulheres da piscina – pois aquela piscina, assim como o salão de chá onde ela às vezes tomava café com croissants, era reservada para senhoras – pararem e ficarem na borda da piscina observando a pequena Lili, tão graciosa, de braços tão longos, tão, cacarejavam elas, *puissante*.

Ela adorava aquilo: adorava sentir sua cabeça deslizando pela superfície da piscina feito um patinho; adorava ver as outras senhoras, com seus trajes de banho de lã, observando-a com uma mistura de indiferença e intriga fofoqueira; adorava sair da piscina com a ponta dos dedos enrugada e passar a toalha pelos braços, secando-se à luz cintilante refletida pelo Sena. Então ficava vendo o trânsito do outro lado do rio. E pensava que tudo aquilo só se tornara possível porque ela e Greta haviam deixado a Dinamarca. Naquelas manhãs de verão, na borda da piscina cheia de água do Sena, ela pensava que era livre. Paris a libertara. Greta a libertara. Einar, pensava ela, estava se afastando. Einar estava libertando-a. Um tremor corria-lhe pela espinha, e seus ombros estremeciam.

Dentro da cabana, após entregar a toalha cor-de-rosa à atendente, ela tirava o traje de banho; e aí, se estivesse num transe especialmente forte em relação à própria vida e às possibilidades que se abriam diante dela, soltava um pequeno arquejo ao descobrir que lá embaixo, entre as coxas brancas e arrepiadas, jazia uma certa coisinha enrugada. Aquilo lhe parecia algo tão vil que ela o escondia, fechando bruscamente as coxas e batendo os ossos dos joelhos; mas o baque abafado – como dois pratos envoltos em feltro chocando-se num crescendo – fazia-a lembrar-se, fazia Einar lembrar-se, da tal moça na casa de Madame Jasmin-Carton, a que dançava raivosamente e batia os joelhos com tanta força que se podia ouvir o choque dos ossos até através da vidraça manchada.

E assim Einar via-se ali – um dinamarquês franzino, dentro de uma das cabanas para troca de roupa da melhor piscina para senhoras de Paris. A princípio, ele ficava confuso, com o olhar perdido no espelho. Não sabia onde estava, e não reconhecia o avesso da lona listada dentro da cabana. Não reconhecia os suaves ruídos feitos pelas senhoras ao nadar. No cabide, a única roupa pendurada era um simples vestido marrom com um cinto. Sapatos pretos com saltos em cunha. Uma bolsa com batom e algumas moedas. Um lenço de *chiffon* com estampa de peras. Ele era um homem, pensava subitamente, mas apesar disso só podia voltar para casa se vestisse aquelas roupas. Então via o colar duplo de contas de âmbar dinamarquês; sua avó usara aquilo a vida toda, mesmo quando trabalhava nos campos de esfagno e as contas chacoalhavam-lhe sobre o peito quando ela se inclinava para tapar o buraco de uma raposa-vermelha. Ela dera o colar para Greta, que odiava âmbar e o dera a Einar; e ele – disso ele se lembrava – dera-o para uma mocinha chamada Lili.

A coisa voltava-lhe assim, em pedaços, lentamente, instigada pelas contas de âmbar ou pela batida da mão da atendente quando ela perguntava mais uma vez se mademoiselle precisava de ajuda. Ele colocava o vestido marrom e os sapatos com saltos em cunha da melhor maneira possível. Ardia de vergonha ao afivelar o cinto, pois a essa altura já achava que nada entendia dos complicados colchetes e fechos das roupas femininas. Sua bolsa continha apenas alguns francos; ele sabia que só receberia mais dinheiro dali a três dias. Mas resolvera pegar um táxi de volta para casa, e não ir a pé, porque o desconforto daquele vestido marrom era demasiado nas ruas de Paris. O lenço pendia sobre o encosto da cadeira, ondulando quase que sozinho, e Einar não conseguia amarrá-lo sobre a cabeça e ao redor do pescoço. Parecia que a gaze do *chiffon,* com as peras amarelas, poderia estrangulá-lo. Aquilo pertencia a outra pessoa.

E, assim, Einar deixava a piscina com as roupas de Lili e a touca de banho de borracha ainda na cabeça; largava um franco na mão sempre estendida da atendente e deslizava – como o tal patinho na superfície da piscina – por cima das fofocas sussurradas pelas senhoras francesas, que ficariam na piscina até a hora de voltar para casa e ajudar as empregadas polonesas a fazer o almoço de seus pimpolhos; enquanto isso Einar, desalinhado, de olhos avermelhados e com roupas de mulher, voltaria para Greta, que ao longo da manhã já arrumara os acessórios e desenhara o esboço para mais um retrato de Lili.

Certo dia no início de maio, Einar estava sentado num banco junto a uma sebe na praça des Vosges. O vento ficava erguendo a água do chafariz, jogando-a aos seus pés e manchando o cascalho à sua volta. Pela manhã, Lili fora nadar. À tarde, Einar voltara à casa de Madame Jasmin-Carton e vira através do pequeno vidro negro um rapaz e uma moça fazendo amor no assoalho. Custara-lhe três vezes a quantia habitual da entrada, Madame Jasmin-Carton vinha anunciando o espetáculo havia um mês, em folhetos afixados acima das janelas de espia. Os folhetos, escritos em letra de fôrma e com informações sobre o coito público, haviam-no feito pensar nos bilhetes que Lili e Greta usavam para se comunicar naqueles primeiros meses na Dinamarca: era como se o ar frio e cheio de ecos de Copenhague não permitisse as palavras secretas que elas precisavam dizer.

O rapaz era alto e esguio, quase adolescente ainda; tinha pele branco-azulada, olhos azuis e costelas que podiam ser contadas, uma, duas, três. Despira rapidamente o terno barato de *tweed*, e depois ajudara a mulher, que era mais velha, a tirar o vestido. Einar jamais vira outro homem sexualmente excitado, com aquilo apontando para cima feito uma lança nos primeiros centímetros de sua trajetória. O do rapaz era avermelhado na ponta, gotejante e raivoso. A mulher deixara-se penetrar com facilidade, e por um instante parecera até grata. Eles ficaram se contorcendo no assoalho semicircular daquela saleta escura, enquanto em cada janela encostava-se o rosto de um homem com idade suficiente para ser avô do rapaz. O rapaz terminara rapidamente, e sua semente jorrara num arco pesado sobre o rosto marcado da mulher. Depois se levantara e fizera uma reverência. Saíra da saleta com o terno enrolado embaixo do braço. Só nesse instante, ao olhar para o próprio colo, é que Einar descobrira a mancha salgada, como se uma xícara de água do mar houvesse sido derrubada ali. Então percebera, embora presumisse que sempre soubera, que queria que o rapaz fizesse a mesma coisa com Lili. Que ele a beijasse antes de o peito dele se avermelhar e sua boca se contorcer de prazer.

Mais tarde, Einar se viu naquele banco da praça des Vosges. Abriu o paletó para secar o colo, que já enxaguara na bacia de mão de madame. As crianças jogavam a água do chafariz umas nas outras, empurravam aros pelas alamedas de cascalho, e uma menina empinava uma pipa com o formato de um morcego. As babás italianas conversavam em voz alta por cima dos carrinhos de bebê estacionados em círculo. Einar virou-se de costas para elas, constrangido por causa da mancha. Pela manhã, o sol andara brilhando forte sobre a piscina, mas agora estava escondendo-se atrás de nuvens esparsas, fazendo a praça se acinzentar e as crianças se tornarem meras silhuetas. O colo de Einar não secava. A lã molhada lembrava-lhe os cachorros da fazenda em Bluetooth, quando chegavam em casa após passarem o dia caçando rãs. Ficavam úmidos e encarquilhados, com o pelo duro, e jamais chegavam a perder totalmente aquele cheiro molhado.

A menininha da pipa soltou um grito. A linha escorregara-lhe da mão, e a pipa despencava pelo céu. Ela seguiu a direção da queda com o dedo. Depois saiu correndo, com o laço do cabelo batendo nas orelhas. Com um grito, a babá mandou que ela parasse. Parecia irritada, com o rosto italiano avermelhado e furioso. Mandou a menininha, Martine, esperar junto ao carrinho. A pipa ainda caía em direção ao solo, com o papel negro ondulando na armação. Então caiu perto do pé de Einar.

A babá agarrou a pipa amassada com uma mão bonita, sibilando de raiva. Depois agarrou Martine pelo pulso e levou-a de volta ao carrinho, puxando-a bem junto ao corpo. As outras babás estavam paradas junto à sebe, com os para-choques dos carrinhos encostados uns nos outros. Quando Martine e a babá se juntaram a elas, todas lançaram o olhar sobre o ombro, desconfiadas. Então o bando todo girou e afastou-se, formando um grito com o ruído das rodas.

Foi aí que Einar percebeu que algo precisava mudar. Ele se transformara num homem temido pelas babás nas praças. Era um homem com manchas suspeitas nas roupas.

Era maio de 1929, e ele se daria o prazo de um ano. A praça estava na penumbra, com o sol escondido pelas nuvens. A sebe parecia estar com frio; as folhas novas tremiam. Mais uma vez, o vento ergueu a água do chafariz e lançou-a sobre o cascalho. Se em um ano, exatamente, Lili e Einar não tiverem se entendido, ele viria à praça e se mataria.

Isso fez com que empertigasse o corpo. Já não conseguia mais tolerar aquele caos na sua vida. Greta ainda tinha uma pistola prateada dos seus tempos californianos. Fora criada com a arma enfiada na meia. Ele retornaria à praça com a pistola, e sob a negra noite de maio, a encostaria na têmpora.

Ouviu passos vindo em sua direção, e ergueu o olhar do colo. Era Martine, com seu aventalzinho amarelo. Parecia assustada, mas cheia de entusiasmo. Parou de correr e veio se aproximando pouco a pouco. Estendeu a mão macia. A cauda da pipa jazia entre ela e Einar: uma fileira de laçarotes de papel numa linha. Martine queria pegar a cauda e, pelo pequeno sorriso que aparecia sob a testa franzida, Einar percebeu que ela queria demonstrar-lhe amizade. A menina agarrou a cauda. Depois riu, com o rosto como ouro. Quando fez uma reverência e disse *"Merci"*, tudo o que Einar sabia sobre si mesmo juntou-se numa coisa só: os cordões do avental ao redor de sua cintura; as jovens mãos de Greta segurando sua cabeça; Lili de sapatos amarelos na Casa da Viúva; Lili nadando na piscina do rio naquela manhã. Einar e Lili eram um só, mas já era hora de dividi-lo em dois. Ele tinha um ano.

– Martine... Martine! – exclamou a babá. Os sapatos afivelados de Martine saíram correndo sobre o cascalho. Um ano, disse Einar a si mesmo. E então, por cima do ombro, Martine exclamou alegremente: – *Merci.* – Depois acenou, e Einar e Lili, como se fossem um só, acenaram de volta.

Capítulo catorze

Após três anos em Paris, Greta jamais trabalhara tanto na vida. Pela manhã, quando Lili ia fazer compras no mercado ou nadar na piscina, ela terminava as encomendas das revistas. Certo editor de *La Vie Parisienne* ligava com voz apavorada quase toda semana, pedindo um desenho rápido da última montagem de *Carmem* ou uma ilustração para a matéria sobre a exposição de fósseis no Grand Palais. Na verdade, não havia necessidade de aceitar aqueles trabalhos, dizia ela a si mesma. Seu nome vinha aparecendo nas revistas havia dois anos; mas ao telefone o tal editor gania, dizendo que precisava da tal ilustração. Com o aparelho preso entre o ombro e o queixo, Greta via Lili escapulir porta afora e pensava consigo mesma: Ora, por que não? Sim, ela faria a ilustração. Sim, podia entregá-la ao final da manhã. Mas realmente preciso pôr mãos à obra, dizia ela, recolocando o telefone no gancho e indo até a janela; na claridade, avistava Lili caminhando a passos lépidos para o Marché Buci, com seu agasalho primaveril cor-de-rosa contrastando fortemente com a rua opaca e encharcada de chuva.

O verdadeiro trabalho de Greta só começava quando Lili voltava. Então ela lhe fervia uma xícara de chá e dizia: Venha sentar-se aqui – colocando-a com a xícara e o pires nas mãos sobre uma banqueta ou ao lado de um vaso com uma palmeirinha. Fosse qual fosse o tempo, Lili sempre voltava para casa com frio e com as mãos tremendo. Greta preocupava-se com sua magreza, mas nunca conseguia fazê-la comer mais. O sangramento voltava de vez em quando, a cada poucos meses, anunciado pela lenta queda de uma gota de sangue deslizando sobre o seu lábio superior. Então ela passava alguns dias deitada, como se toda a sua energia estivesse guardada naquelas poucas gotas rubras. Greta levara Einar a um ou dois médicos franceses, mas assim que eles começavam a fazer perguntas ("Há mais alguma coisa que eu deva saber sobre seu marido?"), ela percebia que não teriam mais respostas do que o dr. Hexler. Enervava-se quando Lili prostrava-se na cama, dormindo o dia todo e manchando os lençóis, que mais tarde ela tinha de lançar num incinerador que havia nos fundos do prédio. Mas, após alguns dias ou uma semana, tão subitamente quanto começara, o sangramento desaparecia. "Como é entediante passar uma semana na cama", dizia Lili, jogando o travesseiro de apoio no chão.

Se fosse contar, Greta descobriria que já tinha mais de cem quadros de Lili àquela altura: Lili banhando-se na piscina; Lili como convidada de um casamento; Lili examinando cenouras no mercado. Mas a maioria era de Lili numa paisagem: uma charneca ou um bosque de oliveiras, com a linha azul do mar de Kattegat ao fundo. E sempre com aqueles olhos castanhos, enormes e velados; com a curva delicada daquelas sobrancelhas aparadas; e com aquele cabelo repartido na orelha para revelar um pingente de âmbar sobre o pescoço.

Einar já não pintava. "Estou tendo dificuldade para imaginar o pântano", exclamava ele do seu ateliê, onde mantinha as telas e tintas cuidadosamente arrumadas. Por puro hábito, continuava encomendando os frascos de tinta de Munique, embora as melhores tintas do mundo fossem vendidas logo ali na Sennelier, do outro lado do rio, onde o vendedor tinha uma gata permanentemente grávida. Greta odiava aquela gata, cuja barriga inchada arrastava-se pelo chão, mas gostava de visitar o vendedor, um homem chamado Du Brul, que frequentemente dizia, com seu cavanhaque de Van Dyke tremelicando loucamente, que ela era sua freguesa mais importante. "E tem gente que acredita que as mulheres não sabem pintar!", dizia ele quando ela saía da loja com uma caixa de frascos de tinta embrulhada em papel de jornal, enquanto a gata sibilava como se estivesse prestes a parir.

No apartamento na rua Vieille du Temple havia uma sala central grande o suficiente para uma mesa comprida e duas poltronas de leitura junto à lareira a gás. Também havia um otomã de veludo vermelho do tipo encontrado em sapatarias: grande e redondo, com uma coluna estofada no meio. E uma cadeira de balanço de carvalho com almofada de couro marrom, enviada lá de Pasadena. Greta começara a chamar o apartamento de casinha. O lugar não parecia uma casinha, com o teto de ripas e as *portes-fenêtres* com ferrolhos de cobre separando os aposentos. Mas por alguma razão aquele apartamento fazia-a pensar na casinha na borda do Arroyo Seco para a qual ela e Teddy Cross haviam se mudado ao saírem de Bakersfield. A luz do sol que jorrava do pátio de lajotas coberto de musgo levava Teddy a levantar-se todo dia com novas ideias para criar potes na sua roda, ou duas cores para combinar na vitrificação. Ele trabalhava sem parar, e com grande rapidez, quando eles moravam lá. No quintal havia um abacateiro que produzia verdadeiras granadas pesadas e verdes, em quantidade maior do que eles jamais poderiam comer ou dar de presente. "Quero ser como aquele abacateiro", dizia Teddy. "Produzindo constantemente." E, lá na casinha de Paris, Greta pensava em si mesma como aquele abacateiro. Do galho que era seu pincel de aveleira, os quadros de Lili brotavam sem parar.

Durante algum tempo, ela lamentara o abandono da carreira por parte de Einar. Muitas das paisagens dele estavam penduradas pelo apartamento, do teto ao rodapé. Era um lembrete constante e às vezes triste de suas vidas invertidas. Ao menos para Greta. Einar jamais admitia sentir falta de sua vida de artista. Mas ela às vezes sentia falta por ele, achando difícil compreender como alguém que passara a vida inteira criando podia simplesmente parar. Ela supunha que o velho impulso dele – a necessidade de voltar-se para uma tela em branco com o peito cheio de ideias e de medo – houvesse sido transferido para Lili.

Um ano após a chegada deles a Paris, Hans começara a vender os quadros de Lili. Com os telefonemas das revistas, o nome de Greta começara a circular pela cidade toda, nos cafés ao longo do bulevar St. Germain e nos salões onde artistas e escritores se reclinavam sobre peles de zebra, bebendo licores destilados feitos de ameixas-amarelas. Havia muitos americanos em Paris, todos falando uns dos outros e se vigiando daquele jeito americano. Greta tentava manter-se à parte daquele círculo que se reunia toda noite no número 27 da rua de Fleurus. Desconfiava deles, e sabia que eles também desconfiavam dela. Não estava interessada naquelas noitadas de fofocas ao pé da lareira sobre quem era ou não era moderno. E sabia que naquele meio de espirituosidade e aparências não havia lugar nem para Lili, nem para Einar.

Mas a procura pelos quadros de Lili continuava alta e, quando Greta começou a sentir que não conseguiria manter o ritmo de produção, teve uma ideia. Estava pintando Lili num campo de alfafa na Dinamarca rural. Para fazer isso, pusera-a posando em seu ateliê com os punhos nos quadris. Fez o retrato de Lili com bastante facilidade, embora tivesse de imaginar os raios planos do sol de verão dinamarquês sobre o rosto dela. Mas o fundo do campo, com a alfafa erguendo-se atrás de Lili, não lhe interessava muito. Para pintar a alfafa direito, com as lagoinhas distantes, ela levaria vários dias; primeiro o horizonte teria de secar, depois as lagoinhas, depois a primeira camada de alfafa, depois a segunda e depois a terceira.

"Quer terminar um quadro para mim?", perguntou ela a Einar certo dia. Era maio de 1929, e ele passara a tarde toda fora. Ao chegar em casa, disse que passara a tarde na praça des Vosges: "Vendo as crianças empinando pipa." Parecia extremamente magro naquele terno de *tweed,* com o paletó sobre o braço. "Está tudo bem?", perguntou ela, enquanto ele afrouxava a gravata e fazia uma xícara de chá. Então viu nos ombros dele uma tristeza e uma melancolia novas, mais negras do que qualquer coisa que já vira antes, pesando sobre ele como um fardo triste. A mão dele pareceu-lhe fria e sem vida. "Estou achando difícil manter esse ritmo. Por que você não começa a fazer o fundo de alguns quadros para mim? Conhece melhor do que eu o aspecto de um campo de alfafa."

Einar ficou pensando, com Edvard IV no colo. Sua camisa estava amarrotada, e a seu lado havia uma travessa de peras.

"Você acha que eu consigo?", disse.

Ela levou-o ao ateliê e mostrou-lhe o quadro semiacabado.

"Acho que devia haver uma lagoinha no horizonte", disse.

Einar ficou olhando para o quadro semiacabado. Fitava-o com olhar vago, como se não reconhecesse aquela moça. Então, lentamente, uma compreensão encheu-lhe os olhos, repuxando as pálpebras e desenrugando-lhe a testa.

"Estão faltando algumas coisas", disse. "Sim, devia haver uma lagoinha, e também um salgueiro isolado na margem de um riacho. E talvez a casa de uma fazenda. Longe demais no horizonte para ser claramente reconhecida, só uma espécie de borrão marrom-pálido. Mas devia haver a casa de uma fazenda."

Passou a maior parte da noite com o quadro, manchando a camisa e a calça. Greta ficou feliz ao vê-lo trabalhar novamente, e começou a pensar em outros quadros que poderia compartilhar com ele. Queria que ele tivesse o próprio trabalho, mesmo que isso significasse menos tardes com Lili. Ao se preparar para ir dormir, ouviu-o ainda no ateliê, em meio ao tilintar dos frascos de tinta. Ansiava por ligar para Hans na manhã seguinte, a fim de contar-lhe que Einar voltara a pintar. E que ela descobrira um meio de produzir ainda mais quadros de Lili. "Você não vai acreditar, se eu disser quem está me ajudando", diria ela. Então viu-se tomada de novo pela lembrança de Hans na Gare du Nord três anos antes. Ela e Einar chegavam a Paris pela primeira vez, com apenas um punhado de endereços nas agendas. Hans fora esperá-los na estação ferroviária, com o casaco de pelo de camelo formando uma coluna bege imóvel em meio à multidão de lã negra. "Vocês vão ficar bem", dissera ele a Greta em tom tranquilizador, beijando-a no rosto. Pusera ambas as mãos em torno da nuca de Einar e beijara-lhe a testa. Depois levara-os de carro até um hotel na Rive Gauche, a poucas quadras da École des Beaux-Arts, e dera-lhes um beijo de despedida. Greta lembrava-se da decepção que sentira por Hans recebê-los de braços abertos e depois desaparecer com tanta rapidez. Vira a sua cabeçorra passar pela porta do saguão. Einar provavelmente sentira a mesma decepção, ou coisa pior.

"Você acha que Hans não queria que nós viéssemos?", dissera ele. Greta também estava em dúvida, mas lembrara a Einar que Hans andava muito ocupado. Na verdade, percebera uma grave relutância nele, naquela postura reta e inflexível que parecia a das colunas que sustentavam o telhado da estação.

Einar dissera: "Você acha que nós somos dinamarqueses demais para o gosto dele? Provincianos demais?" Greta olhara para o marido, vira os olhos castanho-lamacentos, os dedos trêmulos e os braços que seguravam Edvard IV e retrucara: "É ele, e não nós."

No hotel haviam se hospedado em dois quartos adornados de vermelho; um deles tinha uma alcova com cortinas. A factótum do hotel declarara orgulhosamente que Oscar Wilde passara suas últimas semanas ali. "Ele faleceu na alcova", relatara a proprietária, baixando o queixo.

Greta não dera importância a esse fato histórico. Parecera-lhe algo deprimente demais para ser relatado a Einar. Eles haviam passado vários meses naqueles aposentos enquanto procuravam um apartamento. Poucos dias após, o hotel já se tornara horroroso, com aquele papel de parede descascado e as manchas de ferrugem ensanguentando a pia. Mas Einar fazia questão de pagar pelas acomodações deles, o que tornava proibitivos os apartamentos mais agradáveis disponíveis no Hôtel du Rhin ou no Edouard VII.

"Não há necessidade de sofrermos", dissera Greta, propondo aposentos mais luxuosos, talvez com uma vista e um café decente servido à noite.

"Você está realmente sofrendo?", retrucara Einar, fazendo com que ela mudasse de assunto, pois percebia o nervosismo que se instalava entre eles sempre que viajavam.

No canto havia um pequeno fogão no qual ela fervia a água para o café. Haviam passado a dormir na alcova, numa cama cujo centro afundava e que ficava tão perto da parede que eles ouviam os menores ruídos no quarto ao lado. Einar instalara seu cavalete no quarto da alcova; Greta ficara com o segundo quarto, sentindo certo alívio quando trancava a porta e ficava sozinha. O problema era que ela não conseguia pintar sozinha. Precisava de Lili.

Apenas um mês após chegarem a Paris, Greta dissera: "Quero comemorar com Lili a nossa chegada." Vira o terror instalar-se nos olhos do marido, pelo jeito com que as pupilas haviam se expandido e depois encolhido. Lili ainda não aparecera em Paris. Esse fora um dos motivos pelos quais haviam partido de Copenhague. Após a tal visita ao dr. Hexler, haviam recebido uma carta dele. Greta a abrira e lera a ameaça, por parte de Hexler, de denunciar Einar e Lili às autoridades sanitárias. "Ele pode se tornar um perigo para a sociedade." Ela visualizara o dr. Hexler ditando a carta à enfermeira ruiva através da mangueira com o funil na ponta. O choque daquela carta, da tentativa por parte de outra pessoa de controlar o futuro de Lili, perturbara-a profundamente, e ela não estava raciocinando direito quando Einar chegara em casa após uma visita a Anna. Sem pensar, jogara a carta rapidamente dentro do fogão de ferro. "Hans nos escreveu", dissera. "Ele acha que devemos nos mudar para Paris. Vamos nos mudar imediatamente."

Lili chegara a Paris batendo na porta do quarto de hotel de Greta. Seu cabelo crescera e escurecera, assumindo o tom castanhobrilhante de móveis de qualidade; ela prendera-o para trás com pentes guarnecidos com pérolas minúsculas. Estava usando um vestido que Greta jamais vira. Era de seda roxa, com uma gola cavada que descia até revelar o sulco entre os seios. "Comprou um vestido novo?", perguntara Greta. Por alguma razão isso fizera Lili corar; uma nuvem vermelha surgira-lhe na garganta e no peito. Greta ficara curiosa com o sulco espremido que Einar conseguira criar no decote. Será que o peito dele estava amolecido a ponto de entrar no corpete de uma adolescente e ser oferecido como um par de seios?

Haviam ido ao Palais ouvir *Faust*. Greta percebera imediatamente os olhares que os homens lançavam a Lili, enquanto ela subia flutuando as escadas de corrimões dourados.

"Aquele sujeito de cabelo preto está olhando para você. Se a gente não tomar cuidado, ele pode vir até aqui."

Seus assentos ficavam ao lado de um casal que acabara de voltar da Califórnia.

"Doze meses em Los Angeles", dissera o homem. "Minha mulher teve de me arrancar de lá." Mencionou ter visitado Pasadena no Dia de Ano-Novo para ver o Torneio das Rosas.

"Até as crinas dos cavalos estavam trançadas com flores", relatara a esposa. Depois a ópera começara e Greta se recostara na cadeira. Achara difícil se concentrar no doutor Fausto, que se lamentava naquele laboratório sombrio, enquanto ela à direita tinha Lili, e à esquerda um sujeito que recentemente passara pela casa de sua família na avenida Orange Grove. Sua perna tremia sem parar; e distraidamente, ela estalava os ossos do pulso. Sabia que algo começara a se pôr em movimento naquela noite. O que Carlisle costumava dizer acerca dela? Que não havia como deter a velha Greta quando ela se punha a caminho. Que absolutamente ninguém conseguia detê-la.

No intervalo, tanto Lili quanto a esposa do homem haviam pedido licença e saído. O sujeito, que era de meia-idade e usava barba, inclinara-se para Greta e perguntara: "De que forma posso falar com sua prima mais tarde?" Mas Greta negara Lili ao sujeito da ópera. Tal como mais tarde negaria seus próprios anseios; negaria porque mal os reconhecia. Quando ainda estavam hospedados no hotel de Oscar Wilde, às vezes Hans apanhava Greta no saguão escuro e caminhava com ela até seu escritório na rua Rivoli. Concordara em conversar sobre a carreira dela. Mas enquanto cruzavam a Pont Neuf, ele punha a mão no centro das costas dela e dizia: "Creio que não preciso dizer como você é bonita."

Na primeira vez que isso ocorrera, ela afastara a mão dele, acreditando que caíra ali por acidente. Então acontecera de novo, uma semana depois. E de novo. Na quarta vez, Greta dissera a si mesma que não podia permitir que ele a tocasse daquela forma. Como poderia voltar a encarar Einar?, pensara ela enquanto cruzavam o rio e a mão dele acariciava-lhe a espinha. Continuara a caminhar sem nada sentir, nem por dentro nem por fora; sentia apenas aquela mão nas suas costas. Ocorrera-lhe, então, que seu marido não a tocava havia muito tempo.

Haviam continuado até o escritório de Hans, passando ao gabinete sem janelas que ficava nos fundos; era ali que ele guardava os arquivos onde procurava os nomes que ela deveria contatar. Hans abrira uma pasta, correra o dedo por uma lista de clientes e dissera:

– Você deve procurar esse... e esse... mas evite de todas as maneiras *esse*. – Parada ali ao lado dele, Greta achara que sentira um dedo sobre seu braço, mas isso era impossível porque a pasta estava aberta sobre as duas mãos dele. Aí achara que sentira o toque dele novamente no centro de suas costas; mas não, ele não largara a pasta.

– Você acha que vamos ser felizes aqui? – dissera ela.

Um sorriso entreabrira os lábios de Hans.

– Do que você está falando?

– Einar e eu? Em Paris? Você acha que vamos ser felizes aqui?

O sorriso dele desaparecera.

– Sim, é claro. Vocês têm um ao outro. Mas não se esqueça de mim. – Seu rosto inclinara-se quase imperceptivelmente para ela. Havia algo entre eles; não era a pasta, mas outra coisa. Nenhum dos dois dissera nada.

Mas Hans não pode ser para mim, pensara Greta. Se alguém pudesse ter Hans, deveria ser Lili. Embora estivesse fresco ali dentro, ela sentira uma quentura súbita e pegajosa, como se estivesse coberta por uma pátina úmida de sujeira. Fizera algo irreversivelmente errado?

– Quero que você seja meu agente – dissera ela. – Quero que negocie os meus quadros.

– Mas eu só trabalho com os mestres antigos e com quadros do século XIX.

– Talvez já esteja na hora de pegar uma pintora moderna.

– Mas isso não teria lógica alguma. Escute, Greta, há algo que quero dizer a você. – Aproximara-se dela, com a pasta ainda na mão. A iluminação do aposento tinha um tom acinzentado, e Hans parecia um adolescente desajeitado com o tamanho de seu novo corpo.

– Não diga mais nada antes de concordar em me aceitar. – A contragosto, ela afastara-se para o outro lado da escrivaninha. Entre os dois passara a haver uma mesa coberta de papéis. Ela queria ao mesmo tempo deixar-se abraçar por ele e correr de volta pela Pont Neuf até o quarto do hotel, onde provavelmente Einar estaria esperando, tremendo junto ao fogão. – Vou colocar a coisa da seguinte forma – dissera ela. – Estou lhe dando a chance de me aceitar agora. Se você resolver me rejeitar, tenho certeza de que se arrependerá um dia. – Aí coçara a marca rasa na bochecha.

– Vou me arrepender como?

– Vai se arrepender porque um dia dirá para si mesmo, eu podia ter ficado com ela. Greta Wegener podia ter sido minha.

– Mas eu não estou rejeitando você. Não percebe isso?

Mas Greta percebia. Ou pelo menos percebia as intenções de Hans. O que não conseguia entender era por que seu coração batia feito um colibri dentro do peito. Por que ela não ridicularizava as inconveniências de Hans? Por que não lembrava a ele o quanto aquilo magoaria Einar? Por que não conseguia ter forças nem para dizer o nome dele?

– Negócio fechado? – dissera ela.

– O quê?

– Você vai me representar? Ou terei de ir embora agora?

– Greta, seja razoável.

– Acho que estou sendo razoável. Essa é a reação mais razoável que consigo imaginar.

Os dois haviam ficado ali parados, cada um numa ponta da escrivaninha. Pesos de bronze com o formato de rãs seguravam as pilhas de documentos no lugar. Greta lia o nome dele escrito nos papéis por toda a parte: Hans Axgil. Hans Axgil. Hans Axgil. Lembrou-se de quando era pequena e ficava treinando sua caligrafia: Greta Greta Greta.

– Eu aceito – dissera ele.

– O quê?

– Vou representar você.

Ela ficara sem saber o que dizer. Agradecera e pegara suas coisas. Aí estendera-lhe a mão.

– Suponho que seja necessário um aperto de mão – dissera. Ele tomara-lhe a mão, e ali ficara ela, com a mão perdida na manopla dele; mas então ele a soltara.

– Me traga uns quadros na semana que vem – dissera ele.

– Semana que vem – dissera Greta ao passar para a parte da frente do escritório, onde a luz do sol e os barulhos da cidade jorravam pelas janelas, e a máquina de escrever de uma secretária ressoava sem parar.

Capítulo quinze

Einar despertou com o cheiro de sangue. Saiu da cama com cuidado para não perturbar Greta, que parecia nervosa, com o rosto preso num pesadelo. O sangue escorria-lhe pela parte interna da coxa numa linha quente e vagarosa. Uma bolha de sangue estava presa em sua narina. Ele acordara como Lili.

No outro quarto, a aurora caía sobre o armário de freixo. Greta dera a seção superior para Lili. As gavetas de baixo ainda eram suas, e viviam trancadas à chave. Lili viu no espelho o nariz ensanguentado e uma grande gota de sangue na camisola. Ela era diferente de Greta. O sangue nunca a preocupava; ia e vinha, e ela ficava acamada como se aquilo fosse um resfriado. Para ela, aquilo fazia parte do jogo, refletiu enquanto se vestia, puxando a saia sobre os quadris e escovando o cabelo para livrar-se da estática. Era junho, e um mês se passara desde que Einar decidira, no banco da praça, que a sua vida e a vida de Lili teriam de ser separadas. Lili sentia a ameaça daquilo, como se o tempo já não fosse sem fim.

No Marché Buci, o orvalho matinal estava secando. Havia fileiras e mais fileiras de vendedores, todos com bancas protegidas por tetos de zinco. Os vendedores arrumavam as peças de porcelana rachadas, as cômodas sem puxadores e os cabides de roupas. Uma das mulheres só vendia dados de marfim. Um sujeito oferecia uma coleção de sapatilhas de balé, algo difícil de vender. Havia uma mulher que vendia saias e blusas de boa qualidade. Tinha quarenta e poucos anos, cabelo grisalho curto e dentes dianteiros rachados. Seu nome era Madame Le Bon, e ela nascera na Argélia. Já sabia qual era o gosto de Lili, e percorria as liquidações de estoque em Passy à caça das saias de feltro e blusas brancas com apliques nas golas que a atraíam. Conhecia o tamanho do pé dela, e sabia que ela não usaria pares que lhe expusessem o tal dedo sem unha. Comprava para Lili batas com busto pequeno, e antiquados corpetes de osso de baleia que também ajudavam a resolver o problema dela. Sabia que Lili gostava de pingentes de cristal e, no inverno, de um regalo de pele de coelho.

Lili estava passando a mão pelo cabideiro de Madame Le Bon quando notou um rapaz de testa alta examinando livros ilustrados na banca vizinha. Ele tinha o sobretudo sobre o braço e uma mala de lona aos pés. Estava parado num ângulo estranho, como se apoiasse todo o peso num pé só. Não parecia muito interessado nos livros ilustrados, pois virava rapidamente as páginas e erguia o olhar para Lili. Por duas vezes seus olhares se cruzaram, e da segunda vez ele sorriu.

Lili virou-se de costas e ergueu uma saia xadrezada até a cintura.

– Saia bonita – disse Madame Le Bon na cadeira. Improvisara um pequeno provador com lençóis pendurados num varal. – Experimente – disse, afastando o lençol.

Lá dentro, o sol brilhava através dos lençóis. A saia serviu em Lili, e ela ouviu lá fora o rapaz perguntar com sotaque estrangeiro se Madame Le Bon tinha roupas para homens.

– Não tenho nada para você, infelizmente – disse ela. – Só para sua esposa.

O rapaz estrangeiro riu. Então Lili ouviu o som de uns cabides sendo empurrados ao longo da vara do cabideiro.

Quando saiu da cabine, o rapaz estava dobrando e desdobrando cardigãs sobre uma mesa. Apalpava os botões perolados e verificava se os punhos não estavam puídos.

– A senhora tem coisas boas aqui – disse ele, sorrindo primeiro para Madame Le Bon e depois para Lili. Seus olhos azuis eram grandes para o rosto; na cova de cada bochecha viam-se uma ou duas marcas. Ele era alto, e a brisa espalhava o cheiro de sua loção de barba; fechando os olhos, Lili podia até imaginá-lo despejando o tônico amarelo nas mãos e batendo-as na garganta. Era como se ela já o conhecesse.

Madame Le Bon anotou a saia xadrezada em seu cadastro. O rapaz largou o cardigã e aproximou-se de Lili, mancando levemente.

– Com licença – disse hesitantemente em francês. – Mademoiselle. – Aproximou-se um pouco mais. – Acabei de notar...

Mas Lili não quis conversar com ele naquele momento. Pegou o saco com a saia, agradeceu rapidamente a Madame Le Bon, passou por trás do provador e foi para a banca vizinha, onde um careca vendia bonecas de porcelana quebradas.

Quando chegou em casa, Greta já se levantara e estava andando pelo apartamento com um pano úmido. Carlisle chegaria naquela manhã para passar parte do verão. O apartamento precisava de uma faxina, pois leves tufos de poeira acumulavam-se pelos cantos. Greta recusava-se a contratar uma empregada.

– Não preciso de empregada – dizia, limpando o pó com as luvas. – Não sou o tipo de mulher que tem empregada. – Mas, para dizer a verdade, era.

– Ele vai chegar daqui a uma hora – disse ela. Usava um vestido de lã marrom, que a envolvia de maneira atraente. – Você vai ficar vestida de Lili?

– Achei que poderia.

– Mas eu não acho que ele deva conhecer Lili logo. Não em primeiro lugar. Não antes de Einar.

Greta tinha razão, mas por um lado Einar queria que Carlisle conhecesse Lili primeiro, como se ela fosse a sua metade melhor. Pendurou a saia xadrezada no armário e despiu-se até ficar só com a calçola e a combinação de seda. A seda era cinza-ostra. Era macia; farfalhava quase inaudivelmente quando ele caminhava. Ele não queria substituí-las pela cueca e camiseta de lã que pinicavam, que acumulavam calor e o deixavam em brasa nos dias quentes. Não queria que Lili fosse completamente dobrada e guardada no armário. Detestava enfiá-la ali. Quando fechava os olhos, Einar só via Lili; não conseguia formar uma imagem de si mesmo.

Vestiu as calças. Depois saiu porta afora.

– Aonde você vai? – perguntou Greta. – Ele vai chegar a qualquer minuto.

O céu estava sem nuvens. Os prédios lançavam sombras longas e refrescantes na rua. A sarjeta estava cheia de lixo molhado. Einar sentia-se solitário, e ficou imaginando se alguém no mundo chegaria a conhecê-lo de verdade um dia. Uma rajada de vento soprou pela rua, e ele teve a impressão de que suas costelas estavam sendo atravessadas.

Foi andando até a tal ruazinha ao norte de Les Halles. Não havia muita gente por lá: apenas o dono da tabacaria encostado no umbral, uma gorda, que esperava um ônibus, e um sujeito caminhando rapidamente, com um terno apertado demais e o chapéu-coco enterrado na cabeça.

No corredor do número 22, havia um lenço manchado de vinho nas escadas que levavam à porta de Madame Jasmin-Carton.

– Chegou cedo hoje – disse ela, acariciando a gata. Entregou a Einar a chave da *Salle* número 3, que já se tornara a sala costumeira dele. A poltrona forrada de lã verde. O cesto de papéis de arame sempre vazio, numa tentativa frustrada de indicar que ninguém mais usava aquela sala. E as duas janelas em pontas opostas da sala, com as persianas negras fechadas. Einar sempre levantava a persiana da janela à direita. Puxava a corda, soltava-a e deixava que a persiana se enrolasse para cima bruscamente. Já perdera a conta das vezes em que se sentara naquela poltrona verde e enevoara a janela com seu bafo, enquanto do outro lado uma moça dançava com a genitália exposta. Aquilo se tornara um hábito quase diário, como nadar nos *bains* ou caminhar até o Hôtel des Postes na esquina da rua Etienne-Marcel para buscar a correspondência, que em sua maior parte era para Greta. E Madame Jasmin-Carton nunca lhe cobrava menos do que cinco francos, nunca oferecia um desconto, embora ele talvez nem quisesse. No entanto, ela deixava que ele ficasse na *Salle* número 3 o tempo que quisesse; às vezes ele passava metade do dia sentado na poltrona de lã verde. Já até adormecera ali. Uma vez trouxera uma baguete, uma maçã e um pouco de queijo gruyère; almoçara ali, enquanto uma mulher com uma barriga que mais parecia um saco de areia dançava em torno de um cavalinho de balanço.

Mas ele nunca tocava na persiana da outra janela. Isso era porque sabia o que havia ali. De alguma forma, ele sabia que se puxasse aquela persiana jamais voltaria à janela da direita.

No entanto, naquele dia parecia que só havia uma janela na *Salle* número 3, a pequena janela da esquerda. De modo que ele puxou a corda da janela da esquerda. A persiana ergueu-se bruscamente, e Einar espiou através do vidro.

Do outro lado, havia um aposento pintado de preto, com um assoalho de tábuas desconjuntadas. Havia uma caixinha, também pintada de preto, sobre a qual um rapaz plantara um dos pés. Suas pernas eram peludas, fazendo Einar pensar nos braços de Madame Jasmin-Carton. Era um rapaz de estatura mediana, barriga um tanto mole e peito liso. A língua pendia-lhe da boca, e ele tinha as mãos sobre os quadris. Rebolava, o que fazia com que seu pênis semiendurecido batesse de um lado para o outro como o peso de um salmão no cais. Pelo sorriso do rapaz, Einar percebeu que ele era apaixonado por si mesmo.

Perdeu a noção de quanto tempo ficou ali, vendo o rapaz elevar-se sobre a planta dos pés enquanto seu pênis crescia e encolhia como uma alavanca subindo e descendo. Não se lembrava de ter se ajoelhado e encostado o nariz no vidro, mas foi assim que se viu quando deu por si. Não se recordava de ter desafivelado a calça, mas lá estava ela, amarrotada em torno dos tornozelos. Não sabia quando tirara o paletó, a gravata e a camisa, mas estava tudo empilhado na poltrona verde.

Outras janelas davam para o aposento do rapaz. E numa delas, bem à frente de Einar, havia um sujeito com um sorrisinho no rosto. Ele não conseguia distinguir muito mais do que o sorriso, que parecia iluminado por uma luz própria. Pelo jeito com que sorria abertamente, o sujeito parecia estar gostando do rapaz tanto quanto ele. Mas, após alguns instantes olhando para o rosto do sujeito lá do outro lado, Einar começou a enxergar-lhe os olhos. Eram azuis, pensou ele, e pareciam focalizados não no rapaz – que agora segurava o pênis com uma das mãos e com a outra alisava um mamilo do tamanho de uma moedinha – mas nele, Einar. O sujeito entreabriu os lábios mais um pouco, e o sorriso pareceu alargar-se mais ainda.

Einar tirou a calça e largou-a sobre a poltrona verde. Em parte ele era Einar, e em parte Lili. Era um homem vestido com a calçola cinza-ostra de Lili, harmonizando com a combinação, que lhe pendia delicadamente dos ombros. Podia ver sua imagem fracamente refletida no vidro da janela. Por alguma razão, não se sentia vulgar. Sentia-se – era a primeira vez que usava essa palavra para descrever Lili – bonita. Lili sentia-se relaxada, com os alvos ombros desnudos refletidos no vidro e aquela bela covinha na base do pescoço. Era como se fosse a coisa mais natural do mundo um sujeito estar vendo-a em trajes íntimos, com as alças da combinação por cima dos ombros. Era como se algo dentro de Einar se houvesse aberto bruscamente, como a persiana de lona da janela, e lhe mostrado, mais claramente do que jamais antes, o que ele realmente era: um mero disfarce. Se tirasse a calça e a gravata listada, que Greta lhe dera de aniversário no ano anterior, só restaria Lili. Ele percebeu isso; já sabia disso. Tinha onze meses. Seu ano estava se escoando. Estava quente naquela saleta, e no reflexo do vidro ele viu a testa de Lili úmida de suor, brilhando como uma meia-lua.

O rapaz continuava dançando, parecendo ignorar a presença de Einar e do outro homem. Tinha os olhos fechados, requebrando e mostrando tufos de pelos pretos sob as axilas. O sujeito do outro lado do aposento continuava olhando, abrindo um sorriso cada vez mais largo. A luz mudou por algum motivo, e Einar viu os olhos dele ficarem quase dourados.

Começou a acariciar os seios por cima da combinação, bem junto à janela. Seus mamilos doíam de tão endurecidos. Ao esfregá-los, ele sentiu-se derreter. Seus joelhos estavam fraquejando, com a parte de trás úmida. Ele recuou da janela para dar ao sujeito uma visão geral, para deixá-lo ver seus quadris envoltos em seda, deixá-lo ver suas pernas, que eram tão lisas quanto as do rapaz eram peludas. Queria que o sujeito visse o corpo de Lili. Recuou o suficiente para que ele pudesse vê-lo por inteiro, mas daquela posição na *Salle* número 3 ele próprio não conseguia ver o sujeito. Não que isso tivesse importância. E, assim, passou vários minutos esfregando-se à janela, imitando os gestos que ao longo daqueles meses vira as moças fazerem na janela à direita.

Quando se aproximou da janela e espiou para dentro do aposento, tanto o rapaz quanto o sujeito haviam desaparecido. Ele sentiu-se subitamente constrangido. Como pudera chegar ao ponto de exibir a dois estranhos aquele corpo de formato esquisito, mostrando o peito macio envolto pela combinação e a parte interna das coxas pálida e macia, prateada sob a luz? Sentou-se na poltrona em cima da pilha de roupas e puxou os joelhos até o peito.

Ouviu alguém bater de leve na porta duas vezes. E depois outra.

– Sim? – disse Einar.

– Sou eu. – Era a voz de um homem.

Einar não disse nada e ficou imóvel na poltrona. Aquilo era o que ele mais queria no mundo, mas não tinha forças para dizê-lo.

Em seguida, ouviram-se mais duas batidas na porta. Einar tinha a boca seca, e o coração subia-lhe pela garganta. Desejava que o sujeito soubesse que era bem-vindo. Ficou em silêncio ali na cadeira, desejando que o sujeito soubesse que estava tudo bem.

Mas nada aconteceu, e ele pensou que a chance de... de algo acontecer desaparecera.

Então o sujeito entrou rapidamente. Ficou parado encostado na porta, enchendo o peito cada vez que respirava. Tinha mais ou menos a mesma idade de Einar, mas o cabelo de suas têmporas era branco e ralo. Tinha pele morena e nariz grande. Usava um sobretudo preto abotoado até o pescoço. Exalava um leve aroma de sal. Einar permaneceu sentado, com o homem a cerca de meio metro de distância. Fez um meneio de cabeça, e depois levou a mão à testa.

O sujeito sorriu. Seus dentes pareciam afiados e angulados. Ele parecia ter mais dentes do que a maioria dos homens. A metade inferior de seu rosto parecia ser uma dentadura só.

– Você é muito bonito – disse ele.

Einar afundou-se na poltrona. O sujeito parecia estar gostando do que via. Desabotoou o sobretudo e abriu-o na frente. Embaixo ele usava um terno de empresário de lã com listas largas. O nó da gravata em formato de losango dava-lhe um aspecto bem-arrumado, exceto por uma coisa: sua braguilha estava aberta, e através dela projetava-se o olho de seu pênis.

Ele deu um passo na direção de Einar. Depois deu outro. A cabeça de seu pênis projetava-se da pele da glande. Tinha um cheiro salgado, e Einar começou a pensar nas praias de Jutland, de Skagen, onde sua mãe fora lançada ao mar naquela rede, após removerem as guelras; então o pênis do sujeito chegou a centímetros de sua boca, e ele fechou os olhos. Imagens borradas corriam-lhe pela cabeça: o alpendre de telhado de sargaços, os tijolos de turfa empilhados nos campos, o rochedo branco salpicado de mica, Hans erguendo sua cabeleira imaginária para amarrar-lhe o avental.

Einar abriu a boca. Teve a impressão de sentir um gosto amargo e quente, e no instante em que pôs a língua para fora da boca e o sujeito deu o passo final à frente, no instante em que teve certeza de que Lili chegara para ficar e que em breve Einar teria de desaparecer, nesse instante ouviu-se uma batida pesada à porta; depois se ouviu outra e Madame Jasmin-Carton entrou gritando, mandando-os sair dali e berrando raivosamente de nojo, enquanto a gata sem rabo miava com tanta violência quanto a dona, como se alguém houvesse acabado de pisar na sua cauda havia muito perdida.

Era o começo da tarde quando Einar saiu da casa de Madame Jasmin-Carton. Ela lhe dera menos de um minuto para vestir-se e deixar o estabelecimento para sempre. Ele se viu naquela rua negra com as roupas tortas e amarrotadas, segurando a gravata. O dono da tabacaria estava parado na soleira, cofiando o bigode e olhando para ele. Não havia mais ninguém na rua. Ele queria que o tal sujeito estivesse esperando à porta de Madame Jasmin-Carton; então eles poderiam ir para um café ali na esquina, e talvez tomar uma garrafa de vinho tinto. Mas o sujeito não estava ali, apenas o dono da tabacaria e um cachorrinho marrom.

Entrou no mictório público. As paredes metálicas tinham um cheiro úmido. Ao lado da bacia, ele endireitou as roupas e pôs a gravata. O cachorrinho entrou atrás com olhar pedinte.

Vinha pensando em visitar a Bibliothèque Nationale havia meses, e por fim partiu para lá. A biblioteca ocupava um quarteirão inteiro de prédios, demarcado pela rua Vivienne, a rua Colbert, a rua de Richelieu e a rua de Petits-Champs. Hans arranjara-lhe um passe de entrada, escrevendo à administração da biblioteca em seu nome. No centro da Salle de Travail des Imprimés, com suas centenas de assentos, havia um balcão onde ele teve de preencher uma ficha pessoal, registrando o objetivo de sua visita: *pesquisar sobre uma moça perdida.* Também escreveu ali, em pedaços de papel, os títulos dos livros que queria. A bibliotecária atrás do balcão tinha aspecto juvenil, com bochechas macias e um prendedor cor-de-rosa, feito de conchas, segurando-lhe a franja. Seu nome era Anne-Marie, e falava com tanta suavidade que ele precisou inclinar-se em direção ao rosto dela, sentindo o bafo de amendoim. Enrubesceu quando ele lhe entregou os pedaços de papel com os títulos de meia dúzia de livros científicos sobre problemas sexuais, mas foi fazer o serviço.

Ele sentou-se a uma das compridas mesas de leitura. A poucos assentos dali, um estudante ergueu o olhar do caderno mas logo voltou ao trabalho. Fazia frio na sala, e viam-se pontos de poeira na luz dos abajures. A mesa comprida estava toda arranhada. O som de uma página sendo virada encheu a sala. Einar ficou com medo de parecer suspeito, entrando ali com aquela idade, as calças amarrotadas e um leve cheiro de suor grudado à pele. Não seria melhor procurar o banheiro e dar uma olhada no espelho?

Anne-Marie trouxe os livros até a mesa dele. Disse apenas:

– Hoje fechamos às quatro.

Einar passou a mão pelos livros; três eram em alemão, dois em francês e o último era americano. Ele abriu o mais recente, chamado *Fluidez sexual,* publicado em Viena e escrito pelo professor Johann Hoffmann. O prof. Hoffmann realizara experiências com ratos e porquinhos-da-guiné. Numa delas, fizera crescer num rato até então macho glândulas mamárias ricas o suficiente para alimentar a ninhada de outro rato. "A gravidez, no entanto", escrevera o professor Hoffmann, "permanece inatingível."

Einar ergueu o olhar do livro. O estudante adormecera sobre o caderno. Anne-Marie estava ocupada carregando um carrinho. Ele pensou em si mesmo como o rato até então macho. Na sua cabeça havia um rato correndo na roda. Agora o rato não conseguia mais parar. Era tarde demais. A experiência continuava. O que era mesmo que Greta sempre dizia? A pior coisa do mundo é desistir!

Agitando as mãos no ar e chacoalhando as pulseiras de prata. Ela sempre dizia isso, além de: Vamos, Einar. Quando você vai aprender?

Ele pensou na promessa que fizera a si mesmo na praça no mês anterior: algo teria de mudar. Maio se transformara em junho, tal como os meses haviam se transformado em anos. Quatro anos antes, Lili nascera sobre aquele baú laqueado.

Às quatro horas Anne-Marie tocou uma sineta de bronze.

– Por favor, deixem o material na mesa – anunciou.

Precisou sacudir o ombro do estudante para acordá-lo. Diante de Einar, comprimiu os lábios até ficarem brancos e meneou a cabeça em despedida.

– Obrigado – disse ele. – Você não pode imaginar como isto foi útil.

Ela enrubesceu novamente, e depois disse com um sorrisinho:

– Quer que eu reserve esses livros? Vai precisar deles amanhã? – Sua mão, que era pálida e pouco maior do que um filhote de estrela-do-mar, pousou suavemente no braço de Einar. – Acho que conheço alguns outros. Posso deixar separados de manhã. Talvez sejam o que o senhor anda procurando. – Fez uma pausa. – Quer dizer, se o senhor quiser.

Capítulo dezesseis

Para grande preocupação de Greta, Carlisle vivia arrastando os pés pelo cascalho das Tulherias. Todas as noites ele tinha de enfiar a perna até o joelho numa tina com sal Epsom e vinho branco; quem criara esse bálsamo fora um colega de quarto dele em Stanford, futuro cirurgião em La Jolla. Carlisle se tornara arquiteto; construía bangalôs nos laranjais de Pasadena que estavam sendo pavimentados e transformados em bairros. Eram casinholas construídas para os professores da Politécnica de Pasadena e da Escola de Moças de Westridge, para policiais e para os migrantes vindos de Indiana e Illinois que possuíam as padarias e gráficas ao longo da rua Colorado. Carlisle enviava retratos para Greta, e às vezes ela apoiava o queixo na mão e ficava sonhando com um daqueles bangalôs, vendo o alpendre de sesta fechado por tela e as janelas sombreadas por cameleiras-sangues-da-china: não que ela realmente se visse mudando para uma daquelas casinholas, mas às vezes gostava de ficar imaginando.

O rosto de Carlisle era bonito e comprido, e seu cabelo era menos amarelo-branco e mais crespo do que o de Greta. Ele jamais se casara; passava as noites desenhando na prancheta ou lendo na cadeira de balanço de carvalho, ao lado de um abajur de vidro verde. Havia moças, relatava ele em suas cartas a Greta, moças que se sentavam à mesa dele no clube Valley Hunt ou que trabalhavam como assistentes nos projetos que ele executava, mas ninguém realmente importante. "Eu posso esperar", escrevia ele; e Greta pensava, segurando a carta na claridade da janela: Eu também posso.

O quarto de hóspedes da casinha tinha uma cama de ferro e um papel de parede que parecia brocado. Greta temia que o abajur de cúpula franjada não fornecesse luz suficiente. O açougue da esquina lhe emprestara uma tina de zinco para o bálsamo de sal Epsom e vinho branco; coerentemente, a tina ostentava gansos mortos com os pescoços enroscados sobre a borda.

Pela manhã Carlisle tomava café com croissant na mesa comprida da sala da casinha; sua perna ruim parecia um poste fino dentro do pijama. No início, Einar saía de casa silenciosamente assim que a maçaneta da porta do cunhado girava. Greta percebia a timidez dele perto de Carlisle. Einar até pisava devagar quando passava pela porta do cunhado, como que para evitar um encontro casual sob o lustre de cristal do corredor. Passava todo o jantar com os ombros encolhidos, como que sofrendo por não ter o que dizer. Greta ficou imaginando se algo teria acontecido entre os dois, uma palavra áspera ou talvez um insulto. Algo invisível parecia pender entre eles, uma ligação qualquer que ela não conseguia, ou pelo menos ainda não conseguira, entender.

Certo dia, Carlisle convidara Einar a ir a um banho a vapor na rua Mathurins. Não era como os Bains du Pont-Solférino à margem do Sena, ao ar livre. Era uma piscina para homens numa academia cheia de vapor, com lajotas de mármore amarelo e palmeiras caídas em vasos chineses. Ao voltarem do banho, Einar trancara-se imediatamente no quarto.

– O que aconteceu? – perguntara Greta ao irmão. Com os olhos avermelhados pela água, Carlisle dissera:

– Nada. Ele só disse que não queria nadar. Disse que não sabia que era para nadar nu. Quase desmaiou quando viu aquilo. Ele nunca foi a um banho turco?

– É o lado dinamarquês dele – dissera Greta, sabendo que isso não era verdade. Ora essa, pensara, os dinamarqueses aproveitavam qualquer desculpa para tirar a roupa e sair dançando.

Pouco depois da chegada de Carlisle, Hans fora visitá-los para examinar os mais recentes quadros de Greta. Havia dois para mostrar a ele: o primeiro exibia Lili, em grandes linhas planas, na praia de Bornholm; o segundo trazia-a parada ao lado de uma cameleira-sangue-da-china. Fora Einar quem pintara o mar ao fundo do primeiro quadro, trabalhando diligentemente no tom azul-pálido da maré de verão. A cameleira, porém, ele não conseguira fazer direito, pois não tinha familiaridade com as enrugadas flores vermelhas e os brotos brilhantes e duros como pinhas. Greta aceitara uma encomenda da *Vogue* para ilustrar os casacos forrados com pele de raposa do inverno seguinte, de modo que só pudera dispor das madrugadas para terminar o retrato das camélias. Passara três noites acordada, pintando delicadamente as pétalas de cada flor, com um toque de amarelo no centro, enquanto Einar e Carlisle dormiam e apenas os suspiros ocasionais de Edvard IV quebravam o silêncio que reinava no ateliê.

Terminara o retrato apenas três horas antes da chegada de Hans.

– Ainda está úmido – dissera ela, servindo uma xícara de café para ele, outra para Carlisle e outra para Einar, que acabara de tomar banho e tinha as pontas do cabelo molhadas.

– Esse é dos bons – dissera Hans, olhando para o quadro das camélias. – Bem oriental. É disso que eles gostam hoje em dia. Talvez você devesse tentar pintar Lili num quimono bordado.

– Não quero que ela pareça vulgar – dissera Greta.

– Não faça isso – dissera Einar, tão baixinho que ela ficara sem saber se os outros tinham ouvido.

– Eu não quis dizer isso – dissera Hans. Usava um terno de verão claro, tinha as pernas cruzadas e tamborilava com os dedos na mesa. Carlisle estava sentado no otomã de veludo, e Einar, na cadeira de balanço de carvalho. Era a primeira vez que os três homens se encontravam; Greta olhava para o irmão, que tinha a perna sobre a almofada de veludo, depois para o marido, com as pontas do cabelo molhado sobre o pescoço esguio, e depois para Hans. Tinha a impressão de ser uma pessoa diferente com cada um deles. Como se reagisse de forma diferente a cada um deles; e talvez reagisse mesmo. Duvidava que eles sentissem que a conheciam. Talvez estivesse enganada, mas era assim que se sentia, como se cada um deles quisesse algo diferente da parte dela.

Hans a respeitara, retirando suas atenções e concentrando-se em vender os quadros dela. Já haviam ficado sozinhos várias vezes, tanto na sala dos fundos do escritório quanto no ateliê depois de Lili sair; e Greta sempre sentia o olhar dele nas suas costas. Mas quando Hans lhe voltava as costas, ela também ficava olhando para ele, vendo o volume dos ombros e o cabelo louro, que lhe caía sobre o colarinho. Sabia o que desejava, mas se continha à força. "Não enquanto Einar ainda estiver...", dizia, sentindo os grilhões se fecharem dentro do seu peito com um clangor. Ela esperava tais paixões, tal transbordamento do coração, de Lili. Não de si mesma, não naquele momento, não com um ateliê cheio de retratos inacabados e encomendas de revistas para serem desenhadas; não com o marido franzino enfraquecido de corpo e confuso de mente; não com o irmão de visita ali com aquela declaração incompleta: "Vim ajudar vocês." E não com Hans tamborilando os dedos sobre o tampo de pinho daquela comprida mesa de trabalho, esperando a tinta das camélias secar, esperando uma segunda xícara de café, esperando que ela produzisse um quadro de Lili de quimono, esperando pacientemente com a testa relaxada, esperando simplesmente que ela lhe caísse nos braços.

Foi desse lar, portanto, dessa casinha, que Greta partiu certa tarde naquele verão. Fazia calor, e os gases negros do trânsito pairavam pesadamente no ar. O sol estava esmaecido pelo ar enevoado, reduzindo o brilho da cidade. A pedra bege da fachada dos prédios parecia mole como queijo aquecido. As mulheres seguravam lenços e secavam o suor das gargantas.

No metrô, fazia ainda mais calor, e o corrimão estava pegajoso. Ainda era junho, e eles só partiriam de férias para Menton dali a várias semanas. Ela ficou pensando se conseguiria sobreviver até lá – algo sobre o verão teria de mudar, disse a si mesma – mas nesse momento o trem freou com um ruído agudo ao longo dos trilhos, e parou.

Ela saltou na estação de Passy, onde o ar estava mais fresco. Havia uma brisa, o aroma de grama aparada e o rumorejar de uma fonte. Ela ouviu o baque de uma bola de tênis quicando no saibro. Ouviu alguém batendo um tapete.

O apartamento ficava num casarão antigo, construído em granito amarelo com apliques de cobre. Havia uma alameda semicircular, salpicada de óleo e guarnecida por roseiras aparadas como pompons. A porta da frente era feita de vidro e trabalhada em ferro. No andar de cima, havia um terraço: uma cortina ondulava na porta aberta. Greta ouviu uma risada de mulher, seguida pela de um homem.

Anna alugara o apartamento de cima. Estava cantando *Carmem* três vezes por semana no Palais Garnier; depois do espetáculo, ceava patas de caranguejo frias no Prunier. Ultimamente começara a jurar que jamais voltaria a Copenhague. "Lá é certinho demais para mim", dizia ela com o punho encostado ao peito.

A própria Anna abriu a porta. Tinha o cabelo louro preso num coque na nuca. A pele de seu pescoço parecia estar formando cicatrizes marrons permanentes onde havia dobras de gordura. Ela usava um grande anel de rubis, com o desenho de uma estrela em explosão. Fizera nome no mundo da ópera; rapazes magricelas com olhos profundamente encovados mandavam-lhe pedras preciosas para serem engastadas, biscoitos de gengibre e cartões nervosamente escritos.

A sala de estar era pequena; o divã tinha pernas douradas e almofadas bordadas. Via-se um vaso esguio de lírios, com os brotos verdes e cheios de veios. Uma empregada de uniforme preto servia limonada e anisete. Um homem alto, vestido de forma bizarra com um sobretudo escuro, estava parado atrás da cadeira.

– Este é o prof. Bolk – disse Anna.

– Eu adivinhei – disse Greta. – Mas o senhor não está com calor?

– Professor Alfred Bolk. – Ele estendeu a mão. – Por algum motivo, estou sempre com um pouco de frio – disse, sacudindo levemente os ombros sob o casaco. Seus olhos azuis eram escuros, com reflexos dourados. Seu cabelo tinha o louro-escuro de madeira boa, e era penteado para trás sobre a cabeça, encrespando-se na nuca. Ele usava uma gravata de seda azul, com um nó grande e um prendedor de brilhantes. Guardava seus cartões de visita num estojo de prata. Era de Dresden, onde dirigia a Clínica Municipal Feminina.

A empregada serviu ao prof. Bolk café por cima de gelo.

– Não posso tomar limão – explicou ele erguendo o copo. Soprava uma brisa pela porta do terraço, e Greta sentou-se no sofá ao lado do professor, que sorriu polidamente com os ombros erguidos. Ela supunha que devia aguardar as perguntas dele, mas sentiu uma necessidade súbita de falar de Lili e Einar para alguém.

– Trata-se de meu marido – começou.

– Sim, pelo que entendo há uma mocinha chamada Lili.

De modo que ele sabia. Greta ficou sem saber o que dizer. Sim, por onde começar? Será que tudo tivera início quatro anos antes, quando ela pedira que ele calçasse os sapatos de Anna? Ou havia algo mais?

– Ele está convencido de que é uma mulher por dentro – disse ela.

O prof. Bolk fez um pequeno ruído ao sugar o ar entre os dentes. Balançou rapidamente a cabeça.

– E para dizer a verdade – disse Greta –, eu também. – Descreveu os vestidos de manga curta, os sapatos amarelos e a combinação feita sob medida; relatou as excursões de Einar aos Bains du Pont-

Solférino e as compras feitas no Bon Marché da rua Bac. Falou de Hendrik, de Hans e de outros homens por quem o coração de Lili já se acelerara, murchando depois com uma alfinetada de frustração. Disse: – Ela, Lili, é muito bonita.

– Esses homens... esse Hans... há mais alguma coisa que eu deva saber?

– Na verdade, não. – Ela pensou em Hans; provavelmente ele estava pendurando o retrato das camélias na galeria naquele instante. Não era algo que acontecesse com muita frequência, mas nada a decepcionava mais do que Hans parar no ateliê, coçar o queixo e rejeitar um quadro. "Não é bom o suficiente", dizia ele duas ou três vezes por ano; Greta se chocava tanto com aquilo que ficava paralisada, sem conseguir nem acompanhá-lo até a porta. Às vezes, quando o mundo estava silencioso, ela se perguntava se valia a pena ficar tão decepcionada.

Fora Anna que primeiro mencionara um médico.

– Talvez ele deva consultar alguém – dissera ela certo dia. Ela e Greta estavam numa loja de molduras perto do hotel de Oscar Wilde. Havia grandes caixas cheias de molduras antigas, algumas com mais de cinquenta quilos. As molduras estavam empoeiradas e lhes sujavam as saias. – Estou preocupada com ele.

– Já contei a você o que aconteceu com Hexler lá na Dinamarca. Não sei se ele aguenta outro médico. Isso pode acabar com ele.

– Mas você não está nem um pouco preocupada? Com o ar de doente dele? Com a magreza dele? Às vezes parece que ele nem está presente.

Greta refletira. Sim, Einar lhe parecia pálido, com finas bolsas azuis sob os olhos. A pele dele se tornara translúcida. Ela percebera isso, mas ficara mais preocupada do que o normal? E havia os sangramentos ocasionais, sempre voltando ao longo daqueles quatro anos. Mas ela aprendera a conviver com Einar e sua transformação. Sim, era como se ele estivesse num trilho de transformação perpétuo; era como se aquelas mudanças, o sangue misterioso, as faces encovadas, o anseio frustrado, jamais cessassem, jamais levassem a um fim. E, quando ela parava para pensar, quem não estava sempre mudando? Todo o mundo não estava sempre virando outra pessoa? Aí descobrira, dentro de uma caixa com a tampa acorrentada, uma moldura de bordas douradas perfeita para o quadro mais recente de Lili.

– Mas se você conhece alguém – dissera a Anna –, se você tem algum médico em mente, talvez eu devesse conversar com ele. Mal não pode fazer, não é?

O prof. Bolk disse:

– Eu gostaria de examinar o seu marido. – Isso fez Greta lembrar-se de Hexler e do aparelho de raios X chacoalhante. Ficou pensando se algum dia Einar se deixaria levar a outro médico. O prof. Bolk deu um gole no café e tirou um bloco de anotações do bolso.

– Não acho que seu marido seja louco – aventou ele. – Tenho certeza de que outros médicos lhe dirão que seu marido é louco. Mas não é isso o que eu acho. – Havia um quadro de Lili na sala de Anna. Mostrava-a sobre um banco num parque. Atrás dela, viam-se dois homens conversando com os chapéus nas mãos. O quadro fora pendurado acima de uma mesa lateral cheia de retratos emoldurados, nos quais se via Anna de peruca, de figurino ou abraçada a amigos após o espetáculo. Greta pintara aquela cena no parque no ano anterior, numa época em que Lili aparecia na casinha, passava três semanas lá e depois desaparecia por outras seis; ela tivera de aprender a trabalhar e a viver sem o marido. Durante certo período do ano anterior, quando Einar passara a lhe responder apenas como Lili, ela própria pensara que ele estava louco. De vez em quando, ele ficava como que em transe, com os olhos tão sombrios que ela só conseguia ver neles o seu próprio reflexo.

– Já conheci um homem como ele – disse o prof. Bolk. – Um motorneiro. Jovem, bem-apessoado, até bonito, esguio, obviamente pálido, um tanto franzino. Nervoso, mas quem poderia culpar o sujeito por isso, naquela situação? Veio falar comigo, e a primeira coisa que notei, pois era gritante, foi que ele tinha seios maiores do que muitas adolescentes. Quando veio me ver, ele já começara a se chamar de Sieglinde. Era uma coisa peculiar. Um dia ele chegou à clínica implorando para ser internado. Os outros médicos disseram que não podíamos internar um homem na Clínica Municipal Feminina. Não quiseram examinar o sujeito. Mas eu concordei, e certa tarde... nunca vou esquecer disso... descobri que ele era homem e mulher ao mesmo tempo.

Greta refletiu sobre o significado daquilo; devia ser uma visão horrível aquela coisa sem vida, como a pelanca de um ancião, entre as pernas do sujeito.

– O que o senhor disse a ele? – perguntou.

A brisa ergueu as cortinas, e ouviu-se o som de meninos jogando tênis; depois a mãe os chamou para dentro.

– Disse que podia ajudá-lo. Disse que podia ajudá-lo a escolher.

Por um lado, Greta queria perguntar "Escolher o quê?". Mas, ao mesmo tempo, ela sabia e não sabia a resposta. Pois nem ela, que ultimamente vinha pensando consigo mesma: Ah, se ao menos Einar pudesse escolher quem ele quer ser..., nem ela podia imaginar que fosse realmente possível escolher. Ficou sentada naquele sofá de pernas douradas pensando em Einar, que sob alguns aspectos já nem mais existia. Era como se alguém... sim, alguém... já houvesse escolhido por ele.

– E o que aconteceu com o sujeito? – perguntou Anna.

– Ele disse que queria ser mulher. Disse que a única coisa que queria era ser amado por um homem. Estava disposto a fazer qualquer coisa por isso. Veio me ver no consultório, usando um chapéu de feltro e um vestido verde. Portava um relógio de bolso como um homem, lembro-me disso, porque o puxava durante nosso encontro e ficava olhando para ele, dizendo que precisava ir embora, porque chegara a dividir seus dias ao meio, vivendo as manhãs como mulher e as tardes como homem.

"Isso foi há muitos anos, quando eu ainda era um jovem cirurgião. Tecnicamente, eu sabia exatamente o que podia fazer por ele. Mas até então nunca realizara uma operação tão complicada. De modo que passei um mês lendo textos médicos à noite. Assisti a amputações e estudei suturas. Sempre que uma mulher tinha o útero removido na clínica, eu ia para o anfiteatro de operações e assistia. Depois estudava o espécimen no laboratório. Por fim, quando me julguei pronto, disse a Sieglinde que queria marcar a cirurgia.

"Ele já emagrecera muito a essa altura. Estava bem fraco. Devia estar apavorado demais para comer. Mas concordou em me deixar tentar a operação. Chorou quando eu disse que podia fazer a coisa. Disse que estava chorando porque se sentia matando uma pessoa. 'Sacrificando uma pessoa', foi o que ele disse.

"Marquei a cirurgia para uma manhã de quinta-feira. Ia ser no anfiteatro; muita gente pedira para assistir, além de alguns médicos da Clínica Pirna. Eu sabia que, se conseguisse fazer aquilo, seria algo extraordinário, algo com o qual ninguém jamais sonhara. Quem poderia imaginar que fosse possível passar de homem a mulher? Quem arriscaria sua carreira tentando algo que parecia tirado de um mito? Bom, eu ia tentar."

O prof. Bolk sacudiu o casaco.

– Mas bem cedo naquela manhã de quinta-feira, a enfermeira foi ao quarto de Sieglinde e descobriu que ele sumira. Deixara seus pertences, seu chapéu de feltro, seu relógio de bolso, seu vestido verde, tudo. Mas sumira. – O prof. Bolk bebeu o resto do café.

Greta terminou a limonada e Anna ergueu-se para chamar a empregada: *"Les boissons"*, disse em tom brusco. Greta ficou examinando o professor, que tinha o joelho esquerdo apoiado no direito. Percebeu que daquela vez ela acertara; ele não era Hexler, e compreendia. Ele era como ela, pensou, e também conseguia enxergar as coisas, de modo que ela não precisaria refletir mais. A decisão abateu-se sobre ela como uma cutelada na cabeça, provocando-lhe um clarão atrás dos olhos e fazendo com que ela desse um pulinho no sofá. Então Greta, que certa vez no sul da França quase se matara junto com Einar ao perder acidentalmente o controle do automóvel e arremeter contra um penhasco salpicado de mimosas, pensou: Preciso levar Lili a Dresden. Ela e eu teremos de ir para lá.

Capítulo dezessete

No dia seguinte, a moça atrás do balcão localizou mais livros para Einar. Livros intitulados *Os sexos*; *O homem normal e anormal*; *Um estudo científico da imoralidade sexual*; e *Die sexuelle Krise*, publicado em Dresden vinte anos antes. A maioria era sobre teorias de desenvolvimento dos gêneros baseadas em hipóteses e experiências informais realizadas com ratos de laboratório. Um deles falava de um homem, um aristocrata bávaro, que nascera com um pênis e uma vagina. Algo no sofrimento daquele sujeito – a confusão durante a infância, o abandono por parte dos pais, a procura desesperançada por um lugar no mundo – fez Einar fechar os olhos e pensar: Sim, eu sei. Havia um capítulo sobre o mito de Hermes e Afrodite. O livro explicava a patologia sexual, e algo chamado ambivalência sexual. Einar percebeu que estava lendo sobre si mesmo. Reconheceu a dualidade, a falta de identificação completa com qualquer um dos sexos. Ao ler sobre o sujeito da Baviera, uma dor distante e abafada aplacou-se em seu peito.

Alguns dos livros datavam do século anterior e tinham lombadas empoeiradas. Ao serem viradas, as páginas estalavam com tanta força que Einar ficou com medo de que os estudantes erguessem o olhar dos trabalhos na longa mesa de leitura e descobrissem, devido à mistura de medo e alívio em seu rosto, quem ele realmente era.

Anne-Marie colocava os livros diante dele sobre um pequeno suporte que os mantinha inclinados. Emprestara-lhe um cordão de contas de chumbo enroladas em feltro para segurar a página aberta enquanto ele copiava frases no caderno de capa de camurça.

As mesas eram largas e arranhadas; faziam Einar pensar nas mesas de trabalho que as pescadoras de Copenhague usavam quando cortavam a cabeça das carpas no mercado de peixe de Gammel Strand. Ele tinha espaço suficiente na mesa para abrir vários livros em torno de si e, devido ao tom de areia das páginas, começou a pensar neles como seu pequeno atol de proteção. E era assim que se sentia enquanto lia durante aquelas manhãs em que saía furtivamente do apartamento: como se cada frase sobre o masculino e o feminino fosse protegê-lo ao longo do ano seguinte, quando tudo, conforme ele se prometera, mudaria.

Por fim leu o suficiente para se convencer de que ele também possuía os órgãos femininos. Enterrados nas cavidades de seu corpo estavam os órgãos de Lili, os volumes e dobras sangrentas de carne que faziam dela o que ela era. No começo foi difícil acreditar, mas depois a ideia de que aquilo não era um problema mental, e sim físico, passou a fazer cada vez mais sentido para ele. Ele imaginava um útero enfiado atrás de seus testículos. Imaginava dois seios aprisionados de alguma forma em sua cavidade torácica.

Passou uma semana na sala de leitura, e todo dia atingia um ponto em que ficava tão emocionado com o que descobria que apoiava a cabeça nos braços e chorava suavemente.

Quando ele cochilava, Anne-Marie chamava-o de volta ao trabalho com a mãozinha branca.

– Já é meio-dia – dizia ela, e por um instante ele ficava confuso:

– Meio-dia?

Ah, sim. Meio-dia.

Carlisle andara convidando-o para passarem as tardes juntos.

– Quer se encontrar comigo ao meio-dia? – dizia ele pela manhã quando Einar, ardendo de expectativa diante do que o esperava na biblioteca, preparava-se para sair.

– Não sei se posso – retrucava Einar.

– Mas por que não? – dizia Greta.

Carlisle sabia que não adiantava convidar Greta a juntar-se a eles. Já contara a Einar que, quando eles eram pequenos, ela suspirava desapontada sempre que ele sugeria que fossem treinar arco e flecha no Arroyo Seco.

– Ela sempre estava ocupada demais para explorar qualquer coisa – dissera ele. – Lendo Dickens, escrevendo poemas, pintando paisagens das montanhas San Gabriel ou pintando retratos meus. Mas nunca me mostrava nada. Quando eu pedia para ver uma das aquarelas, ela corava e cruzava os braços sobre o peito.

Então Carlisle voltara-se para Einar. No começo tivera de cutucá-lo um pouco. Seus olhos, mais claros que os de Greta, pareciam ser capazes de ler os pensamentos de Einar, que achava difícil ficar sentado imóvel ao lado dele: transferia o peso de um quadril para o outro, sentava-se ereto e depois afundava na cadeira de assento de corda.

Carlisle comprara um carro, um Alfa Romeo Sport Spider. Era vermelho, com rodas raiadas e um estribo onde fora aparafusada uma caixa de ferramentas também vermelha. Ele gostava de dirigir com a capota de lona aberta. O painel era preto, com seis mostradores e uma alça de mão prateada, à qual Einar se agarrava quando Carlisle dobrava uma esquina em alta velocidade. O assoalho era de aço, e Einar sentia o calor do motor através da sola dos sapatos enquanto Carlisle passeava por Paris com o Spider.

– Você precisa aprender a confiar mais nas pessoas – disse Carlisle no carro certo dia, tirando a mão da maçaneta preta e redonda da alavanca de câmbio e pondo-a amistosamente no joelho de Einar. Estavam indo para um estádio de tênis em Auteuil. O estádio ficava próximo ao Bois de Boulogne: era uma tigela de concreto que se erguia entre os álamos. A manhã já chegava ao fim, e o sol brilhava alto e pálido no céu branco-azulado. As bandeiras ao redor da borda do estádio pendiam inertes. Havia portões de ferro em torno do complexo tenístico, e homens de paletó verde e chapéu de palha recebiam os ingressos e rasgavam-nos ao meio.

Um sujeito conduziu-os a um camarote pintado de verde. Havia quatro cadeiras de vime no camarote, cada uma com uma almofada listada. O camarote ficava na linha de fundo da quadra de tênis, que era feita de uma argila batida tão vermelha quanto o ruge que Lili comprara certa vez no balcão da Fonnesbech.

Na quadra, duas mulheres se aqueciam. Uma era de Lyon; o tecido de sua comprida saia pregueada era branco, e ela deslizava pela quadra como uma escuna. A outra era americana: uma moça de Nova York, como relatava o programa. Era alta e morena, e seu cabelo era curto e brilhante como o boné de couro de um aviador.

– Ninguém espera que ela ganhe – disse Carlisle sobre a americana. Levara a mão à testa para proteger-se do sol. Sua mandíbula era exatamente igual à de Greta: quadrada, um pouco comprida e com uma boca cheia de dentes bons. Eles também tinham o mesmo tipo de pele: após apenas uma hora de sol já ficava morena, e era um pouco áspera no pescoço. Era um pescoço que Einar costumava beijar apaixonadamente à noite. Era o que ele mais gostava de fazer com Greta, mais ainda do que beijá-la na boca: levar seus lábios ao longo pescoço dela e sugar suavemente, lambendo-o em pequenos círculos, mordiscando, cutucando aquele ponto da garganta que era aberto e cheio de veias.

– Eu gostaria de visitar a Califórnia um dia – disse Einar. A partida começara com a americana sacando. Ela lançava a bola bem alto, e ele quase conseguia enxergar os músculos do ombro virando quando ela golpeava com a raquete. Greta frequentemente dizia que pensava em laranjas caindo ao chão quando ouvia o barulho de uma bola de tênis; Einar pensou naquela quadra de grama atrás do casarão de tijolos, com o açúcar polvilhado nas linhas soprando ao vento.

– Greta já falou sobre isso alguma vez? – perguntou Carlisle. – Sobre voltar para casa?

– Já falou que muita coisa teria de mudar antes que ela voltasse. – Greta já dissera que eles não se adaptariam a Pasadena, onde os boatos cruzavam o vale com a rapidez de um gaio a favor do vento. – "Não é lugar para nenhum de nós dois", dissera ela.

– Gostaria de saber o que ela quis dizer com isso – disse Carlisle.

– Você conhece Greta. Ela não gosta que falem dela.

– Mas, sob alguns aspectos, gosta.

A americana ganhou o primeiro *game*, com uma deixadinha cheia de malícia que passou rente à fita e caiu no saibro.

– Você já pensou em fazer uma viagem de visita? – perguntou Carlisle. – À Califórnia? Talvez no inverno, para pintar? – Estava se abanando com o programa; tinha a perna ruim esticada, com o joelho rígido. – Pintar os eucaliptos e os ciprestes? Ou um dos laranjais? Você ia gostar.

– Sem Greta, não – disse Einar.

E Carlisle, que ao mesmo tempo era e não era exatamente como a irmã, disse:

– Mas por que não?

Einar cruzou as pernas, deslocando com o pé a cadeira de vime à sua frente. A moça de Lyon deslizou pela quadra com aquela saia apertada para devolver um golpe de revés da traiçoeira americana; mandou a bola branca e suja rente à linha, matando o ponto. A elegante plateia, enchapelada e exalando um aroma coletivo de lavanda e limão-doce, vibrou de alegria.

Carlisle virou-se para Einar. Aplaudia sorridente, e sua testa começara a suar; quando o estádio silenciou, propiciando à moça de Lyon a paz necessária para sacar, ele disse:

– Já sei de Lili.

Einar sentiu o cheiro da rica poeira do saibro e do vento que soprava entre os álamos.

– Não sei bem do que você está...

Mas Carlisle o deteve. Colocou os cotovelos nos joelhos, olhando fixamente para a quadra, e começou a falar-lhe das cartas que Greta escrevera durante aquele ano. Uma vez por semana chegava um gordo envelope à caixa do correio, com meia dúzia de delicadas folhas de papel azul cobertas pela sua caligrafia miúda; ela escrevia com tamanha fúria que não usava margens, cobrindo a página de borda a borda com letras pequenas e apressadas. "Há uma pessoa chamada Lili", escrevera ela pela primeira vez, talvez um ano antes. "Uma moça dos pântanos da Dinamarca a quem eu acolhi." As cartas descreviam os passeios de Lili por Paris, ajoelhando-se para alimentar os pombos no parque e amarfanhando a saia em torno de si na trilha de cascalho. Descreviam as horas que ela passava sentada na banqueta do ateliê de Greta na rua Vieille du Temple, com a luz da janela sobre o rosto. Chegavam quase toda semana, trazendo um resumo dos dias anteriores com Lili. Nunca mencionavam Einar; quando Carlisle respondia dizendo "Como está Einar?", "Lembranças a Einar", ou, em certa ocasião, "Não é o décimo aniversário de casamento de vocês?", Greta nunca esclarecia as indagações.

Um dia, após aproximadamente seis meses de cartas semanais, um envelope fino chegara à caixa de correspondência de Carlisle. Ele lembrava-se do dia, conforme disse a Einar, porque as negras chuvas de janeiro vinham caindo havia uma semana, e a perna doía-lhe como se houvesse sido atingida pela tal charrete na tarde anterior. Ele caminhara pela alameda até a caixa de correio, com a bengala de bambu numa das mãos e um guarda-chuva na outra. A chuva manchara a tinta do envelope, e ele o abrira na penumbra do saguão revestido de carvalho. Lera a carta enquanto a água do cabelo gotejava sobre a única página. "Einar está me deixando", começava a carta de Greta. "Você tem razão. Após dez anos, ele está me deixando." Carlisle pensara imediatamente em pegar o carro, ir até o correio na rua Colorado e mandar um telegrama. Pusera a capa de borracha enquanto lia o resto da carta, e só então compreendera o que Greta queria dizer.

Uma segunda carta chegara no dia seguinte, e depois mais outra um dia depois. Seguira-se um relatório quase diário sobre Lili. As páginas vinham tão entupidas de descrições quanto antes, mas agora as frases eram interrompidas por desenhos diminutos do rosto de uma moça: Lili com um chapéu enfeitado por violetas secas; Lili lendo *Le Monde;* Lili erguendo os olhos redondos para o céu.

– Então Greta começou a me enviar desenhos de seu caderno de esboços. Estudos para os quadros de Lili. Ela me mandou aquele de Lili no pomar de limoeiros. E de Lili na festa de casamento. – Carlisle parou de falar enquanto a americana sacava. – São lindos. Ela é linda, Einar.

– Então você sabe.

– Não demorei muito para entender – disse Carlisle. – Claro que não entendo muito disso – continuou. Um passarinho marrom pousou na balaustrada do camarote. Girava a cabeça, procurando sementes. – Mas quero ajudar vocês. Quero conhecer Lili. Para ver se há algo que eu possa fazer. É assim que Greta faz as coisas, entende, mandando cartas e desenhos. Ela jamais pediria algo claramente. Mas percebo que está precisando de ajuda. Percebo que ela acha que você também precisa de ajuda, uma ajuda maior do que a que ela pode lhe dar. – E acrescentou: – É duro para ela. Você não pode esquecer que isso também é muito duro para ela.

– Ela disse isso?

– Greta jamais diria algo assim. Mas eu percebo.

Ficaram assistindo ao jogo. O dia estava quente, e as moças secavam os rostos com as toalhas.

– Você já foi a um médico? – perguntou Carlisle.

Einar falou-lhe do dr. Hexler. Era só dizer o nome daquele sujeito que a náusea voltava; ele tinha a impressão de que suas tripas estavam latejando.

– Não vejo para que ir a um fisiologista – disse Carlisle. – Não seria melhor conversar com alguém sobre o que você sente? Sobre o que pensa? Vou levar você a um sujeito. Andei pesquisando uns nomes, e vou levar você para conversar com um sujeito que talvez possa ajudar a resolver isso de uma vez por todas. Não precisa se preocupar, Einar. Eu tenho uma ideia.

O que Einar mais retivera na lembrança fora a visão de soslaio das pernas compridas de Carlisle, com a perna ruim em ângulo agudo, e a imagem da americana começando a suar na quadra, com um ponto molhado espalhando-se pela blusa logo abaixo dos seios. Tinha o rosto moreno, traços comuns, a cabeça grande e os braços compridos. Era como se houvesse algo de errado nela. Como o fino cordão da veia que lhe latejava no antebraço. Ou como a mancha que lhe sombreava o lábio superior. Ele se lembrava também de que o estádio inteiro passara a torcer contra a americana depois que ela ampliara a vantagem sobre a loura de Lyon. Parecia que o mundo todo estava contra ela; todos, menos Carlisle, que se inclinou e disse:

– Você não quer que ela ganhe? Não seria mais divertido se ela ganhasse?

Primeiro Carlisle levou Einar para ver o dr. McBride. Era um psiquiatra americano ligado à embaixada, cuja clínica ficava na rua Tilsitt, perto do escritório de passaportes. O dr. McBride tinha cabelo crespo, bigodes grisalhos, uma papada na garganta e uma barriga rotunda. Usava camisas brancas, tão engomadas que pareciam de papel. Nascera em Boston, e durante o encontro com Einar intitulou-se várias vezes um "irlandês renegado". Quando sorria, via-se um reflexo dourado no fundo de sua boca.

Seu consultório parecia o escritório de um advogado. A escrivaninha tinha colunas duplas e era revestida por uma placa de couro verde. Havia uma parede tomada por estantes e uma fileira de arquivos de carvalho. Junto à janela, um dicionário médico estava aberto sobre um suporte. Enquanto Einar falava-lhe de Lili, o doutor permaneceu sentado com expressão vaga, empurrando os óculos para cima e para baixo sobre o nariz. Quando o telefone tocou, ele o ignorou e insistiu em que Einar continuasse.

– Qual foi o maior período de tempo que o senhor já passou como Lili? – perguntou.

– Um mês e pouco – disse Einar. – No ano passado ela ficou aqui muito tempo. – Lembrou-se do inverno anterior, quando geralmente ia para cama sem ter a menor ideia de quem seria quando acordasse. Certa noite Lili e Greta haviam sido rendidas à ponta de faca após sair da Ópera. O ladrão era um sujeitinho de japona preta, e sob o luar de inverno a faca não parecera muito afiada. Mas ele ficara agitando-a na frente delas, exigindo as bolsas. Não se barbeava havia alguns dias, e ficava chutando o chão com um dos pés, dizendo: "Estou falando sério, mademoiselles. Não pensem que não é sério." Lili fizera menção de entregar a bolsa, mas Greta tentara segurar-lhe o pulso, dizendo: "Não, Lili." O sujeito agarrara a bolsa e dera um bote em direção à de Greta, que dissera: "Ah, não, senhor!" Depois saíra correndo rua abaixo em direção à Ópera, que parecia dourada na noite escura. Lili permanecera encostada no muro, com o ladrão à sua frente. O sujeito chutara a calçada novamente, dando a impressão de que estava tentando pensar no que fazer. Greta só se virara a uma quadra dali. Lili vira apenas a silhueta dela, com os punhos nos quadris e os pés bem plantados. Então percebera que Greta começara a caminhar de volta. O ladrão sorrira nervosamente. "Ela é maluca", disse, chutando a calçada. Virara o pulso e apontara a faca, que afinal não passava de um talher, para baixo. E depois fugira correndo da frente de Greta.

– O senhor pensa em Einar quando é Lili? – perguntou o dr. McBride.

– Nunca.

– Mas pensa em Lili quando é Einar.

– Sim.

– Pensa sobre o quê? – O doutor destampou a caneta e colocou-a sobre uma folha de papel em branco.

– Quase sempre eu só penso sobre os pensamentos dela – disse ele. Explicou que, se Einar fosse comer uma torta de maçã salpicada de canela, pensaria em guardar uma fatia para Lili. Que se estivesse discutindo com o açougueiro, o qual costumava roubar no peso, Einar ficaria em dúvida se Lili discutiria. Concluiu que ela não enfrentaria aquele açougueiro, que era magrinho, bonito, e tinha cabelo louro espetado; e assim, no meio de uma frase, Einar pediria desculpas e pediria ao açougueiro que continuasse a embrulhar o cordeiro.

O dr. McBride empurrou os óculos para cima.

Carlisle esperava num café do outro lado da rua. Einar pensou nele, lendo um guia turístico, pegando o lápis atrás da orelha e marcando um local recomendado. Provavelmente, naquele exato momento ele estava terminando o café e conferindo o relógio.

– E o que o senhor sente pelos homens? – perguntou o dr. McBride. – O senhor tem ódio dos homens?

– Ódio dos homens?

– Sim.

– Claro que não.

– Mas seria natural que o senhor tivesse ódio dos homens.

– Mas não tenho.

– E Lili? O que ela sente pelos homens?

– Ela não odeia os homens.

O dr. McBride pegou um jarro de prata e serviu-se de água.

– Ela gosta de homens?

– Não sei se entendi o que o senhor quer dizer.

O doutor tomou um pequeno gole de água. Einar viu a impressão que os lábios dele deixaram na borda do copo, e percebeu subitamente que estava com sede.

– Ela já beijou algum homem?

Einar estava tentando pensar numa maneira de pedir um copo d'água, mas parecia impossível. Pensou que talvez fosse melhor simplesmente levantar e servir-se, mas isso também parecia impossível. De modo que ficou sentado ali, sentindo-se uma criança na cadeira do dr. McBride, que era forrada de lã amarela e pinicava.

– Sr. Wegener, só estou perguntando porque...

– Sim – disse Einar. – Sim, ela já beijou um homem.

– Ela gostou?

– O senhor vai ter de perguntar a ela.

– Achei que estava perguntando a ela.

– Eu pareço Lili? – disse Einar. – Pareço uma mulher para o senhor?

– Na verdade, não.

– Bom, então...

O telefone do doutor tocou, e os dois ficaram olhando para o aparelho, que estremecia a cada toque. Por fim, fez-se silêncio.

– Infelizmente, o senhor é homossexual – disse finalmente o doutor, tampando a caneta com um estalido.

– Acho que o senhor não entendeu.

– Não é a primeira pessoa a quem isso acontece – disse o doutor.

– Mas eu não sou homossexual. Meu problema não é esse. Há uma outra pessoa vivendo dentro de mim – disse Einar, erguendo-se da cadeira. – Uma moça chamada Lili.

– E fico de coração partido – continuou o doutor – por ter de lhe dizer que não há nada que eu possa fazer por homens como o senhor. Como irlandês renegado, acho isso muito triste. – Deu um gole no copo d'água, fechando os lábios sobre a borda. Em seguida levantou-se, indo até a frente da escrivaninha. Colocou a mão sobre o ombro de Einar e levou-o até a porta. – Meu único conselho é que o senhor se contenha. Precisará lutar contra os seus desejos sempre. Ignore-os, sr. Wegener. Caso contrário... bom, caso contrário, será sempre um solitário.

Einar juntou-se a Carlisle no café. Sabia que o dr. McBride estava enganado. Pouco tempo antes, poderia até ter acreditado no doutor, e teria ido embora cheio de autopiedade. Mas disse a Carlisle que aquilo fora uma perda de tempo.

– Não há quem possa me compreender – disse. – Não vejo o que isso pode adiantar.

– Não é verdade – protestou Carlisle. – O que precisamos é de encontrar o médico certo para você. Só isso. Então o dr. McBride não sabe do que está falando. E daí? Não significa que você deva desistir.

– Por que você está fazendo isso?

– Porque você está infeliz.

– Sim, mas por quê?

– Por causa de Greta.

Poucos dias depois, Carlisle levou Einar ao Établissement Hydrothérapique, um hospital famoso por tratar de moléstias nervosas. O hospital ficava no caminho de Menton, oculto da estrada por um bosque de sicômoros. O funcionário ao portão enfiou a cara no carro e perguntou quem eles iam visitar. "O dr. Christophe Mai", disse Carlisle. O funcionário ficou olhando para eles, mordendo o lábio. Deu-lhes uma prancheta para assinar.

O prédio do hospital era novo, uma caixa profunda de cimento e vidro. Ficava na sombra de mais sicômoros e plátanos com troncos arranhados. Grades de aço cobriam as janelas do andar térreo, com os cadeados reluzindo ao sol.

Tiveram de assinar outra folha de papel à entrada, e uma terceira quando por fim chegaram ao consultório do dr. Mai. Uma enfermeira de cabelo branco encaracolado mandou-os aguardar numa saleta que lhes pareceu selar-se hermeticamente depois que ela saiu e fechou a porta.

– Não contei a Greta onde vínhamos hoje – disse Carlisle. Poucos dias antes, Einar entreouvira-os conversando. "Ele não precisa consultar psiquiatra algum", dissera ela; sua voz ultrapassara a fenda sob a porta. "Além disso, acho que sei quem pode ajudar Einar. E ele não é psiquiatra. É um homem que realmente pode fazer alguma coisa." Nesse momento, ela baixara a voz, e Einar não conseguira ouvir o resto.

O consultório do dr. Mai era marrom e fedia a cigarro. Einar ouviu passos arrastados no corredor lá fora. Havia algo de tão desagradável naquele hospital que ele teve a pequena impressão de que seu lugar era ali mesmo. Sobre o carpete marrom viam-se as marcas deixadas pelos carrinhos, e Einar começou a se imaginar amarrado a um carrinho que o levaria à parte mais profunda do hospital, da qual ele jamais retornaria.

– Você acha mesmo que o dr. Mai pode me ajudar?

– Espero que sim, mas vamos ter de ver. – Carlisle trajava um paletó de algodão listado, com calças de pregas bem vincadas e uma gravata amarela. Einar admirava seu otimismo, a postura de expectativa com que ele usava aquelas roupas de verão. – Precisamos ao menos tentar.

Ele sabia que Carlisle tinha razão. Não aguentaria continuar vivendo daquele jeito por muito tempo. Grande parte da musculatura de seu corpo desaparecera durante os seis meses anteriores; o dr. McBride o pesara e, quando os pesinhos pretos haviam deslizado para a esquerda, Einar percebera que pesava pouco mais do que quando era garoto. Ele começara a notar uma cor peculiar em sua pele: um azul-acinzentado como o céu ao alvorecer, como se seu sangue estivesse correndo num ritmo mais lento. Seu fôlego andava tão curto que ele perdia a visão sempre que corria mais do que alguns passos, ou sempre que um barulho agudo e súbito, como o estampido de um automóvel, o surpreendia. E ainda havia os sangramentos, que ele tanto temia quanto desejava. Ficava tonto quando sentia o primeiro jorro no lábio ou entre as pernas. Ninguém lhe diria isso, mas ele sabia que sangrava porque era fêmea por dentro.

Já lera a respeito do assunto: os órgãos femininos submersos do hermafrodita causavam hemorragias periódicas, como que protestando.

O dr. Mai revelou-se um homem simpático. Seu cabelo era escuro, e ele usava uma gravata amarela semelhante à de Carlisle. Os dois riram da estranha coincidência, e depois o dr. Mai conduziu Einar à sala de exames.

O aposento era ladrilhado; havia uma janela com grade de ferro que dava para o bosque de sicômoros e plátanos. O dr. Mai afastou uma pesada cortina verde, revelando a mesa de exames.

– Sente-se, por favor – disse, colocando a mão no colchonete da mesa. – E diga por que está aqui.

O dr. Mai estava apoiado em um armário com portas de vidro. Segurava uma prancheta junto ao peito e balançava a cabeça enquanto ouvia as explicações de Einar sobre Lili. Uma ou duas vezes ajeitou o nó da gravata. Eventualmente anotava alguma coisa.

– Não sei exatamente que tipo de ajuda estou procurando – disse Einar. – Acho que não posso mais viver assim.

– Assim como?

– Como se não soubesse quem realmente sou.

Ao ouvir isso, o dr. Mai encerrou a entrevista. Pediu licença e deixou Einar sentado na mesa acolchoada, balançando os pés. Lá fora, no jardim, uma enfermeira acompanhava a caminhada de um rapaz de pijama listado, cujo roupão estava aberto. O rapaz tinha barba, e seu andar exibia uma certa fragilidade, como se a enfermeira, cujo avental ia até os pés, fosse a única coisa que o sustentasse.

Quando voltou, o dr. Mai disse:

– Obrigado por vir me visitar. – Apertou a mão de Einar e levou-o até Carlisle.

Na volta de carro para Paris, eles ficaram muito tempo sem dizer nada. Einar olhava para a mão de Carlisle na alavanca de câmbio, e Carlisle olhava para a estrada. Por fim, disse:

– O doutor quer internar você no hospital.

– Por causa de quê?

– Ele suspeita de esquizofrenia.

– Mas isso é impossível – disse Einar. Olhou para Carlisle, que manteve os olhos na estrada. Havia um caminhão à frente deles, e toda vez que passavam por um buraco um pouco de cascalho deslizava da caçamba e atingia o capô do Spider. – Como eu posso ser esquizofrênico? – disse Einar novamente.

– Ele queria que eu assinasse os papéis da internação ali mesmo.

– Mas isso não está certo. Eu não sou esquizofrênico.

– Eu disse que não havia tanta urgência.

– Mas você não acha que eu sou esquizofrênico, acha? Isso não tem lógica alguma.

– Não, não acho. Mas quando você explica a coisa... quando você explica Lili, realmente parece que você acha que existem duas pessoas. Duas pessoas diferentes.

– Porque existem. – A noite caía, e o trânsito estava lento porque um pastor-alemão fora atropelado e tombara no meio da estrada. Todos os carros tinham de desviar do corpo do bicho, que estava morto mas parecia incólume, com a cabeça apoiada no meio-fio de granito do *rond-point*.

– Você acha que Greta pensa assim? Acha que ela acredita que eu sou louco?

– Nem um pouco – disse Carlisle. – Ela é quem mais acredita em Lili.

Passaram pelo pastor-alemão, e o trânsito começou a fluir de novo.

– Será que eu devo dar ouvidos ao dr. Mai? Você acha que é melhor eu passar uma temporada com ele?

– Você precisa pensar sobre isso – disse Carlisle. Sua mão segurava a bola preta da alavanca de câmbio, e Einar sentiu que ele queria lhe dizer algo. Era difícil conversar, por causa do vento e do escapamento desregulado dos ônibus. Na cidade o trânsito estava lento, e Einar olhou para Carlisle como que para instigá-lo a dizer o que queria. Diga-me o que você está pensando, era o que ele queria dizer, mas não disse. Havia algo pairando entre eles; mas aí entraram no Marais, chegaram ao apartamento, e o tal algo passou, sumindo quando o motor do Spider foi colocado em ponto morto. Carlisle disse: – Não diga a ela onde nós estivemos.

Cansado, Einar foi para a cama logo depois de jantar; antes que ele adormecesse, Greta também foi deitar-se.

– Está cedo para você – disse ele.

– Estou cansada hoje. Passei as últimas noites trabalhando. Entreguei meia dúzia de ilustrações essa semana. Sem falar no retrato de Lili no pântano – disse ela. – Você fez um trabalho lindo com o fundo. Eu não podia estar mais contente. Hans disse a mesma coisa. Andava querendo dizer isso para você.

Ele sentiu o corpo comprido e quente de Greta sob o lençol. O joelho dela estava encostado na sua perna, e a mão se enroscara no seu peito. Era o máximo de contato físico que eles ainda tinham; mas de certa forma aquela mão enroscada feito um bichinho aconchegado no seu peito, a pressão tranquilizadora daquele joelho, o calor úmido do hálito dela e o cabelo que se enrolava feito um cipó ao redor do seu pescoço pareciam conter uma intimidade maior do que a que eles tinham nas primeiras noites após o casamento, quando ela arrancava sua gravata e lhe afrouxava o cinto.

– Você acha que eu estou ficando louco? – disse ele.

Ela sentou-se ereta.

– Louco? Quem disse isso para você?

– Ninguém. Mas você acha?

– É a coisa mais ridícula que eu já ouvi. Quem anda falando isso para você? Carlisle disse alguma coisa?

– Não. É que às vezes eu não sei o que acontece comigo.

– Mas isso não é verdade – disse ela. – Nós sabemos exatamente o que acontece com você. Dentro de você vive Lili. Na sua alma existe uma moça bonita chamada Lili. É simples. Isso não tem nada a ver com loucura.

– Eu só queria saber o que você acha de mim.

– Acho que você é o homem mais corajoso que eu conheço – disse ela. – Agora durma. – Ela enroscou a mão com mais força, afastou o joelho, e a mecha de cabelo deslizou pelo pescoço dele.

Uma semana se passou. Einar levou um dia inteiro limpando o ateliê, enrolando as velhas telas e guardando-as num canto, satisfeito por livrar-se delas. Gostava de pintar o fundo dos quadros de Greta, mas não sentia falta de criar algo próprio. Às vezes, quando pensava na sua carreira abandonada, sentia-se como se houvesse se livrado de uma tarefa tediosa. E quando pensava em todos os quadros que pintara – tantos pântanos sombrios, tantas charnecas tempestuosas – não sentia nada. Ficava exausto só de pensar em ter uma ideia nova, de pensar em conjurar e depois desenhar uma cena nova. Fora outra pessoa quem fizera todas aquelas pequenas paisagens, dizia a si mesmo. O que ele costumava dizer aos alunos da Academia Real? Se você consegue viver sem pintar, vá em frente. É uma vida muito mais simples.

Ele ia dormir tarde, e acordava cansado. Toda manhã prometia a si mesmo viver aquele dia como Einar, mas, quando ia ao armário se vestir, era como se visse os pertences de um antepassado num sótão.

Geralmente era Lili quem saía do quarto e sentava-se na banqueta do ateliê de Greta. Encolhia os ombros e ficava brincando com o xale no colo; ou então dava as costas a Greta, que estava pintando outro retrato, e lançava o olhar pela janela em direção à rua, procurando Hans ou Carlisle.

Carlisle sugeriu então o dr. Buson, que era psiquiatra de uma clínica em Auteuil.

– Como você ouviu falar dele? – perguntou-lhe Einar. Em seis semanas, Carlisle adaptara-se melhor a Paris do que Einar em três anos. Já estava na sua segunda caixa de cartões de visita, e tinha convites para passar fins de semana em Versalhes e St. Malo. Certo alfaiate na rua Paix já sabia de cor o tamanho de camisa dele.

Os dois estavam indo de carro para a clínica do dr. Buson, e Einar podia sentir o calor do motor através do assoalho metálico.

– Hans me deu o nome dele – disse Carlisle.

– Hans?

– É. Liguei para ele. Falei que um amigo meu precisava de um médico. Não disse quem era.

– Mas e se ele...

– Ele não vai descobrir – disse Carlisle. – E se descobrir? Ele é o seu amigo mais antigo, não é? – Carlisle jamais aparentara tanto ser o irmão gêmeo de Greta quanto naquele instante, com a cabeleira loura ondulando em torno do rosto; então prendeu o cabelo atrás das orelhas.

– Hans perguntou por você – continuou ele. – Disse que sabe que há algo de errado. Disse que viu você um dia, caminhando pelo cais do Louvre na direção do Sena, e que quase não reconheceu você.

A mão de Carlisle estava mexendo no controle do limpador de para-brisa, e Einar ficou na expectativa de que ele a tirasse do botão e a colocasse sobre seu joelho novamente.

– Ele disse que você passou direto por ele – disse Carlisle. – Disse que chamou você, mas que você simplesmente passou direto.

Parecia impossível.

– Passei por Hans? – disse Einar, e no reflexo da janela do carro viu apenas um vago esboço de si mesmo, como se ele mal estivesse ali. Ouviu Carlisle sugerir:

– Talvez você devesse lhe contar tudo. Ele compreenderia.

O dr. Buson, que tinha mais ou menos a idade de Einar, era de origem genovesa. Seu cabelo preto era eriçado no topo; o rosto tinha as bochechas estreitas e o nariz comprido. Tinha mania de virar a cabeça para a esquerda quando falava, como quem não sabe se sua próxima declaração será uma pergunta. Recebeu Einar e Carlisle numa saleta branca com uma poltrona reclinável, acima da qual pendia o lustre prateado de uma lâmpada de exame. Havia um carrinho sobre pés deslizantes, com o topo coberto por um pano verde. Sobre o pano viam-se uma dúzia de tesouras dispostas em semicírculo, cada uma de um tamanho diferente. Na parede havia um mapa retrátil do cérebro humano.

Dessa vez Carlisle acompanhou Einar à entrevista. Por alguma razão, sua presença fazia Einar sentir-se pequeno, como se ele fosse filho de Carlisle, que se encarregaria das perguntas e respostas. Ao lado dele, Einar mal se sentia capaz de falar. A janela dava para um pátio escuro e chuvoso, que duas enfermeiras cruzavam apressadamente.

O dr. Buson explicou de que modo tratava os pacientes com confusão de identidade.

– Geralmente as pessoas querem um pouco de paz em suas vidas – disse. – E isso significa fazer uma escolha.

Carlisle fez umas anotações, e subitamente Einar achou notável que o cunhado pudesse vir da Califórnia e assumir aquele caso como se fosse o seu projeto mais importante. Sabia que ele não precisava fazer aquilo. Não precisava tentar entendê-lo. No pátio lá fora, uma enfermeira escorregou nos paralelepípedos molhados, e, quando a colega a ajudou a levantar-se, exibiu a palma ensanguentada de uma das mãos.

– Sob certos aspectos, acho que as pessoas que me procuram têm muita sorte – disse o médico. Estava sentado numa banqueta giratória de altura regulável. Sob o jaleco de laboratório, usava calças pretas com meias de seda também pretas. – Têm sorte porque digo a elas: "Quem você quer ser?" E elas podem escolher. Não é fácil. Mas não seria bom ouvirmos alguém perguntar quem gostaríamos de ser? Ao menos por algum tempo?

– É claro – disse Carlisle, assentindo e anotando algo no bloco. Einar sentia-se abençoado por ter Carlisle ali, levando-o de carro a todos aqueles médicos, pondo as mãos no volante após cada consulta horrível e dizendo: "Não se preocupe. Existe um médico para você." Algo dentro dele relaxou, e ele sentiu-se respirando mais devagar. Só queria que fosse Greta quem estivesse tentando ajudá-lo.

– E isso nos traz ao meu método – disse Buson. – É uma operação nova, com a qual estou muito entusiasmado, porque é muito promissora.

– De que se trata? – disse Einar.

– Bom, não quero que o senhor fique nervoso quando eu lhe contar, porque parece mais complicada do que é. Parece drástica, mas na realidade não é. É uma cirurgia bastante simples, e que vem funcionando em pessoas com distúrbios de comportamento. Até agora os resultados vêm sendo superiores aos de todos os outros tratamentos que já vi.

– O senhor acha que funcionaria em alguém como eu?

– Tenho certeza de que sim – disse o médico. – Chama-se lobotomia.

– O que é isso? – perguntou Einar.

– Um procedimento cirúrgico simples, onde se cortam conexões nervosas na parte frontal do cérebro.

– Uma cirurgia cerebral?

– Sim, mas nada complicada. Não é preciso cortar o crânio. Aí está a beleza da coisa. Só preciso fazer alguns furos na sua testa, aqui... e aqui. – Buson indicou as têmporas de Einar, e depois um ponto logo acima do nariz. – Depois de fazer os furos na sua cabeça, eu entro e corto certas fibras nervosas que controlam a sua personalidade.

– Mas o senhor sabe quais são as que controlam o meu comportamento?

– Bom, foi isso que eu descobri recentemente. Os senhores não leram a meu respeito no jornal?

– Foi um amigo que nos mandou aqui – disse Carlisle.

– Bom, ele deve ter visto as reportagens. Saíram várias matérias sobre isso.

– Mas é seguro? – perguntou Carlisle por fim.

– Tão seguro quanto várias outras coisas. Escutem, eu sei que parece radical. Mas já peguei o caso de um homem que acreditava ser cinco pessoas, não apenas duas, e entrei no cérebro dele e resolvi o problema.

– Como ele está agora? – perguntou Einar.

– Mora com a mãe. Vive em silêncio, mas está feliz. Foi ela, a mãe, que o trouxe aqui.

– Mas o que aconteceria comigo?

– O senhor se internaria no hospital. Eu o prepararia para a cirurgia. É importante que o senhor esteja descansado e seu corpo não esteja fraco. Seria melhor o senhor se internar e ganhar força antes de ser levado à sala de operação. Isso não leva muito tempo. E o senhor descansaria. A cirurgia em si leva apenas algumas horas. E cerca de duas semanas depois o senhor estaria pronto para ir embora.

– E para onde eu iria então? – perguntou Einar.

– Ah, mas eu achei que isso o senhor já sabia. – Buson estendeu a perna, balançando o carrinho sobre os pés deslizantes. – O senhor terá de organizar certas coisas antes de se internar para a cirurgia. Porque não será mais o mesmo depois dela.

– É realmente tão simples? – disse Carlisle.

– Geralmente.

– Mas quem eu seria depois que o senhor fizesse isso? – perguntou Einar.

– Isso – disse o doutor – é algo que ainda não podemos predizer. Teremos de esperar para ver.

Einar ouviu o barulho de tamancos nos paralelepípedos do pátio. A chuva começara a cair com mais força, batendo nas janelas. Buson virou-se um pouco sobre a banqueta. Carlisle continuava anotando coisas no bloco. Lá fora, a enfermeira com a mão ferida reapareceu no umbral de uma porta sob uma janela ovalada. Tinha a mão envolta em gaze. Deu uma risada com a colega, e aí as duas moças – tinham cerca de vinte anos, e provavelmente eram auxiliares – correram até o outro lado do pátio. Lá também havia uma porta sob uma janela ovalada, dourada de luz e manchada de chuva.

Capítulo dezoito

Quando Greta encontrou-se com o prof. Bolk pela segunda vez, no começo do outono de 1929, chegou com uma lista de perguntas anotadas num bloco com uma espiral de alumínio no topo. Paris estava acinzentada, com as árvores livrando-se das folhas. As mulheres saíam às ruas puxando as luvas sobre os dedos, e os homens encolhiam os ombros em torno das orelhas.

Encontraram-se à mesa de um café na rua St. Antoine; da janela Greta podia ver homens e mulheres, com o rosto mostrando o amargo causado pelo tempo, emergindo das profundezas do metrô. O professor já a aguardava com uma xicarazinha de café espresso vazia. Parecia descontente com o atraso dela; Greta pediu-lhe desculpas – um quadro que não podia abandonar, uma chamada telefônica – e Bolk continuou sentado com expressão impassível, raspando a parte inferior da unha do polegar com uma faquinha de aço inoxidável.

Ele era bonito, pensou Greta; o rosto era comprido, e o queixo tinha uma covinha semelhante à parte de baixo de uma maçã. Seus joelhos não cabiam sob o tampo da mesa, que era redondo e manchado, com o mármore arranhado, enferrujado e áspero como ardósia. Uma estreita fita de latão rodeava o pedaço de mármore, e Greta achou desconfortável inclinar-se para falar em particular com o professor tendo um pedaço de latão a pressionar-lhe o lado inferior do braço.

– Posso ajudar seu marido – disse Bolk. A seus pés havia uma maleta com fecho dourado e alças semicirculares; Greta imaginou que o professor poderia resolver tudo simplesmente chegando à porta da casinha de maleta preta em punho e passando algumas horas sozinho com Einar. Disse a si mesma que não podia ser assim, mas desejava que pudesse ser, como às vezes desejava que Carlisle esfregasse óleo de hortelã na perna ruim até curá-la, ou como desejara que Teddy Cross ficasse sentado ao sol até queimar a doença que lhe consumia os ossos.

– Mas, quando eu terminar, ele não será mais seu marido – continuou Bolk, abrindo a maleta. Tirou dela um livro coberto por papel marmorizado verde, com o couro da lombada arranhado e gasto como o assento de uma velha poltrona de leitura.

Achou a página certa e ergueu o olhar; seus olhos se encontraram com os de Greta, provocando uma palpitação no peito dela. A página exibia o diagrama do corpo de um homem: mostrava o esqueleto e os órgãos num intrincado desenho de linhas paralelas e entrecruzadas, que lembravam a Greta um daqueles mapas turísticos de *Paris e suas cercanias* que Carlisle usara ao chegar. O homem do diagrama representava um espécime adulto médio, explicou o professor; tinha os braços abertos, e a genitália pendia feito um cacho de uvas numa parreira. A página estava toda amassada e rabiscada a lápis.

– Como pode ver – disse Bolk – a pelve masculina é uma cavidade. Os órgãos sexuais estão pendurados do lado de fora. Dentro da pelve não há quase nada, com exceção das alças intestinais, que podem ser rearrumadas.

Greta pediu um segundo café, e sentiu um desejo súbito de comer laranjas cortadas em gomos; algo fez com que pensasse em Pasadena.

– Estou curioso acerca da pelve de seu marido – disse o professor. Greta achou aquele fraseado um tanto estranho, embora gostasse de Bolk; simpatizou mais ainda com ele quando o professor lhe falou da sua formação. Ele estudara em Viena, em Berlim e no

Hospital Charité, onde fora um dos poucos a se especializar em cirurgia e psicologia ao mesmo tempo. Durante a guerra, quando era um jovem cirurgião cujas pernas ainda estavam crescendo e cuja voz ainda não tinha aquele timbre de baixo-profundo, ele amputara mais de quinhentos membros, caso fossem contados todos os dedos que cortara na tentativa de salvar mãos semidestruídas por granadas que haviam explodido antes do prazo prometido pelo capitão. Operara em barracas cuja lona tremia com o impacto de bombas; sacrificava uma perna, mas salvava o homem, sempre à luz de fósforos. Em macas feitas de tábuas, os enfermeiros das ambulâncias traziam-lhe homens com abdomes arrebentados, jogando os soldados semimortos sobre a mesa de operações, que ainda estava úmida com o sangue do sujeito anterior. Na primeira vez em que recebera um paciente assim, com o centro do corpo reduzido a uma tigela de tripas, ele ficara sem saber o que fazer. Mas vira o sujeito morrendo ali, revirando os olhos e implorando a sua ajuda. Os tanques de gás estavam quase vazios, de modo que não havia como anestesiar completamente o paciente. Em vez disso, ele estendera uma faixa de gaze sobre o rosto do rapaz e pusera mãos à obra.

Era inverno: pedras de granizo açoitavam a barraca, os archotes se apagavam, os cadáveres estavam empilhados como lenha e ele concluíra que se conseguisse arrumar uma parte dos intestinos – pois o fígado e os rins estavam intactos, na realidade – o rapaz talvez sobrevivesse, embora jamais voltasse a evacuar normalmente. Ensopara as mangas da camisa de sangue e passara uma hora sem erguer a gaze do rosto do paciente, pois, embora o rapaz estivesse inconsciente devido à dor, Bolk sabia que não aguentaria ver as pálpebras tremelicando de agonia. Fora costurando cuidadosamente, sem conseguir enxergar grande coisa. Esfolara porcos quando menino, e por dentro o corpo do soldado parecera-lhe igual ao de um leitão: quente, escorregadio e apertado. Era como enfiar o braço num caldeirão de ensopado de inverno.

A noite se aprofundara e o bombardeio amainara, mas a chuva gélida caía agora com mais força. Bolk começara a esticar o que sobrara da pele do rapaz sobre o ferimento. Havia uma enfermeira de avental ensanguentado, Fräulein Schäpers; o paciente de quem ela vinha cuidando acabara de vomitar suas entranhas sobre ela, morrendo instantaneamente. Ela levara meio minuto para limpar o rosto e juntar-se a Bolk. Os dois haviam esticado a pele do soldado, partindo de um ponto logo abaixo do esterno até as bordas soltas sobre a pelve. Fräulein Schäpers segurava os tecidos enquanto ele passava uma linha da grossura de um cadarço pelo soldado, esticando a pele como a lona dos bancos dobráveis da barraca com chaminé que lhes servia de cantina.

O rapaz sobrevivera, pelo menos até ser posto num caminhão-ambulância com prateleiras para os pacientes; aquelas prateleiras haviam lembrado a Bolk os caminhões de padaria que passavam velozmente pelo Gendarmenmarkt entregando os pães que ele ceava, na época em que ainda era um estudante pobre e decidido a tornar-se um médico que toda a Alemanha viria a admirar.

– Quinhentos membros e quinhentas vidas – disse o professor a Greta no café da rua St. Antoine. – Dizem que salvei quinhentas vidas, embora eu realmente não tenha certeza.

Lá fora, as folhas grudavam-se ao último degrau da escada do metrô; as pessoas chegavam e escorregavam ali, embora todas conseguissem agarrar o corrimão de cobre verde a tempo. Mas Greta ficou olhando, esperando que alguém caísse e arranhasse a mão, ou coisa pior; não era algo que ela quisesse ver, mas sabia que ia acontecer.

– Quando posso examinar seu marido? – perguntou Bolk.

Greta pensou em Einar nos degraus da Academia Real de Belas-Artes; mesmo com aquela idade, pois na época já era professor, ele ainda parecia um garoto às vésperas da puberdade. Era como se ambos soubessem que pela manhã ele ergueria o braço para lavarse e descobriria o primeiro pelo marrom-dourado. Greta sabia que fisicamente Einar nunca fora perfeito. Mas duvidava que isso tivesse tido alguma importância. Talvez fosse melhor mandar o prof. Bolk de volta a Dresden sozinho, pensou, brincando com a colher na xícara de café. Perguntou-se subitamente quem ela mais amara: Einar ou Teddy Cross? Disse a si mesma que não importava, embora não acreditasse nisso. Queria poder decidir logo e relaxar com a certeza da informação, mas não sabia. E então pensou naquele osso bonito que Lili tinha no topo da espinha; no jeito delicado com que ela movia as mãos, como se estivesse prestes a pousá-las sobre um piano; na sua voz sussurrante, como a brisa que ondulava as pétalas farfalhantes das papoulas islandesas que cobriam os canteiros de Pasadena no inverno; e nos alvos tornozelos placidamente cruzados. Quem ela amava mais?, perguntou Greta a si mesma; então o prof. Bolk pigarreou, fazendo o gogó subir e baixar, e disse como se não restasse qualquer dúvida:

– Pois bem. Verei a senhora e Lili em Dresden.

Mas Greta não podia levar Einar a Dresden. Pelo menos ainda não. Havia muitas razões para isso, incluindo a exposição particular de seus últimos quadros, todos os quais mostravam Lili deitada numa mesa, com as mãos cruzadas sobre o ventre e os olhos cerrados, como que morta. Os quadros eram pequenos, do tamanho de um bom dicionário. Estavam pendurados no elegante saguão de uma condessa que morava perto não só do melhor ateliê de Paris, mas também do melhor boticário, o qual sabia tudo sobre máscaras de argila da Normandia, cremes de enxaguar à base de suco de lima e o Puro Extrato de Pasadena, que Greta lhe dava em troca de aparelhos cosméticos, como a máquina de limpeza de pele que Lili exigia cada vez mais.

Os quadros – eram apenas oito – foram vendidos numa só tarde, a pessoas cujos motoristas aguardavam em limusines conversíveis de portas abertas na rua lá embaixo, com os painéis de nogueira trabalhada refletindo o sol daquele início de outono. Hans organizara o evento, dizendo a mais de um editor de jornal que aquela era a primeira exposição imperdível da *rentrée*. Usava uma opala espetada na lapela do paletó. Apertava a mão de Greta cada vez que um quadro era retirado das paredes da condessa, que tinham sancas decorativas cobertas por um século de tinta. E Greta, apesar da fortuna continuamente acumulada na matriz do Landmandsbanken, ainda ficava com os olhos vidrados ao ver os talões de cheque se abrirem e as canetas arranharem o papel-carbono.

Essa era uma das razões pelas quais ela não podia levar Einar a Dresden imediatamente. A segunda razão era Carlisle, que estava pensando em ficar em Paris até o Natal. Greta sabia que Carlisle era muito semelhante a ela sob um aspecto, ao menos: ele tinha o mesmo impulso de assumir projetos com necessidade obsessiva de alcançar soluções. Jamais houvera um quadro que Greta não tivesse terminado. É verdade que houvera muitos, principalmente durante seus primeiros anos na Dinamarca, que não eram bons – e até ela já admitia isso. Ah, se ao menos ela pudesse voltar a Copenhague na escuridão da noite e arrancar das paredes de todos aqueles escritórios em Vesterbrogade e Norre Farimagsgade os medíocres retratos oficiais que produzira quando era jovem e não sabia o que queria, ou podia, realizar! Pensou no retrato severo de Herr I. Glückstadt, o financista por trás da Companhia do Leste Asiático e do Porto Livre de Copenhague; ela aplicara tinta prateada pura para reproduzir a cabeleira dele; e a mão direita, que segurava uma caneta, não passava de um quadrado, um bloco borrado, de tinta cor da pele.

E ela sabia que compartilhava com Carlisle essa necessidade de trabalho contínuo; dentro de seus corpos quase idênticos pulsava o mesmo impulso de realização. Certo dia, Carlisle voltara à casinha com uma notícia explosiva que forçara Greta a pousar o pincel na tigela de terebintina e sentar-se no divã.

– Einar e eu fomos ver alguns médicos – começara ele. As excursões de carro haviam deixado seu rosto corado, e Greta jamais o vira tão bonito. Quando ela fechava os olhos e escutava a voz do irmão, que era monótona e precisa, quase pensava escutar uma gravação de si mesma.

Carlisle descrevera as consultas, a futilidade daquilo tudo e as humilhações que Einar sofrera.

– Ele é mais forte do que a maioria dos homens – dissera, e Greta pensara consigo mesma: Sim, eu sei.

– Mas há um médico chamado Buson – continuara Carlisle. – Ele acha que pode ajudar Einar. Já tratou de gente assim antes. Gente que acha que... – Nessa altura, a voz de Carlisle rachara, coisa que jamais acontecia com a de Greta. – Que acha que é mais de uma pessoa.

Carlisle explicara a lobotomia, e as pequenas brocas afiadas que Buson lhes mostrara sobre o carrinho com pés deslizantes. Fizera a coisa parecer mais simples do que matar uma mosca.

– Acho que Einar está de acordo – dissera.

– É uma pena, porque eu também descobri um médico – interrompera Greta. Passara o pó de café por um cilindro de água fervente, e estava enchendo as xícaras. Então notou que não havia creme na cozinha; sentiu uma revolta interior, como se ainda fosse uma menininha na mansão de Pasadena e uma das empregadas japonesas não houvesse lhe servido a prometida travessa de tâmaras cristalizadas. Teve de se segurar para não bater o pé de raiva. Até ela detestava agir de forma mesquinha, mas às vezes não conseguia se controlar.

– Ele acha que pode ajudar Einar a mudar – continuara. Depois pedira desculpas pela falta do creme. Pensara em dizer: "Acho que não consigo dar conta da casa e do trabalho ao mesmo tempo, embora prefira pensar que consigo", mas resolvera que isso pareceria insincero, ou ingrato, ou algo assim, ah, não sabia o quê; e então começara a sentir calor embaixo daquela saia comprida e da blusa apertada demais nas mangas, e se perguntara por que estava discutindo o caso do marido com o irmão, por que Carlisle deveria se intrometer naquilo.

Mas se contivera.

– Mas o dr. Buson também acha que pode ajudar Einar a mudar – dissera Carlisle. – O seu médico está propondo a mesma coisa? Falou alguma coisa sobre brocas na testa?

– O prof. Bolk acha que pode transformar Einar numa mulher – dissera Greta. – Não mentalmente, mas fisicamente.

– Mas como?

– Por meio de cirurgias – dissera ela. – Há três cirurgias que ele quer tentar.

– Acho que não estou entendendo.

– Confie em mim.

– É claro que confio em você. Mas que tipo de cirurgia?

– Cirurgias transformistas.

– Você contou isso a Einar?

– Ainda não – dissera ela.

– Parece terrivelmente arriscado.

– Não mais do que isso que você está propondo.

Carlisle sentara-se no otomã de veludo com a perna para cima. Greta gostava de tê-lo ali com eles, para preencher as horas da manhã enquanto Lili dormia e para fazer-lhe companhia quando Lili ia nadar ou buscar algo na rua. – Não vou deixar que ele se trate com esse Buson – dissera ela. – Ele pode voltar de lá uma criança, praticamente um bebê.

– Tem de ser uma decisão de Einar – dissera Carlisle. – Ele é adulto, vai ter de decidir. – Sempre sensato, o irmão dela. Às vezes pragmático demais para ela.

Ela dera um gole no café; como detestava café preto! Em seguida dissera:

– Isso é com ele, claro.

E essa era outra razão pela qual Greta ainda não podia levar Einar a Dresden. Teria de encontrar um dia em que ela estivesse livre e Einar estivesse feliz por Lili ter feito uma visita recente e sua estada não ter sido dolorosa, mas alegre. Em que ela tivesse ganhado uma partida de badminton no gramado atrás do prédio de Anna, ou passado uma noite no cinema do Gaumont-Palace, por exemplo; só após uma ocasião dessas é que Greta poderia explicar a Einar as opções que ele tinha para lidar com Lili dali em diante. Não seria fácil. Ela imaginava que Carlisle fizera um bom trabalho convencendo Einar da habilidade do dr. Buson e do potencial da lobotomia, que lhe parecia ao mesmo tempo horripilante e cruel. Jamais deixaria Einar fazer aquilo. Mas Carlisle tinha razão sob um aspecto: Einar teria de decidir por si mesmo. Ela precisaria convencê-lo, como ela mesma se convencera, de que Bolk poderia resolver aquele problema – problema este que ao mesmo tempo definira e arruinara o casamento deles – mais resolutamente do que qualquer outro homem no mundo. O professor já voltara a Dresden, de modo que ela teria de convencer Einar sozinha: precisaria pegá-lo pela mão, cobrir as orelhas com o cabelo, e explicar-lhe a promessa, a promessa cintilante, que o aguardava em Dresden.

E havia mais uma razão pela qual Greta hesitava em levar Einar a Dresden.

Em março de 1918, as chuvas de inverno haviam cessado, e Pasadena estava verdejante, tão verde quanto o Buda de jade que Akiko tinha em seu quartinho, no terceiro andar da mansão dos Waud. Greta e Teddy haviam enterrado o bebê Carlisle nos campos de morango de Bakersfield e se mudado de volta para Pasadena, entristecidos e – como enfatizava a mãe de Greta, torcendo ansiosamente os anéis – um tanto marcados.

Mas ao menos as chuvas haviam cessado, e Pasadena estava verdejante, com os gramados de inverno parecendo cobertores de feltro, os canteiros de bocas-de-leão cheios de brotos brancos e rosados, e as papoulas islandesas flutuando acima do solo. Nos laranjais, os brotos brancos assemelhavam-se a flocos de neve. Para Greta, as raízes das laranjeiras pareciam cotovelos irrompendo pelo solo úmido; eram opacas, da cor da pele, e grossas feito o braço de um homem. As chuvas haviam amolecido a terra para as minhocas, que com aquela pele cinza-azulada lembravam a Greta o parto do bebê Carlisle. Ela jamais esqueceria a cor de minhoca daquele cordão umbilical retorcido feito um saca-rolhas. Tampouco o muco azulado que selava os olhos do bebê, ou o brilho dos fluidos dela a cobri-lo, como se ele estivesse envolto numa capa fina e gordurosa de proteção, que o próprio corpo dela, em sua sabedoria independente, criara.

Ficara pensando sobre isso naquela primavera, enquanto administrava os laranjais na ausência do pai. Examinava as terras, atravessando os lamaçais num carro com para-brisa retrátil. Supervisionava as turmas de trabalho, compostas em sua maioria por rapazes adolescentes de Tecate e Tucson, contratados para colher as plantas enxertadas. Sob uma árvore cujos frutos estavam caindo prematuramente, vira uma ninhada de minhocas atravessando um torrão de barro. E isso a fizera pensar na tosse de Teddy. Ele vinha lançando catarro dos pulmões havia quase um ano, e à noite encharcava os lençóis com um suor tão gélido que da primeira vez Greta pensara que ele derramara um copo d'água na cama. Ao som da primeira tosse, que lhe subira ominosamente pela garganta feito uma bola de vidro moído, ela sugerira um médico. Ele tossia e ela erguia o telefone a fim de ligar para o dr. Richardson, um sujeito de corpo ovalado que nascera na Carolina do Norte. Mas Teddy argumentava: "Não há nada de errado comigo. Não vou a médico algum."

Greta recolocava o telefone no gancho e dizia apenas "Está bem". Tinha de esperar até que ele saísse para dar o telefonema. Sempre que ele tossia e levava à boca o lenço, que ela mesma começara a passar com um ferro preto, ela olhava de soslaio para ver se algo saíra com a tosse. Às vezes era uma tosse seca, e aí ela suspirava silenciosamente. Mas outras vezes a tosse era catarrenta, e um líquido branco e pegajoso balançava entre a boca de Teddy e o lenço. E cada vez mais ele dera para cuspir espessos coágulos de sangue. Como era Greta, e não Akiko, quem lavava toda a roupa de Teddy, incluindo os lenços, ela sabia exatamente quanto sangue ele andava cuspindo. Tinha de trocar os lençóis toda noite, e mergulhar os lenços e às vezes as camisas em tinas de alvejante; o cheiro amargo de cloro subia-lhe às narinas, fazendo seus olhos arderem. O sangue não saía com facilidade, e ela esfolava a ponta dos dedos tentando tirar as manchas, fazendo-a lembrar-se dos trapos que usava nos cavaletes na época em que pintava, coisa que já não fazia. Mesmo assim, sempre que ela erguia o telefone, Teddy dizia: "Não vou a médico algum porque não estou doente, pelo amor de Deus."

Às vezes ela conseguia chamar o dr. Richardson à casinha. Teddy o recebia no solário, com o cabelo caindo sobre os olhos.

– O senhor sabe como são as mulheres – dizia ele. – Sempre se preocupando por nada. Mas sinceramente, doutor, não há nada de errado comigo.

– E essa sua tosse? – interrompia Greta.

– Não passa de pigarro de fazendeiro. Se você tivesse sido criada nos campos, também ia estar tossindo – dizia ele sorridente; então ria e fazia Greta e o dr. Richardson rirem também, embora ela não visse nada de engraçado naquilo.

– Provavelmente não é nada – dizia Richardson. – Mas você se importa se eu der uma olhada?

– Me importo, sim. – O piso do solário era coberto por lajotas que Teddy fabricara no ateliê. Tinham um alaranjado cor de âmbar e haviam sido fixadas com argamassa preta. No inverno, as lajotas ficavam tão frias que nem de meias se podia pisar ali.

– Bem, me liguem se a coisa piorar – dizia o doutor, pegando a maleta e batendo em retirada.

E então Greta, que acima de tudo queria ser uma boa esposa, que não queria que o marido debochasse dela com os amigos, dizendo que ela ficara possessiva, controladora e carente, prendia o cabelo atrás das orelhas e dizia: "Então está bem. Mas, se você não vai se consultar com Richardson, é melhor se cuidar mais, droga."

Ela achara a primavera de 1918 mais verdejante do que qualquer outra porque o quarto de Teddy, no sanatório onde ele fora internado, tinha vista tanto para o Arroyo Seco quanto para as montanhas San Gabriel; enquanto Teddy dormia, ela ficava sentada à janela e estudava os tons de verde. O sanatório era um prédio de estuque bege com um campanário, erguido à borda de um penhasco sobre o arroio. Em torno da propriedade, havia uma trilha margeada por roseiras. Os quartos tinham o formato de losangos, com basculantes abertos por manivelas que davam tanto para o norte quanto para o sul. A cama de Teddy era de ferro branco. Toda manhã uma enfermeira vinha e levava-o para a cadeira de balanço; depois enrolava o colchão listado de azul, deixando-o sobre as molas expostas ao pé da cama feito um enorme rolo de puxa-puxa.

Teddy passara quase todo o inverno no sanatório, e em vez de melhorar parecia piorar a cada semana. Tinha as faces encovadas e os olhos congestionados por algo que parecia leite estragado. Greta chegava pela manhã e imediatamente limpava-lhe os olhos com o canto da saia. Depois penteava-lhe o cabelo, que ficara tão ralo que não passava de umas mechas descoloridas. Às vezes, ele tinha tanta febre que ficava com a testa molhada, e ainda assim não conseguia erguer o próprio braço para enxugá-la. Mais de uma vez, ela chegara e o encontrara pegando sol na cadeira de balanço junto ao basculante, ardendo de calor por causa da febre e do robe de flanela, que a enfermeira lhe amarrava em torno da cintura fina. Como o rosto dele estava contorcido, Greta percebia que ele estava tentando erguer o braço para passar a manga de flanela na testa; o suor gotejava-lhe do queixo como se ele houvesse pegado uma chuvarada. Era março, as chuvas de inverno haviam cessado, e Pasadena inteira estava verde-jade; mas a claridade pálida da luz do sol, em vez de expulsar a tuberculose dos pulmões e dos ossos dele, estava simplesmente incendiando-o. E assim, antes das dez horas e da chegada do copo de suco de kumquat, que tomava duas vezes ao dia, Teddy desmaiava sob o peso da febre.

Em abril, ele passara a dormir cada vez mais. Greta ficava sentada na cadeira de balanço, cujo estofado branco estava puído, enquanto ele dormia de lado na cama. Às vezes ele se virava durante o sono, fazendo as molas rangerem; Greta tinha a impressão de que aquele som era um gemido dos ossos dele, que estavam cheios de tuberculose feito um doce recheado de creme. O médico, um sujeito chamado Hightower, entrava no quarto com o jaleco branco aberto sobre um terno marrom barato. Teddy continuava recusando o tratamento do dr. Richardson, que tratava não só de todos os Waud de Pasadena como das famílias de Henrietta, Margaret e Dottie Anne.

– O dr. Hightower está de bom tamanho para mim – dizia ele. – Não preciso de médico de gente chique.

– Mas que diabos é um "médico de gente chique"? – dizia Greta; assim que abria a boca, arrependia-se de ter erguido a voz. Não queria contradizê-lo, pois acima de tudo não queria magoar Teddy dizendo que sabia mais do que ele. Era assim que se sentia, e por isso tolerava polidamente as visitas diárias do dr. Hightower. O médico estava sempre com pressa, e com frequência não trazia a papelada certa na pasta que levava sob o braço. Era um sujeito esguio, e seu cabelo louro-norueguês tinha o tom de café bem claro. Fora transplantado de Chicago para lá, e todas as suas extremidades, o nariz, as orelhas e os dedos nodosos, pareciam gangrenadas de frio.

– Como está se sentindo hoje? – perguntava o médico.

– Um pouco melhor – dizia Teddy com sinceridade, ou talvez por não perceber que era possível responder outra coisa. Hightower assentia e riscava algo num prontuário da pasta. Greta pedia licença para dar um pulo no celeiro, onde uma nova turma de trabalhadores vindos de Tecate era esperada a qualquer hora. Depois, ia até o balcão da enfermeira, encostava o telefone ao ouvido e ligava de novo para Richardson, dizendo apenas: "Ele está piorando."

A mãe fazia-lhe visitas, geralmente à tarde, quando Teddy melhorava por cerca de uma hora. O casal ficava sentado em silêncio enquanto a mãe de Greta tagarelava, ou sobre a casa de praia em Del Mar ou sobre o telegrama do marido, que relatava com entusiasmo superior até ao dos jornais que o fim da guerra estava próximo. Em silêncio, Greta torcia para que a mãe interviesse da forma que somente uma mãe poderia intervir: abrindo as cortinas, puxando Teddy da cama, enfiando-o num banho mineral quente e trazendo-lhe aos lábios uma xícara de chá com um pouco de bourbon.

"Muito bem, vamos acabar com essa doença!", diria a sra. Waud, esfregando as mãos e prendendo as mechas soltas de cabelo atrás das orelhas. "Chega dessa bobagem de tuberculose!", diria ela; pelo menos, Greta torcia para que ela dissesse isso. Mas a mãe nunca dizia nada, e deixava Teddy aos cuidados dela. Punha as luvas ao final da visita, beijava a testa de Teddy através da máscara cirúrgica e dizia simplesmente:

– Quero você em pé da próxima vez que eu aparecer. – Em seguida, estreitava os olhos e olhava para Greta. Fora do quarto, já no corredor, a mãe tirava a máscara e dizia: – Garanta o melhor tratamento para ele, Greta.

– Ele não quer consultar Richardson.

– Mas precisa.

E aí Greta telefonava para Richardson novamente, relatando o estado de Teddy.

– Sim, eu sei – dizia o médico. – Já conversei com o dr. Hightower. Para ser sincero com você, não sei o que eu posso fazer por ele. Vamos ter de esperar para ver.

Carlisle viera de Stanford fazer-lhes uma visita; puxara Greta de lado e dissera:

– Não gosto desse tal de Hightower. De onde surgiu ele? – Ela explicara que o médico fora indicado pelo sanatório, mas Carlisle a interrompera, dizendo: – Talvez seja hora de trazermos Richardson.

– Já tentei.

– Há algo que eu possa fazer?

Ela refletira. Aí ouvira Teddy tossir do outro lado da porta, fazendo as molas de arame da cama tremerem. Ouvira-o arquejar profundamente em busca de ar.

– Preciso pensar sobre isso. Tenho certeza de que deve haver. Mas preciso pensar no assunto.

– Você sabe que isso é sério, não sabe? – dissera Carlisle, pegando-lhe a mão.

– Mas Teddy é forte – dissera ela.

No fim da tarde, depois que Carlisle partira e o sol já afundava entre as colinas, com as sombras arroxeadas caindo feito cobertores sobre os cânions de Pasadena, Greta pegara a mão fria de Teddy. A princípio não conseguira perceber pulsação alguma, mas depois sentira um batimento leve e irregular.

– Teddy? – dissera ela. – Teddy, você está me ouvindo?

– Estou – dissera ele.

– Você está com dor?

– Estou.

– Sentiu alguma melhora hoje?

– Não – dissera ele. – Infelizmente, estou pior. Pior do que nunca.

– Mas você vai melhorar. Teddy, me faz um favor? Liguei para o Richardson. Ele vai passar aqui de manhã. Por favor, deixe que ele examine você. Eu só peço isso. Ele é um bom médico. Me salvou quando eu era pequena e tive catapora. Eu estava com quarenta e dois de febre, e todo o mundo, inclusive Carlisle, já me considerava um caso perdido; mas estou aqui hoje, com saúde perfeita, e a única coisa que restou daquela doença maldita foi essa marquinha.

– Greta, meu bem – dissera Teddy, tensionando os tendões da garganta. – Eu estou morrendo, meu bem. Você já percebeu isso, não percebeu? Eu não vou melhorar.

Para dizer a verdade, ela até então não percebera isso. Mas é claro que Teddy estava morrendo, pois já estava mais para morto do que vivo. Tinha os braços finos e cheios de pelancas amarelas. Seus olhos estavam infeccionados. Os pulmões haviam virado duas esponjas, tão encharcadas de sangue e catarro que iriam direto para o fundo do Pacífico. A crueldade maior, porém, estava nos ossos: ele tinha os ossos empapados, e roídos por um fogo vivo e molhado. Greta pensara na dor que ele devia estar aguentando, mas da qual jamais reclamava. Ver o sofrimento do marido quase a matava.

– Me desculpe – dissera Teddy.

– Pelo quê?

– Por deixar você.

– Mas você não está me deixando.

– E me desculpe por pedir que você faça isso – dissera ele.

– Faça o quê? Do que você está falando? – Greta sentira uma película de suor apavorado espalhar-se pelas costas. O quarto ardia com os eflúvios da moléstia. Ela pensara em girar a manivela do basculante para dar ao pobre do Teddy um pouco de ar fresco.

– Você vai me ajudar?

– A fazer o quê? – Greta não entendera, e pensara em ligar para Richardson e relatar-lhe que Teddy andava falando bobagens. Mas sabia que Richardson responderia, com a voz arrastada pela linha telefônica, que aquilo era um sinal sinistro.

– Pegue aquele travesseiro de borracha e ponha em cima do meu rosto... só um pouquinho. Não vai demorar muito.

Ela ficara imóvel. Finalmente compreendera. Era um último pedido por parte do marido, a pessoa a quem ela mais gostaria de agradar no mundo. Acima de tudo, ela queria que ele partisse ainda apaixonado por ela, levando a gratidão como última lembrança. Um travesseiro de borracha jazia sobre a cadeira de balanço; Teddy tentava erguer a mão, apontando.

– É só segurar isso em cima do meu rosto por um minuto ou dois – dissera ele. – Vai ser mais fácil assim.

– Ah, Teddy – dissera ela. – Não posso. O dr. Richardson vai passar aqui de manhã. Vamos esperar. Deixe-o dar uma olhada em você. Talvez ele saiba o que é melhor. Mas vamos aguentar mais um pouco. Por favor, pare de falar nesse travesseiro. Por favor, pare de apontar para esse travesseiro. – O suor acumulava-se na blusa, no centro das costas e sob os seios de Greta. Era quase como se ela estivesse com febre: sentia a testa pegajosa e uma gota de suor deslizando orelha abaixo.

Girara a manivela do basculante e sentira o ar fresco. O travesseiro era preto; tinha bordas grossas e cheiro de pneu. Teddy continuava apontando para ele.

– Sim – dissera ele. – Traga isso aqui. – Ela tocara no travesseiro, que era grosso feito uma bolsa de água quente. Estava mole, com ar apenas pela metade. – Greta, meu bem... uma última coisa. É só encostar o travesseiro no meu rosto. Não aguento mais isso.

Ela pegara o travesseiro e apertara-o junto ao peito, deixando-se inundar pelo cheiro de borracha. Não conseguiria fazer aquilo. Era uma maneira horrível de morrer: embaixo daquela coisa fedorenta, e tendo a borracha como último aroma da vida. Era pior do que a doença que o mataria, dissera Greta a si mesma, passando o dedo pela borda elástica do travesseiro. Pior do que qualquer coisa que ela já imaginara. Não, não conseguiria, e jogara o travesseiro pelo basculante; a almofada escura despencara feito um corvo ferido no Arroyo Seco lá embaixo.

Teddy entreabrira os lábios, mostrando a língua. Tentara dizer algo, mas o esforço fora demasiado e ele adormecera.

Greta aproximara-se e pusera a palma da mão diante da boca de Teddy. A respiração dele estava tão fraca que parecia o ar deslocado por uma borboleta. A noite fora caindo, e os corredores do sanatório haviam se aquietado. Os gaios haviam dado um último voo sobre os pinheiros diante da janela, e Greta pegara a mão úmida de Teddy. Não conseguira olhar para ele, e virara a cabeça na direção do basculante, vendo o Arroyo Seco tornar-se um fosso negro. As montanhas San Gabriel haviam se transformado em grandes silhuetas negras, virando algo negro e sem rosto que avultava sobre os cânions e laranjais do vale onde os Waud moravam. Greta prendera a respiração até achar que ia desmaiar, e, quando finalmente arquejara e enxugara as lágrimas no punho da blusa, largara a mão de Teddy. Mais uma vez colocara a palma da mão sob o nariz dele; e então percebera, em meio à noite, que Teddy Cross se fora por vontade própria.

PARTE TRÊS

DRESDEN, 1929

Capítulo dezenove

O trem de Einar entrou na Alemanha. Parou num campo marrom, onde o solo revirado estava prateado de geada. Lá fora o sol brilhava fraco no céu de janeiro, e as bétulas que margeavam o campo se agrupavam contra o vento. Por toda a parte viam-se apenas campos planos e a extensão do céu cinzento. Nada havia além disso. Nada além de um trator a diesel abandonado no inverno, com o assento de metal vermelho tremendo sobre as molas.

A patrulha da fronteira conferiu os passaportes dentro do trem. Einar podia ouvir os oficiais nos compartimentos vizinhos, com as botas ressoando pesadamente no carpete. Falavam depressa, mas pareciam entediados. Ouvia-se a voz fina e lamentosa de uma mulher explicando seus documentos, enquanto um oficial dizia: "*Nein, nein, nein*."

Dois oficiais chegaram ao compartimento de Einar, e ele sentiu uma palpitação no peito, como se fosse culpado de alguma coisa. Os oficiais eram jovens e altos, com os ombros apertados dentro dos uniformes, que pareciam desconfortavelmente engomados. Seus rostos brilhavam embaixo da aba dos quepes, com um brilho igual ao dos botões de latão dos punhos, e subitamente Einar pensou que os próprios oficiais pareciam feitos de latão: eram dourados, brilhantes e frios. Até o cheiro que exalavam era metálico, provavelmente devido ao creme de barbear fornecido pelo governo. Um deles roera as unhas até o sabugo; seu parceiro tinha as juntas dos dedos raladas.

Einar teve a impressão de que os oficiais haviam ficado decepcionados, como se ele fosse totalmente incapaz de lhes criar qualquer problema. O que tinha as unhas roídas pediu-lhe o passaporte; quando viu que era dinamarquês, ficou menos interessado ainda. Abriu-o enquanto olhava para o parceiro. Nenhum dos dois, que respiravam pela boca, conferiu as informações nos documentos; tampouco ergueram a fotografia, tirada tantos anos antes num ateliê fotográfico com cheiro de mofo perto da Rundetarn, para compará-la com o rosto dele. Nenhum dos dois disse nada. O primeiro jogou-lhe o passaporte no colo. O segundo, que aguçara o olhar para ele, bateu na própria barriga, fazendo os botões de latão tremerem, e Einar teve a impressão de que ia ouvir uma campainha soar. Em seguida, os oficiais se foram.

Mais tarde o trem ganhou velocidade novamente, enquanto a tarde pousava suavemente sobre os campos da Alemanha, onde na primavera as fileiras de colzas entrariam em erupção com seus violentos brotos amarelos e aquele sedutor aroma dos quase mortos.

Einar passou o resto da viagem com frio. Greta perguntara se ele queria que ela o acompanhasse; ele achava que a magoara quando dissera que não.

– Mas por que não? – perguntara ela na sala da casinha. Ele não respondera. Era algo difícil de dizer, mas ele achava que talvez não tivesse coragem de levar a coisa até o fim se estivesse com Greta, pois ela seria uma lembrança muito forte da vida anterior deles. Ficava repetindo para si mesmo que eles haviam sido felizes, que haviam sido apaixonados um pelo outro. Tivera medo de acabar faltando à consulta com o prof. Bolk se ela também fosse; talvez dissesse que era melhor fazerem baldeação em Frankfurt e partirem para o sul, de volta a Menton, onde o sol pálido e o mar faziam com que tudo parecesse simples. Ao dizer "Não, eu vou sozinho" tivera a impressão de sentir o cheiro dos limoeiros da praça diante do cassino municipal. Ou talvez dissesse que ia voltar para Bluetooth, onde já havia outra família morando naquela casa ao lado dos campos de esfagno. Lá ele poderia tentar se esconder com Greta no seu antigo quarto de rapaz, onde o colchão de penas, de tão usado, já ficara fino demais e pinicava; lá a parede ao lado da cama ostentava desenhos de Einar e Hans adormecidos sobre um rochedo; e lá a pintura das pernas da mesa da cozinha ficara até arranhada de tanto Einar se esconder ali embaixo, escutando o pai chamar a avó e dizer: "Me traga mais chá antes que eu morra."

Antes de Einar deixar Paris, Carlisle lhe perguntara se sabia onde estava se metendo.

– Você tem noção exata do que Bolk quer fazer com você? – Na realidade, Einar não estava a par dos detalhes. Sabia que Bolk o transformaria, mas até ele tinha dificuldade para imaginar como. Sabia que passaria por uma série de cirurgias para a remoção de seu sexo, que ele cada vez mais considerava algo parasítico e sem valor, da cor de uma verruga. – Ainda acho que talvez fosse melhor você consultar o dr. Buson – tentara Carlisle. Mas Einar escolhera o plano de Greta; à noite, quando só os dois estavam acordados no mundo todo, quando se aquietavam sob as cobertas com os dedos mindinhos enroscados, não havia ninguém em quem ele confiasse mais.

– Deixe que eu vá com você – tentara Greta pela última vez, puxando-lhe a mão ao seio. – Você não devia passar por isso sozinho.

– Só vou conseguir fazer isso se estiver sozinho. Senão... – Fez uma pausa. – Vou ficar envergonhado demais.

E assim Einar partira sozinho. Podia ver seu reflexo na janela do trem. Seu rosto estava pálido e magro em torno do nariz. Lembrava um eremita que houvesse passado muitos anos sem erguer o rosto para a janela de sua choupana.

Um exemplar do *Frankfurter Zeitung* jazia no assento à sua frente, largado ali por uma mulher que viajava com uma criança. No jornal, havia o obituário de um homem que fizera fortuna fabricando cimento. Via-se uma fotografia: a boca do sujeito parecia triste. Uma papada de gordura infantil arredondava-lhe o queixo.

Einar recostou-se no assento e olhou para seu reflexo na janela. Escurecia rapidamente, e o reflexo foi ficando sombrio e angulado, de modo que à hora do crepúsculo ele já não reconhecia o rosto no vidro. Aí o reflexo desapareceu; nada se via lá fora exceto o bruxuleio distante de uma aldeia de porcos, e ele viu-se sentado no escuro.

Pensou que ninguém saberia por onde começar o seu obituário. Greta escreveria um rascunho e o entregaria pessoalmente à redação do jornal. Talvez aqueles jovens repórteres do *Nationaltidende*, com os cabelos louros já rareando, começassem por aí. Pegariam o rascunho de Greta e o reescreveriam, publicando o obituário todo errado.

Sentiu o trem chacoalhar sob o corpo, e imaginou como o obituário deveria começar:

Einar Wegener nasceu num pântano. Foi uma menininha nascida como menino num pântano. Ele jamais contara isso a alguém, mas tinha como primeira lembrança a luz do sol entrevista pelos ilhoses do vestido de solstício de verão da avó. Lembrava-se das mangas bufantes com os buracos dos ilhoses estendendo-se em direção ao berço para pegá-lo, e lembrava-se de ter pensado – não, pensado não, sentido – que aquele ilhós branco de verão o cercaria para sempre, como se fosse mais um elemento necessário entre água, luz e calor. Ele estava com a roupa de batismo. A renda, tecida pelas tias costureiras de sua falecida mãe, pendia ao redor dele. Passava-lhe dos pés, e mais tarde faria com que ele se lembrasse das cortinas de renda nas casas dos aristocratas dinamarqueses; lá o algodão azulado também passava do rodapé e estendia-se sobre o assoalho, que era feito de tábuas de carvalho negro enceradas por empregadas magricelas. No casarão onde Hans nascera havia cortinas assim, e a baronesa Axgil estalava a língua – a língua mais fina que Einar já vira, quase bifurcada – contra o céu da boca sempre que ele, a menininha nascida como menino num pântano, se aproximava e tocava nelas.

O obituário omitiria essa parte. Também não faria menção à noite em que Einar, bêbado de cerveja, urinara no canal ao vender seu primeiro quadro. Ele era apenas um rapazola de Copenhague, com as calças de tweed amarfanhadas na cintura: fizera um furo a mais no cinto com uma marreta e um prego. Só entrara para a Academia Real de Belas-Artes devido às bolsas de estudos dadas a garotos do interior. Ninguém esperava que ele virasse um pintor sério, apenas que aprendesse alguns truques sobre enquadramento e primeiro plano e voltasse para os pântanos do norte de Jutland, onde poderia pintar cenas que retratassem Odin, o deus nórdico, nos beirais das prefeituras. Mas no início de certa tarde primaveril, em que o ar ainda cristalizava nos pulmões, um homem de capa aparecera na academia. Os quadros dos alunos ficavam expostos nos corredores e nas paredes da escadaria. Era a mesma escadaria de corrimão branco onde, anos mais tarde, Greta tomaria a cabeça de Einar entre as mãos e se apaixonaria. Ele tinha uma pequena paisagem do pântano negro pendurada lá, emoldurada em folha de ouro falsa; pagara a moldura com o dinheiro recebido por participar de experiências médicas no Kommunehospitalet.

O homem da capa falava com suavidade, e pelos corredores da academia espalhara-se o boato de que ele era um *marchand* parisiense. Usava um chapéu de abas largas enfeitado com uma tira de couro, e os alunos mal conseguiam ver-lhe os olhos. Um pequeno bigode louro enroscava-se em torno de sua boca, e ele exalava um leve aroma de tinta de jornal. O diretor em exercício da academia, Herr Rump, que era o descendente menos talentoso de Herr G. Rump, se apresentara ao estranho. Escoltara-o pelos corredores da academia, onde os pisos eram cinzentos, sem verniz e varridos por órfãs que ainda não tinham idade para conceber. Tentara fazer o estranho deter-se diante das telas pintadas por seus alunos prediletos:

as moças de cabelo ondulado e seios empinados feito maçãs, e os rapazes de coxas gordas feito presuntos. Mas o homem da capa, que supostamente dissera "Tenho um faro para o talento", embora ninguém confirmasse isso, recusara-se a ser influenciado pelas sugestões dele. Inclinara a cabeça diante do quadro do camundongo e do queijo pintado por Gertrude Grubbe, uma moça com sobrancelhas tão amarelas e felpudas que parecia que um canário largara duas penas sobre seu rosto. Também fizera uma pausa diante da cena que mostrava uma mulher vendendo um salmão pintada por Sophus Brandes, um rapaz cujo pai fora assassinado na barca de travessia para a Rússia, por ter dado um simples sorriso malicioso para a noiva adolescente do assassino. E aí parara diante do pequeno quadro do pântano negro pintado por Einar. Era uma cena noturna: os carvalhos e salgueiros não passavam de sombras, e o chão era escuro e úmido feito óleo. No canto, ao lado do rochedo salpicado de mica, via-se um cãozinho branco adormecido na friagem. Ainda no dia anterior, Herr Rump declarara o quadro "escuro demais para a escola dinamarquesa", e por isso dera-lhe um local na parede longe do ideal, ao lado do armário onde as órfãs guardavam as vassouras de feno e vestiam os guarda-pós sem mangas que ele as obrigava a usar.

– Este é bom – dissera o sujeito; então enfiara a mão na capa e tirara, segundo afirmavam os boatos, uma carteira de couro de lagarto. – Como é o nome do artista? – perguntara.

– Einar Wegener – dissera Herr Rump, cujo rosto ardia de cólera. O estranho entregara-lhe cem coroas, e depois tirara o quadro da parede. Então todo o mundo na escola piscara de espanto: Herr Rump, os alunos que espiavam pelas frestas das portas das salas de aula, as administradoras com suas blusas abotoadas até o pescoço, as órfãs que secretamente vinham urdindo o plano posteriormente fracassado de empurrar Herr Rump de uma das janelas da academia, e por último Einar Wegener, que estava parado no mesmo ponto da escadaria onde mais tarde seria beijado por Greta. O incidente inteiro fora tão notável que toda a academia, cada membro dela, fosse artista ou não, piscara ao mesmo tempo, abanando levemente a cabeça coletiva. E, quando todos abriram os olhos, o sol já se punha sobre os campanários de Copenhague, enchendo as vidraças da academia, e o homem da capa se fora.

Aquele dia não constaria do obituário. Como também não constaria certa tarde de agosto com Greta. Fora antes do casamento deles, logo depois do fim da guerra. Greta voltara à Dinamarca havia apenas um mês. Chegara à porta do escritório dele na academia usando um chapéu de palha enfeitado com dálias e, quando ele abriu a porta, dissera:

– Vamos! – Os dois não se viam desde que ela partira para a Califórnia, no começo da guerra. Einar perguntara:

– Quais são as novidades? – Greta simplesmente dera de ombros e dissera:

– Aqui ou na Califórnia?

Em seguida, saíra da academia e levara-o até a praça de Kongens Nytorv, onde o trânsito girava em torno da estátua equestre de Cristiano V. Um soldado alemão perneta postara-se diante do Teatro Real com o boné de lona sobre a calçada à cata de moedas. Greta agarrara o braço de Einar e dissera:

– Oh. – Depois dera algum dinheiro ao sujeito e perguntara-lhe o nome, mas o soldado estava em tamanho estado de choque devido ao bombardeio sofrido que não conseguira entendê-la. – Eu não sabia – dissera Greta, continuando a caminhar com Einar. – Lá na Califórnia tudo isso parecia tão distante.

Haviam cortado caminho pelo canto de Kongens Have, onde as sebes precisavam ser aparadas, as crianças fugiam das mães, e jovens casais deitavam-se sobre cobertores xadrezados no gramado, desejando que o resto do mundo fosse embora e lhes desse a privacidade da vida a dois. Greta não dissera para onde estava indo, e Einar sabia que não adiantava perguntar. O dia estava quente e ensolarado, e as janelas ao longo da Kronprinsessegade estavam abertas, com as cortinas de verão ondulando nos ilhoses. Uma carroça de entregas passara por eles, e Greta pegara o braço de Einar, dizendo: "Não diga nada."

Mas o coração dele estava acelerado, porque a moça que o beijara na escadaria da academia entrara de novo em sua vida com a mesma rapidez com que saíra cinco anos antes. E durante aqueles cinco anos ele pensara nela de vez em quando, como quem recorda um sonho perturbador e fascinante. Sonhara com ela na Califórnia durante a guerra. Mas a imagem de Greta correndo pelos corredores da academia, com os pincéis embaixo do braço e as ponteiras metálicas refletindo a luz do sol, também o acompanhara durante aqueles anos. Ela era a estudante mais diligente que ele já conhecera: apesar de envolvida em bailes e balés, estava sempre disposta a trabalhar, mesmo que fosse tarde da noite, quando a maioria só queria beber um aquavit e ir dormir. Quando Einar pensava numa mulher ideal, pensava cada vez mais nela, que era mais alta do que o resto do mundo, e mais rápida. Ele ainda se lembrava do dia em que erguera a cabeça da escrivaninha no escritório da academia, fora até a janela e vira Greta atravessar correndo o trânsito que girava em torno da praça de Kongens Nytorv; a saia cinza-azulada parecendo um arado entre as grades e para-choques das charretes e automóveis, cujos motoristas apertavam as buzinas de borracha. E também se lembrava do jeito com que ela agitava as mãos no ar e dizia "Quem liga para isso?", pois Greta só ligava para o que fazia sentido para ela mesma. Durante aqueles anos, Einar tornara-se mais silencioso, mais solitário diante de suas telas e mais convicto de que era um homem que jamais se encaixaria em algum lugar. Quando começara a refletir sobre sua versão de mulher ideal, vira que era Greta.

E então ela aparecera no escritório naquela tarde quente de agosto, e agora o levava pelas ruas de Copenhague, sob as janelas abertas dos salões ao longo da Kronprinsessegade; eles podiam ouvir os guinchos das crianças, prontas para as férias de verão no mar do Norte, e o ganido dos cães de estimação, prontos para esticarem as pernas diminutas.

Ao chegarem à rua onde ela morava, Greta dissera: "Não se esqueça de se abaixar." Ele não entendera, mas ela o pegara pela mão e os dois haviam descido a rua se escondendo atrás dos automóveis estacionados. Chovera na noite anterior; o meio-fio estava molhado, e o sol nos pneus úmidos trazia um cheiro de borracha quente ao nariz de Einar. Ele se lembraria daquele cheiro bem mais tarde, percorrendo Paris de carro com Carlisle: seria naquele verão em que eles, todos eles, haveriam de traçar o futuro de Lili. Greta fora levando-o de carro em carro, como se eles estivessem se esquivando de um tiroteio inimigo. Haviam descido o quarteirão todo assim. Era naquele quarteirão de Copenhague que morava Herr Janssen, o proprietário da fábrica de luvas onde um incêndio matara quarenta e sete mulheres curvadas sobre as máquinas movidas a pedal. Era lá que morava a condessa Haxen, que aos oitenta e oito anos de idade tinha a maior coleção de xícaras de chá do norte da Europa, uma coleção tão vasta que nem *ela* se importava quando tinha um acesso e jogava uma delas na parede. E era lá também que morava o casal Hansen com suas filhas gêmeas, meninas tão louras e lindas que os pais viviam com medo de que elas fossem sequestradas. Então haviam se aproximado de uma casa de porta azul; nas jardineiras das janelas viam-se gerânios vermelhos feito sangue de galinha, cujo aroma, mesmo do outro lado da rua, era amargo, encorpado e levemente obsceno. Fora naquela casa que o pai de Greta morara durante a guerra; como o conflito terminara, ele ia voltar para Pasadena.

Por trás do capô de um Labourdette Skiff, Greta e Einar haviam visto os homens da mudança descerem os degraus com os caixotes até a caçamba do caminhão que aguardava. Podiam sentir o cheiro dos gerânios, da palha de embalagem e do suor dos homens que carregavam o caixote que continha a cama de dossel de Greta.

– Meu pai está indo embora – dissera ela.

– Você também vai?

– Ah, não. Eu vou ficar aqui sozinha. Você não percebe?

– Percebe o quê?

– Finalmente estou livre.

Mas naquele momento Einar não percebera. Não percebera que Greta precisava ficar sozinha na Dinamarca, sem um só parente na Europa, a fim de se tornar a mulher que se imaginava ser. Ela precisava colocar um oceano e um continente entre si e a família para sentir que enfim podia respirar. Na época, Einar não entendera que aquilo era mais um dos traços gritantemente americanos de Greta: aquela necessidade borbulhante de se pôr em movimento e reinventar tudo. Ele jamais se imaginara fazendo aquilo.

Era mais uma parte de sua vida que não constaria do obituário escrito pelo *Nationaltidende*. Eles não saberiam nem onde procurá-la. E, como a maioria dos jornalistas, os jovens repórteres com os cabelos já rareando não se dariam ao trabalho de conferir com a fonte original. O tempo estava se esgotando. Einar Wegener estava desaparecendo pouco a pouco. Somente Greta se lembraria da vida que ele levara.

O obituário que jamais seria escrito deveria ter continuado assim:

No verão passado, houve um dia em que Lili acordou no quarto da casinha e sentiu um calor insuportável. Era agosto. Pela primeira vez em sua vida conjugal, Einar e Greta haviam resolvido não passar as férias em Menton. Principalmente devido à deterioração da saúde dele. Ao sangramento. À perda de peso. Aos olhos cada vez mais encovados nas órbitas. E à incapacidade ocasional de manter a cabeça erguida à mesa. Ninguém sabia o que fazer. Ninguém sabia o que Einar queria que fosse feito. Quando Lili acordou naquela manhã quente, os gases do escapamento dos caminhões que abasteciam o açougue na esquina já estavam subindo pela janela aberta, empoeirando seu rosto de fuligem. Ela ficou deitada na cama, se perguntando se chegaria a levantar-se naquele dia. A manhã foi passando, e ela ficou olhando para o gesso ornamental do teto, em cujo centro havia pétalas brancas, em torno da base do candelabro.

Aí ouviu vozes na sala. Um homem, e depois outro. Hans e Carlisle. Ela ficou escutando enquanto eles conversavam com Greta, embora não conseguisse ouvir a voz dela, de modo que era como ouvir dois homens falando sem parar. Suas vozes ásperas lembravam-lhe um rosto com barba de três dias. Provavelmente adormeceu, porque, quando percebeu, o sol já entrava no quarto num ângulo diferente. Vinha dos telhados verdes de cobre que ficavam do outro lado da rua, onde um falcão fizera ninho. Mas Hans e Carlisle ainda estavam falando. Então se aproximaram da sua porta e entraram no quarto, onde Lili vinha pensando em instalar uma tranca na porta, mas ainda não o fizera. Ela viu-os entrar; mas aquilo parecia mais uma lembrança do que algo que estava realmente acontecendo. E disseram: "Vamos. Levante-se, Lili." Ela sentiu-se puxada pelos braços; mas o puxão parecia mais uma lembrança do que uma força real. Um deles levou-lhe uma xícara de leite aos lábios. O segundo enfiou-lhe um vestido sobre a cabeça. Levaram-na até o armário de freixo para achar um par de sapatos; ela entrou num facho de luz e sentiu uma ardência na pele. Hans e Carlisle perceberam isso e pegaram uma sombrinha, um guarda-sol de papel com varetas de bambu, abrindo-a rapidamente.

Sem que ela soubesse como, eles conseguiram chegar às Tulherias. Depois saíram caminhando com os cotovelos de Lili encaixados nos braços. Foram para debaixo dos álamos, em meio a sombras oscilantes que para Lili pareciam grandes peixes marinhos prestes a vir à tona. Hans abriu três cadeiras dobráveis verdes e eles ficaram sentados ali aproveitando a tarde, vendo as crianças passarem, os casais namorarem e os homens solitários de olhar furtivo irem para o seu lado do parque, perto de L'Orangerie. Lili pensou na última vez em que ficara sozinha no parque; poucas semanas antes ela saíra para dar uma caminhada e, ao cruzar com dois menininhos, um deles dissera: – *Lesbienne*. Os meninos tinham dez ou onze anos, provavelmente; eram louros, com penugem nas faces, e seus shorts revelavam a maior parte das coxas sem pelos. Ainda assim, aqueles meninos tão bonitos haviam conseguido dizer-lhe algo tão cruel, e tão equivocado.

Lili ficou sentada com Hans e Carlisle, acalorada no vestido que haviam escolhido para ela: era um vestido de estampa de conchas que viera do apartamento de Menton. Percebeu então que sua vida com Einar terminara. Restava apenas saber se ela teria uma vida como Lili. Ou estaria tudo acabado, e ela poderia descansar? Einar e Lili sairiam de cena de mãos dadas? Ossos enterrados no pântano.

Einar percebeu que aquilo tampouco constaria do seu obituário, que relataria tudo sobre ele, menos a vida que levara. Nesse momento o trem diminuiu a velocidade; quando ele abriu os olhos, o condutor gritou no corredor:

– Dresden! Dresden!

Capítulo vinte

Greta estava sentada no otomã de veludo. O cabelo caía-lhe pelo rosto, e Edvard IV aninhara-se sobre seu colo, tremendo. Com Einar em Dresden, ela sentira-se subitamente incapaz de trabalhar. Só conseguia pensar no marido na Alemanha, indo para o laboratório do prof. Bolk. Visualizava Lili perdida numa rua, e Einar assustado na mesa de exames do professor. Tentara viajar com ele, que não permitira, dizendo que precisava ir sozinho. Não conseguia entender isso. Havia outro trem para Dresden três horas após o de Einar, e ela comprara uma passagem. Apareceria na Clínica Municipal Feminina meio dia depois dele, que nada poderia fazer. Sabia que Lili a quereria lá. Mas ao fazer as malas, planejando deixar Edvard IV com Anna, ela se detivera. Einar lhe pedira que não fosse, e ela não parava de ouvir aquelas palavras cautelosas engasgadas na garganta dele.

Greta envelhecera. Quando olhava no espelho, via uma leve e bela ruga em cada lado da boca. As linhas lembravam-lhe a entrada de uma caverna, mas ela sabia que isso era um certo exagero. Prometera a si mesma que não ligaria para rugas ou pés de galinha, e nem mesmo para os poucos cabelos grisalhos que lhe haviam brotado nas têmporas feito pelos presos numa vassoura. Mas ligava, embora fosse difícil admitir isso. Deixara que o incômodo crescesse dentro dela, à medida que os anos passavam e ela assumia cada vez mais o papel de artista americana vivendo no estrangeiro; a Califórnia se afastava progressivamente, como se o tal terremoto calamitoso, previsto por um doutor em física no campus sombreado por palmeiras da Cal Tech, já houvesse ocorrido e todo o litoral houvesse afundado no Pacífico. Pasadena ficava cada vez mais distante: um navio perdido, uma ilha perdida, na verdade apenas uma lembrança.

A não ser, é claro, por Carlisle. Ele passara o outono perambulando por Paris e enlameando a bainha das calças na chuva. A dor na canela ia e vinha segundo as nuvens que surgiam vindas do Atlântico; e ele e Lili saíam da casinha sob guarda-chuvas, com Lili enrolada numa capa de borracha cor-de-rosa tão pesada que Greta temia que ela desmaiasse. O irmão e ela haviam conversado sobre a escolha do médico por parte de Einar. Carlisle afirmara claramente que achava que ela estava prejudicando Einar:

– Ele pode acabar se arrependendo disso – dissera ele em tom condescendente. A crítica a magoara, e ela continuara sentindo o golpe ao longo de todo o outono, quando o irmão trocava as compressas na testa de Lili, quando se sentava na cama dela para jogar pôquer ou quando os dois se encasacavam à noite para irem à ópera.

– Que pena que você não pode ir conosco – exclamava Lili com aquela voz delicada. – Não trabalhe demais!

Às vezes, Greta se sentia sobrecarregada de trabalho, como se ela fosse a única pessoa do mundo que labutasse, enquanto o resto vivia se divertindo. Era como se tudo estivesse sobre seus ombros: se ela parasse e baixasse a cabeça, o mundo pequeno e íntimo deles implodiria. Ela pensava em Atlas, que segurava o mundo; mas nem isso estava certo, porque ela não só segurava o mundo, como o criara. Pelo menos pensava assim às vezes, nos dias em que se sentia exausta e queria desabafar com alguém; mas não havia ninguém, de modo que ela desabafava com Edvard IV enquanto o cachorro comia sua tigela de restos de galinha.

Ninguém exceto Hans.

Um dia após a partida de Einar para Dresden, Hans foi vê-la. Acabara de sair do barbeiro; tinha os pelos da nuca eriçados e a pele rosada de irritação. Contou-lhe uma nova ideia para uma exposição: proporia que a diretora de uma escola particular para moças pendurasse uma série de quadros de Lili nos corredores. Estava animado com a ideia, pelo jeito com que ria sobre a xícara de café.

Greta sabia que ao longo dos dois anos anteriores ele convivera com outras mulheres: uma atriz londrina e a rica herdeira de uma fábrica de geleias. Hans tomara cuidado para não lhe falar delas, evitando mencionar com quem passava os fins de semana na Normandia. Mas falava para Einar, e a notícia chegava a Greta pela voz arquejante de Lili.

– Uma atriz que tem o nome nos refletores do Cambridge Circus! – relatava ela. – Não é empolgante para Hans?

– Deve ser muito bom para ele – retrucava Greta.

De repente Hans disse:

– Para onde Einar foi?

– À Alemanha, cuidar da saúde.

– A Dresden?

– Ele contou para você? – Greta olhou em torno do apartamento, vendo os cavaletes e quadros encostados na parede e na cadeira de balanço. – Lili foi com ele. É calmo aqui sem eles.

– É claro que ela foi com ele – disse Hans, ajoelhando-se e começando a espalhar no chão os quadros mais recentes de Lili. – Einar me falou disso.

– Falou de quê?

– De Lili. E do médico de Dresden.

– Do que você está falando?

– Ora, Greta. Você acha mesmo que eu ainda não sei? – Ergueu o rosto para ela. – Por que você ficou com medo de me contar?

Greta encostou-se à janela. Lá fora a chuva caía congelada, batendo levemente no vidro. Havia meia dúzia de quadros novos de

Lili: era uma série dela ao toucador, tendo ao redor da garganta o colar de pérolas removíveis que Greta lhe dera. Os quadros realçavam o rosado das faces de Lili e os vermelhos da bandeja de maquiagem, em vívido contraste com a alvura de sua pele. Em todas as cenas, ela usava um vestido decotado sem mangas e tinha o cabelo erguido num coque.

– Você consegue mesmo enxergar Einar nos quadros?

– Agora consigo – disse Hans. – Ele me contou neste último outono. Estava com dificuldade para decidir o que fazer, se escolhia o tratamento do dr. Buson ou do prof. Bolk. Apareceu na galeria um dia, entrando de repente pela porta dos fundos. Chovia e ele estava molhado, de modo que a princípio não percebi que ele andara chorando. Estava pálido, mais pálido ainda do que Lili nos quadros. Achei que ele fosse desmaiar ali mesmo. Parecia estar com dificuldade para respirar, e eu vi as veias latejando no pescoço dele. Foi só eu perguntar qual era o problema que ele começou a me contar tudo.

– O que você disse a ele?

– Disse que aquilo explicava muita coisa.

– Como assim?

– Sobre Einar e você.

– Sobre mim? – disse Greta.

– Sim, explicava por que ao longo de todos esses anos você se portou de forma defensiva, tão reservada. Sob alguns aspectos você encarou a coisa como um segredo seu, e não apenas dele.

– Ele é meu marido.

– Eu sei que tem sido duro para você. – Hans ergueu-se. O barbeiro fizera-lhe a barba, mas esquecera um ponto na bochecha.

– Não tanto quanto tem sido para ele. – Greta sentiu-se inundada por uma onda de alívio; finalmente Hans soubera de tudo. Ela podia parar de fingir com ele, e sentiu a maré de subterfúgios baixando. – Mas o que você acha do nosso segredo?

– Ele é assim, não é? Como posso culpar alguém por ser o que é? – Hans aproximou-se de Greta e tomou-a nos braços. Ela sentiu o cheiro mentolado da loção pós-barba, e os pelos na nuca dele fizeram-lhe cócegas no pulso.

– Você acha que eu acertei indicando o prof. Bolk para ele? – disse ela. – Não acha que eu cometi um erro, acha?

– Não – disse ele. – Provavelmente é a única chance que ele tem.

Abraçou Greta junto à janela, enquanto o trânsito chapinhava silenciosamente na rua molhada lá embaixo. Mas ela disse a si mesma que não podia se deixar abraçar por mais tempo; afinal, ainda estava casada com Einar. Teria de afastar-se logo e despachar Hans de volta à galeria com os quadros. Uma das mãos dele estava no centro de suas costas, e a outra no quadril. Greta tinha a cabeça encostada no peito dele, e sentia o cheiro mentolado sempre que respirava. Cada vez que tentava se libertar, se sentia inerte. Já que não podia estar com Einar, queria Hans; então fechou os olhos e roçou o nariz no pescoço dele e, assim que se sentiu relaxar, suspirando e sentindo os anos de solidão chegarem ao fim, ouviu o barulho da chave de Carlisle girando na porta.

Capítulo vinte e um

Einar pagou ao motorista cinco marcos, e o táxi se afastou. Os faróis passaram pelo esqueleto de uma moita de azáleas e ganharam a rua. A alameda circular ficou na escuridão, quebrada apenas pelo brilho de uma lâmpada acima da porta. Einar podia ver o próprio hálito no ar, e sentiu os pés enregelados. Havia um botão de borracha preto ao lado da porta; ele esperou um instante antes de apertá-lo. A umidade acumulava-se ao longo das letras na placa de bronze. CLÍNICA MUNICIPAL FEMININA DE DRESDEN. Uma segunda placa listava os médicos da clínica. Doutor Jürgen Wilder, doutor Peter Scheunemann, doutor Karl Scherres, professor-doutor Alfred Bolk.

Einar tocou a campainha e esperou. Não se ouvia nada lá dentro. Pelo que ele podia perceber, a clínica parecia uma mansão erguida entre tílias e bétulas, cercada por uma grade de ferro que tinha espigões em forma de lanças. Ouviu o barulho de um animal no mato: era um gato ou um rato cavando no frio. Um nevoeiro baixava como uma cortina, e ele quase esqueceu onde estava. Encostou a cabeça na placa de bronze e fechou os olhos.

Tocou novamente. Dessa vez ouviu uma porta se abrir lá dentro; uma voz soou abafada, feito o barulho do tal animal no mato.

Por fim a porta se abriu e uma mulher encarou-o. Sua saia cinzenta tinha um tom de eficiência, e suspensórios pressionavam-lhe os seios. Ela tinha cabelo prateado e cortado rente à mandíbula, e olhos também cinzentos. Parecia jamais dormir muito, como se a papada do pescoço mantivesse-lhe a cabeça erguida enquanto o mundo todo descansava.

– Sim? – disse.

– Meu nome é Einar Wegener.

– Quem?

– Vim ver o prof. Bolk – disse Einar.

A mulher alisou as pregas da saia com as mãos e disse:

– O professor Bolk?

– Ele está?

– O senhor terá de telefonar amanhã.

– Amanhã? – Einar sentiu algo fechar-se em torno de si.

– O senhor acha que sua namorada está aqui? – perguntou a mulher. – É por isso que veio até aqui?

– Acho que não estou entendendo bem – disse Einar. Viu o olhar da mulher percorrê-lo e deter-se sobre a mala que continha as roupas de Lili. – Não há um quarto onde eu possa ficar? – perguntou.

– Mas isto é uma clínica para mulheres.

– Sim, eu sei.

Einar deu meia-volta e partiu pela rua escura; ficou esperando na esquina, sob o cone de luz projetado por uma lâmpada que pendia de um fio acima do cruzamento. Por fim um táxi parou, e já passava da meia-noite quando ele se registrou no Hotel Höritzisch, perto da Hauptbahnhof no Altstadt. As paredes do Höritzisch eram revestidas de papel, com o desenho de uma treliça; eram tão finas que se podiam ouvir as taxas comerciais da prostituta no quarto ao lado. Em plena madrugada, Einar colocou suas roupas sobre o edredom. Ouviu um trem chegar à estação, com as rodas rangendo ao longo dos trilhos. Poucas horas antes, sob o enegrecido teto de vidro da estação, uma mulher cujo casaco tinha debruns de pele de coelho o convidara a levá-la para casa; só de pensar nela, Einar sentiu o rosto arder de vergonha. Sua mente foi sendo tomada pela voz dela, pela voz da puta no quarto ao lado e pela imagem daquelas bocas pintadas e das fendas nas saias finas; ele fechou os olhos e temeu por Lili.

Quando voltou à clínica no dia seguinte, o prof. Bolk não podia atendê-lo.

– Ele vai ligar para o senhor – disse Frau Krebs, com a mesma saia cinzenta. Ao ouvir isso, Einar começou a chorar sob o lustre da portaria da clínica. O dia estava tão frio quanto a noite anterior, e ele começou a tremer enquanto ouvia o ruído do cascalho sob os pés. Não tinha nada para fazer, de modo que ficou perambulando pela cidade, faminto e enjoado ao mesmo tempo.

O vento soprava sobre as movimentadas lojas do Altmarkt; o corredor da farmácia Hermann Roche estava cheio de bancários de folga para o almoço. Uma fuligem mais escura que o céu cobria os prédios, e os toldos haviam sido pintados com os nomes das lojas, cujas caixas registradoras de bronze ficavam mais e mais ociosas a cada mês de recessão: CARL SCHNEIDER, MARIEN APOTHEKE, SEIDENHAUS, RENNER KAUFHAUS, e HERMANN ROCHE DROGERIE. Havia automóveis estacionados no centro da praça; dois rapazes de calções e bonés xadrezados, com as canelas azuis e escalavradas, manobravam os carros. Uma mulher com rolinhos na cabeça saltou de um sedã de porta baixa; apertara-se num vestido de malha azul, e o volume de sua barriga punha à prova a força das linhas que lhe prendiam os botões à blusa. Os dois rapazes manobraram o carro dela até uma vaga estreita, e depois puseram-se a rir e rebolar, debochando da mulher, que passava batom sem nada perceber.

O rapaz mais baixo ergueu o olhar, viu Einar e riu novamente. Os dois pareciam irmãos, com narizes afilados e risadas cruéis parecidas. Einar percebeu que eles já não estavam rindo da gorda, que driblava o trânsito e cruzava os trilhos dos bondes em direção à Hermann Roche, onde o refrescante bucal Odol e a pomada Schuppen estavam em promoção pela metade do preço. Estavam rindo dele, que tinha o rosto encovado e o sobretudo largo demais batendo nas pernas magras. Através da vitrine, Einar viu a gorda mexendo nas latas de Odol. Ele gostaria de ser aquela mulher e, como ela, examinar os preços na pirâmide de latas e lançar uma latinha de pomada na cesta de compras. Imaginou-a entrando no sedã, voltando para casa em Loschwitz e colocando os artigos de toalete no armário acima da pia do marido.

Continuou caminhando pela cidade, vendo as vitrines. Uma chapelaria estava em liquidação, e havia uma fila de mulheres à porta. Um verdureiro expunha repolhos tirados de um caixote. Então Einar parou diante da vitrine de uma loja de pipas. Lá dentro, um sujeito com os óculos na ponta do nariz entortava varetas de madeira numa bancada. À sua volta, viam-se diferentes tipos de pipas. Havia uma pipa em formato de borboleta, e outra semelhante a um cata-vento. Havia pipas em formato de dragão e pipas com papel-alumínio nas asas, feito peixes-voadores. Havia uma pipa em formato de águia, e uma pequena pipa negra com olhos amarelos, esbugalhados feito os de um morcego.

Einar foi até a bilheteria da Semperoper e comprou um ingresso para *Fidelio*. Sabia que os homossexuais se reuniam na ópera, e ficou com medo de que a moça atrás do vidro, o qual estava enevoado pelo bafo dos espectadores, pensasse que ele era um deles. Era uma moça bonita, de olhos verdes; recusou-se a olhar para Einar e empurrou cautelosamente o troco pela fresta abaulada do guichê, como se não soubesse se ele o queria ou não. Mais uma vez, Einar sentiu-se exausto por ninguém no mundo saber quem ele era.

Em seguida, subiu os quarenta e um degraus do Terraço Brühlsche, de onde se via toda a largura do rio Elba, até a margem direita. Havia arbustos aparados lá em cima, e uma balaustrada de ferro na qual os transeuntes se encostavam para examinar o arco interminável do Elba. O vento soprava rio abaixo, e Einar ergueu o colarinho. Numa carrocinha, um sujeito vendia linguiça no pão e vinho em taças. Deu a comida a Einar e serviu-lhe o vinho de maçã. Einar equilibrou a taça sobre o joelho e deu uma mordida na linguiça fumegante, engolindo a pele apertada e crocante da ponta. Depois deu um gole no vinho e fechou os olhos.

– Sabe como chamam isso aqui? – disse o vendedor ambulante.

– O quê?

– O Terraço Brühlsche. Dizem que é a varanda da Europa, sabia? – O sujeito abriu um sorriso onde faltavam alguns dentes. Estava esperando que Einar terminasse o vinho para pegar a taça de volta. O terraço dava para o outro lado do rio, onde se avistavam as torres côncavas do Palácio Japonês. Por trás delas, viam-se as claraboias dos telhados de Neustadt, os casarões com seus jardins bem cuidados e depois as planícies da Saxônia. Ali do terraço, parecia que o resto do mundo jazia diante de Einar, esperando.

– Quanto devo? – perguntou ele.

– Cinquenta centavos. – O rio estava cinzento e encapelado; Einar entregou ao sujeito a moeda feita de alumínio e bronze.

Terminou o vinho e devolveu a taça ao camelô, que a limpou com a fralda da camisa.

– Boa sorte para o senhor – disse o sujeito, empurrando a carrocinha. Einar ficou olhando para ele. Por trás do vendedor ambulante viam-se as fachadas de pedra amarela e telhados de cobre verde dos grandes prédios em estilo rococó que faziam de Dresden uma das cidades mais belas que Einar já vira: o Albertinum, a abóbada da Frauenkirche, o Grünes Gewölbe e a elegante praça diante da Ópera. Era um belo pano de fundo para aquele baixote com sua carroça de linguiça. Acima da cidade, o céu mostrava-se cor de chumbo e revolto por uma tempestade. Einar estava cansado e com frio, e ao erguer-se para deixar o Terraço Brühlsche, teve a impressão de sentir todo seu passado se esvair.

Mais dois dias se passaram antes que o prof. Bolk avisasse que podia atendê-lo. Einar voltou à Clínica Municipal Feminina numa manhã ensolarada, com o meio-fio das ruas molhado e reluzente. À luz do dia, a clínica parecia maior: era uma mansão de cor creme, com janelas simetricamente arqueadas e um relógio sob o beiral. Ficava num pequeno parque formado por carvalhos, bétulas, salgueiros e arbustos de azevinho.

Frau Krebs o recebeu, e o escoltou por um corredor com assoalho de mogno, que fora encerado até ficar preto-fosco. O corredor era flanqueado por várias portas; Einar ergueu os olhos e espiou em cada quarto, sentindo-se constrangido por sua curiosidade. O sol iluminava todos os quartos de um dos lados do corredor, e havia camas geminadas junto às janelas, com os edredons afofados feito sacos de farinha.

– As moças estão no Wintergarten no momento – disse Frau Krebs. Tinha na nuca, logo abaixo do cabelo, um sinal de nascença que parecia uma mancha de geleia de amora.

A clínica tinha trinta e seis leitos, relatou ela, sempre um passo à frente de Einar; no andar de cima ficavam os departamentos de cirurgia, medicina interna e ginecologia. Aí apontou para um prédio do outro lado do pátio; uma placa acima da porta dizia PATOLOGIA.

– O prédio da Patologia é a nossa aquisição mais recente – disse Frau Krebs orgulhosamente. – É lá que fica o laboratório do prof. Bolk. – O prédio era quadrado, e construído com um estuque amarelo que fez Einar pensar na marca de catapora de Greta; ele sentiu-se envergonhado pela lembrança.

Seu primeiro encontro com o prof. Bolk foi breve.

– Conheci sua esposa – começou o professor.

Einar, que estava com calor por causa do terno e da camisa engomada com gravata-borboleta, que lhe apertava a garganta, acomodou-se sobre a mesa de exames. Frau Krebs entrou no aposento com os sapatos pretos rangendo, e entregou uma pasta ao professor. Bolk usava óculos de armação dourada, que refletiam a luz do teto e escondiam a cor de seus olhos. Era alto e mais jovem do que Einar presumira, e tinha um belo queixo. Einar compreendeu por que Greta gostara dele: o professor tinha mãos tão ágeis e um gogó tão leve, que quando falava ele sentia-se quase hipnotizado, vendo aquelas mãos de passarinho agitando-se no ar e pousando no canto da escrivaninha onde três caixas de madeira organizavam-lhe os papéis, enquanto o gogó pontuava-lhe as frases feito o bico persistente de um pica-pau.

Bolk pediu que Einar se despisse e subisse na balança. Em seguida, encostou-lhe um estetoscópio frio ao peito.

– Soube que o senhor é pintor – disse. – Mas está terrivelmente magro.

– Já não tenho muito apetite.

– Por que não? – O professor puxou um lápis de trás da orelha e fez uma anotação na pasta.

– Não sei.

– O senhor tenta comer? Mesmo quando não tem fome?

– Às vezes é difícil – disse Einar, pensando na náusea que o acompanhara no ano anterior; pela manhã ele acordava com um estômago que parecia ter sucumbido aos raios X de Hexler ainda na véspera. Pensou também no balde de cabo curvo que começara a deixar ao lado da cama, e que Greta esvaziava pela manhã sem uma só palavra de queixa ou piedade, apenas com a mão comprida delicadamente pousada sobre a testa dele.

A sala de exames tinha ladrilhos verdes até o meio das paredes; Einar viu seu rosto esverdeado no espelho acima da pia, e subitamente pensou que devia ser a pessoa mais doente na Clínica Municipal Feminina de Dresden, porque a maioria das mulheres que chegava ali não estava doente: apenas carregava o resultado de noites passadas com belos rapazes que jamais veria novamente.

– Diga-me o que o senhor pinta – disse Bolk.

– Já não pinto muito hoje em dia.

– Por quê?

– Por causa de Lili – aventou Einar. A pequena Lili ainda não se intrometera na conversa, e ele se perguntou se o professor já saberia da existência dela; será que Bolk já ouvira falar daquela moça bonita, de pescoço esguio, que andava tentando escapar da pele seca e doente do velho Einar?

– Sua esposa lhe falou dos meus planos? – perguntou o professor. Os ladrilhos verdes e a forte luz do teto não haviam empalidecido o rosto de Bolk; a pele continuava fresca como massa de pão. Seria só o rosto de Einar que ficara levemente esverdeado? Ele levou a ponta dos dedos às bochechas e viu que estava suando.

– Ela lhe contou o que desejo executar?

Einar balançou a cabeça.

– Ela disse que o senhor me transformaria em Lili de uma vez por todas. – Greta não lhe dissera só isso. Também dissera: "Chegou a hora, Einar. É a nossa única chance."

– Pode jantar comigo no Belvedere hoje à noite? – disse o professor. – Sabe onde fica? Do outro lado do Elba. Perto do Terraço Brühlsche.

– Sei onde fica.

Então Bolk pôs a mão, cuja palma estava surpreendentemente úmida, sobre o ombro dele e disse:

– Einar, quero que você me escute. Eu entendo. Entendo o que você quer.

Encontraram-se para jantar no Belvedere. O salão do restaurante era branco e dourado; por entre as colunas do lado de fora, via-se o azul-profundo do nevoeiro noturno sobre o Elba e as longínquas montanhas de Loschwitz. Havia pequenas palmeiras em vasos junto aos aparadores. No palco, uma orquestra tocava aberturas de Wagner.

Um garçom de fraque trouxe-lhes uma garrafa de champanhe num balde de gelo prateado.

– Isto não é uma comemoração – disse Bolk, enquanto o garçom extraía da garrafa a rolha em forma de cogumelo. O estalo ressoou no salão, e as mulheres nas mesas vizinhas olharam para eles, virando os pescoços envoltos em veludo.

– Talvez deva ser – disse Einar, juntando sua voz ao leve tinir das facas de peixe sem gume que o garçom colocava sobre a mesa.

Pensou em Lili, que ele quase enviara ao Belvedere para jantar em seu lugar.

O professor destrinchou sua truta com a faca. Einar ficou olhando para a lâmina de ponta curva, vendo-a descascar a pele fina e desnudar a carne rosada do peixe.

– Para falar a verdade – disse Bolk –, quando encontrei um caso como o seu pela primeira vez, fiquei um tanto inseguro quanto ao que fazer. A princípio achei que nada podia ser feito.

Einar quase engasgou.

– Quer dizer que já conheceu alguém como eu?

O professor inclinou-se sobre o prato.

– Greta não lhe contou minha experiência com o outro paciente?

– Não – disse Einar. – Não me falou nada disso.

– Já tentei ajudar um homem na sua situação – disse Bolk. – Mas ele fugiu antes que eu pudesse começar. Ficou assustado demais. Coisa que até entendi.

Einar ficou sentado na cadeira e pensou: Assustado com o quê? Percebeu que o professor achava que ele sabia mais do que na realidade sabia. Então Bolk começou a falar do outro paciente, que estava tão convencido de sua feminilidade que se apresentava como Sieglinde Tannenhaus, mesmo quando se vestia de homem. Era motorneiro de uma linha de bonde entre Wölfnitz e Klotzsche, e insistia em ser chamado de senhorita pelos passageiros. Mas ninguém entendia o que ele queria. Todo o mundo ficava sem ação ao vê-lo ali, de uniforme azul e gravata preta.

– Na manhã da primeira cirurgia, porém, ele desapareceu – explicou o professor. – Fugiu do quarto na clínica, dando um jeito de enganar Frau Krebs. Sumiu. Acabou voltando a trabalhar no bonde, já com uma versão feminina do uniforme, uma saia azul-escura com cinto de lona.

O garçom voltou para servir-lhes mais vinho. Einar já adivinhara o que o professor estava prometendo. A lâmina curva da faca de peixe rebrilhava, refletindo a luz do castiçal na banqueta atrás deles. Haveria uma espécie de troca. Ele trocaria a carne esponjosa que lhe pendia entre as pernas por outra coisa.

Lá fora, o Elba fluía no negrume; uma barcaça de roda de pá, com as luzes cintilando, passava sob a ponte Augustusbrücke. Bolk disse:

– Eu gostaria de começar na semana que vem.

– Semana que vem? Não podemos começar antes?

– Só semana que vem. Quero que você se interne na clínica e descanse até ganhar um pouco de peso. Preciso de que você esteja o mais descansado possível. Não podemos correr o risco de uma infecção.

– Uma infecção de quê? – perguntou Einar, mas nesse momento o garçom chegou à mesa. Suas mãos cobertas de veias retiraram os pratos e talheres, e depois varreram as migalhas de pão com uma escovinha de prata.

Einar voltou de táxi para o Höritzsch. A prostituta do quarto ao lado saíra, de modo que ele dormiu sonoramente, apenas virando-se de lado quando um trem entrava rangendo na estação. Levantou-se ao alvorecer e tomou banho frio no armário com porta de treliça ao final do corredor. Depois vestiu uma saia marrom, a blusa branca com gola rendada e um cardigã de lã grosseira; em seguida colocou um chapeuzinho inclinado sobre a cabeça. Seu bafo era visível no espelho, e ele tinha o rosto pálido. Entraria na clínica como Lili, e seria ela quem mais tarde sairia da clínica, já na primavera. Aquilo não era uma decisão, e sim a progressão natural dos acontecimentos. No banheiro do Hotel Höritzsch, ouvindo através da porta de treliça o rangido agudo dos trens que chegavam, Einar Wegener fechou os olhos; quando os abriu, era Lili.

* * *

Ao chegar, ela foi recebida por Frau Krebs, que a mandou vestir uma das camisolas brancas da clínica, amarradas com um cordão trançado em torno da cintura.

Frau Krebs tinha o rosto rosado, devido a vasos capilares estourados. Conduziu Lili a um quarto nos fundos da clínica, onde ela passaria a semana descansando. A cama tinha um apoio para os pés feito de cano de aço. Frau Krebs abriu a cortina amarela da janela. O quarto dava para um pequeno parque, que descia até um campo às margens do Elba. O rio ficava azulado feito aço no inverno, e Lili viu marinheiros agasalhados com casacos no convés de um cargueiro.

– Você vai ser feliz aqui – disse Frau Krebs. As nuvens se moviam pelo céu; quando uma delas se desgarrou das outras, um buraco se abriu. Uma coluna de luz caiu sobre o Elba, criando à frente do cargueiro um círculo de água dourada; parecia o colar ao redor do pescoço de Lili.

Frau Krebs pigarreou.

– O prof. Bolk disse que você viria hoje, mas esqueceu de me dizer o seu nome. Típico dele.

– É Lili.

– Lili o quê?

Mais uma nuvem desgarrou-se lá fora, abrindo no céu um buraco azul-pálido ainda maior. O rio clareou e os marinheiros encasacados olharam para o alto; Lili pensou, prendeu a respiração e disse:

– Elba. Lili Elba.

À tarde, ela desceu para tomar chá no Wintergarten. Achou uma cadeira metálica afastada das outras, e pouco depois já sentia o sol no rosto através do vidro. O dia clareara e o céu estava azul. O sol aquecera o solário a ponto de sentir-se no ar o cheiro das samambaias e trepadeiras agarradas às paredes. O Wintergarten dava para o Elba, e o vento que varrera para longe as nuvens deixara o rio salpicado de branco. As pequenas marolas lembravam a Lili o mar de Kattegat, na Dinamarca, e as marinhas de inverno que Einar costumava pintar. Lembravam o tempo em que ela sentava-se na cadeira de assento de corda na Casa da Viúva e ficava olhando para os quadros de Einar, vendo-os com uma sensação de distanciamento, como se houvessem sido pintados por um antepassado de quem ela se orgulhasse vagamente.

Passou a primeira semana acordando tarde todas as manhãs; era como se quanto mais descansasse, mais ficasse cansada. À tarde, tomava chá com torta no Wintergarten. Sentava-se na cadeira metálica com a xícara equilibrada sobre o joelho, fazendo tímidos meneios de cabeça na direção das moças que desciam para fofocar. De vez em quando, uma delas ria tão alto que atraía o olhar de Lili. Era um círculo de jovens mocinhas com cabelos compridos e gargantas saudáveis, cada uma inchando no seu ritmo particular sob as camisolas idênticas com cordões trançados. Ela sabia que a maioria das residentes da clínica estava lá por essa razão, e observava-as de soslaio; não com desdém ou piedade, mas com interesse e até certa inveja, pois parecia que todas aquelas moças se conheciam, e que nenhuma delas – a julgar pelas risadas agudas que ecoavam ali dentro, com tanta força que Lili achava que aqueles trinados prateados estilhaçariam as paredes envidraçadas do Wintergarten – achava ruim passar alguns meses na Clínica Municipal Feminina de Dresden. A clínica parecia uma sociedade, sociedade essa que ainda não a absorvera. Quem sabe um dia, disse ela a si mesma, sentindo o sol aquecer-lhe os joelhos; aí virou os antebraços para cima, pois queria que a parte inferior dos pulsos também sentisse o calor que já começara a entranhar-se no resto do seu corpo.

Sabia que o prof. Bolk desejava que ela engordasse. Frau Krebs lhe trazia um prato de pudim de arroz toda tarde, e cortesmente escondia uma amêndoa dentro do pudim à moda dinamarquesa. Quando Lili sentira a dureza da amêndoa pela primeira vez, ao enfiar uma colherada do pudim massudo na boca, chegara até a esquecer onde estava; erguera os olhos e dissera em dinamarquês "*Tak, tak*".

Três dias após chegar à clínica, Lili foi sentar-se no Wintergarten e notou os brotos verdes de açafrão do outro lado da parede envidraçada. Tinham uma cor viva e formato de alguidar, e estavam agrupados contra o vento. Pareciam ousados em contraste com os poucos trechos de grama amarronzada, que Lili imaginava se desfraldando num tapete verdejante ao longo das semanas que se seguiriam. O rio fluía negro feito petróleo; a correnteza arrastava vagarosamente um cargueiro de calado baixo, cujo convés estava coberto por lonas negras amarradas por grossas cordas.

– Acha que a primavera virá cedo?

– Perdão? – disse Lili.

– Notei que você estava olhando para o açafrão. – Sem que Lili percebesse, uma moça ocupara a cadeira metálica ao seu lado, virando-a de forma que elas pudessem olhar uma para a outra por cima da mesa de ferro branco.

– Realmente me parece cedo para isso – disse ela.

– É o que eu prevejo este ano – disse a moça. Tinha nariz arrebitado e uma cabeleira loura e espessa, que lhe batia abaixo dos ombros. Mais tarde, revelou se chamar Ursula, e ser uma órfã de Berlim; ainda não completara vinte anos, e acabara ali em Dresden pelo mais simples dos equívocos. – Achei que era apaixonada por ele – disse ela.

No dia seguinte, o sol estava mais forte ainda. Lili e Ursula, enroladas em suéteres com gola rulê e chapéus de pele com protetores de ouvido emprestados por Frau Krebs, foram até o parque. Percorreram uma trilha que atravessava o campo de brotos de açafrão, os quais estavam se espalhando feito uma praga. Lá fora, olhando para o Elba, em meio a uma brisa mais feroz do que Lili imaginara dentro do Wintergarten, Ursula perguntou:

– E você, Lili? Por que você está aqui?

Lili refletiu sobre a pergunta, mordendo o lábio e enterrando os punhos nas mangas, e por fim disse:

– Estou doente por dentro.

Ursula, cujos lábios eram naturalmente arrebitados, disse:

– Entendi.

A partir daí, as duas moças passaram a tomar chá com torta juntas todas as tardes. Escolhiam bombons nas muitas caixas que Ursula subtraíra do seu último local de trabalho.

– Foram esses bombons que causaram o meu problema – disse ela, erguendo um bombom em forma de concha e enfiando-o na boca. Então falou a Lili da loja de bombons na Unter den Linden, onde ela trabalhara. Todos os ricaços de Berlim passavam rapidamente por lá com os sobretudos sobre os braços, fosse à hora do almoço ou depois do expediente: envoltos em papel dourado, os bombons vinham em caixas com três andares de altura, amarradas por fitas de cetim. – Você deve estar achando que eu me apaixonei por um deles – disse ela a Lili, colocando a xícara sobre o pires. – Mas não foi. Foi pelo rapaz da mistura nos fundos, o rapaz que despejava os sacos de nozes, os tachos de manteiga, os baldes de leite e os grãos de cacau moído nas tinas. – Tinas grandes o suficiente para acomodar dois amantes enroscados. O rapaz chamava-se Jochen, e tinha sardas dos pés à cabeça. Era de Cottbus, perto da fronteira com a Polônia, e fora para Berlim fazer fortuna; mas acabara preso às tinas de aço inoxidável e ao misturador, cuja lâmina, se ele não tomasse cuidado, podia agarrar-lhe a mão ossuda e torcê-la cem vezes em menos de um minuto. Quatro meses haviam se passado antes que Ursula e Jochen se falassem, pois as moças de uniforme cor-de-rosa abotoado da loja eram proibidas de falar com os misturadores. Fazia calor ali nos fundos; o ar fedia a suor e chocolate meio amargo, ressoando com um linguajar que geralmente se referia às partes íntimas das balconistas lá da frente. Mas certo dia Ursula tivera de ir aos fundos, para perguntar quando chegaria a próxima fornada de torrone; Jochen, que acabara de fazer dezessete anos, empurrara o boné para trás e dissera: "Não tem mais torrone hoje. Fala para esse imbecil ir para casa e pedir desculpas à mulher." E aí o coração de Ursula transbordara.

Lili já podia imaginar o resto: o primeiro beijo ali nos fundos, o tombo carinhoso na tina de aço inoxidável, a paixão na madrugada, quando a loja de bombons silenciava e os misturadores se imobilizavam, e por fim os soluços do amor.

Que tristeza, pensou Lili sentada na cadeira metálica, enquanto o sol da tarde castigava o Elba. Em apenas cinco dias, ela já fizera amizade com Ursula. E, apesar de entender a provação da amiga, bem que ela gostaria de passar por algo semelhante. Sim, disse a si mesma. Comigo também será assim: amor instantâneo; paixão avassaladora e lamentável.

Na manhã seguinte, o prof. Bolk apareceu à porta do quarto dela e disse:

– Por favor, não coma nada hoje. Nem creme com o chá. Absolutamente nada. – Depois acrescentou: – Amanhã é o dia.

– Tem certeza? – perguntou Lili. – Não vai mudar de ideia?

– O anfiteatro já foi reservado. Os turnos das enfermeiras já foram marcados. Você já engordou. Sim, tenho certeza. Amanhã é o seu dia, Lili. – Depois foi embora.

Lili foi tomar o café da manhã. No salão havia janelas arqueadas, assoalho de tábuas de pinho e um aparador, sobre o qual havia travessas de frios, cestas de brioches com cariz e uma jarra de café. Ela levou a xícara até uma mesa num canto e sentou-se sozinha.

Passou uma faca de manteiga sob o lacre de um envelope azul fino e abriu uma carta de Greta.

Querida Lili,
Fico me perguntando o que você está achando de Dresden. E o que achou do prof. Bolk, com quem presumo já deve ter se encontrado a esta altura. A reputação dele é impressionante. Ele é quase famoso, e talvez depois disso fique realmente famoso.

Não há grandes novidades de Paris. Ando trabalhando pouco desde a sua partida. Você é um tema perfeito para pintar, e é difícil encontrar alguém com tanta beleza. Hans me fez uma visita ontem. Está preocupado com o mercado de arte. Diz que o dinheiro está secando, não só aqui mas em toda a Europa. Mas isso não me interessa. Nunca me interessou, você sabe. Quando lhe disse isso, ele respondeu para mim que era fácil, porque, entre mim e Einar, sempre teríamos algo para vender. Não sei por que ele disse isso, mas só seria verdade se Einar ainda pintasse. Lili, você já pensou em pintar? Talvez fosse bom você comprar umas latas de aquarelas e um bloco de desenho para ajudar a matar o tempo, que aí deve passar bem devagar. Apesar do que dizem, tenho certeza de que Dresden não é Paris.

Espero que você esteja passando bem. Isso é o que mais me preocupa. Gostaria que tivesse me deixado ir com você, mas compreendo. Há coisas que temos de fazer sozinhas. Lili, você às vezes não para e fica imaginando como será quando tudo isso acabar? A liberdade! É assim que vejo isso. É assim que você também vê? Espero que sim. Espero que pense assim, porque é assim que você deve se sentir em relação a isso. É assim que eu me sinto, pelo menos.

Mande notícias logo que puder. Edvard IV e eu estamos com muitas saudades. Ele está dormindo no seu divã. Eu mesma quase não durmo.

Se precisar de mim, é só avisar. Posso chegar na manhã seguinte.

Com amor,

Greta.

Lili pensou em sua vida na casinha: o antigo ateliê de Einar, arrumado e impecável; o sol, jorrando no ateliê de Greta pela manhã; o otomã forrado de veludo, esmagado pelo belo corpo de Carlisle; Greta, com o guarda-pó endurecido por dúzias de manchas de tinta e a cabeleira escorrida feito água gelada nas costas; Hans, buzinando na rua lá embaixo e gritando o nome de Lili. Ela queria voltar, mas agora isso era impossível.

À tarde encontrou novamente Ursula, que estava com as bochechas vermelhas por ter descido as escadas correndo.

– Chegou uma carta dele! – disse ela, agitando um envelope. – É de Jochen.

– Como ele descobriu onde você estava?

– Escrevi a ele. Não pude evitar, Lili. Não aguentei e escrevi a ele, dizendo o quanto era apaixonada por ele e que ainda não era tarde demais. – Ela prendera o cabelo num rabo de cavalo, e parecia ainda mais jovem assim: suas bochechas eram tão cheias que tinham duas covinhas. – O que você acha que ele tem para me dizer?

– Descubra – disse Lili. Ursula abriu o envelope e correu os olhos pela carta. Seu sorriso começou a esmaecer quase imperceptivelmente, e quando ela virou a página tinha a boca fortemente comprimida. Então passou o dorso da mão embaixo do nariz e disse: – Talvez ele venha me visitar. Se conseguir economizar dinheiro suficiente e tirar uma folga na loja de bombons.

– Você quer que ele venha?

– Acho que sim. Mas não posso ficar muito esperançosa. Acho difícil ele conseguir uma folga na loja. Mas ele diz que virá se tiver tempo.

Ficaram vários minutos sem dizer nada. Depois Ursula pigarreou.

– Pelo que eu soube, você vai fazer uma operação.

Lili disse que sim, e tirou um cisco do colo.

– O que eles vão fazer com você? Você vai ficar boa? Ainda vai ser a mesma depois que eles terminarem?

– Vou até melhorar – disse Lili. – O prof. Bolk vai me deixar melhor.

– O Bolk é sinistro. Tomara que ele não faça nada de errado com você. Bolk, o Bisturi... é assim que ele é chamado, sabia? Sempre pronto a abrir as moças com o facão.

Lili levou um susto.

– Desculpe – disse Ursula. – Não ligue para o que eu disse. Você sabe como o mulherio fala. Mas elas não sabem de nada.

– Tudo bem – disse Lili.

Mais tarde ela foi para o quarto, se preparar para dormir. Frau Krebs lhe dera um pequeno comprimido branco.

– Para ajudar você a pegar no sono – dissera, mordendo o lábio. Lili lavou o rosto na pia com a toalha cor-de-rosa, fazendo toda a maquiagem escorrer pia abaixo com a água: o alaranjado da base, o rosa do batom e o marrom da cera que ela usava nas sobrancelhas. Quando ela segurava a ponta encerada do lápis de sobrancelha, posicionando os dedos para desenhar, uma sensação estranha enchia-lhe o peito: era como se ela estivesse revivendo algo. Einar fora um artista, e ela imaginava que aquela sensação, aquela palpitação rápida logo abaixo das costelas, fosse o que ele vivenciava quando corria a ponta do pincel sobre a áspera extensão em branco de uma tela nova. Lili estremeceu, sentindo um travo de arrependimento subir-lhe à garganta, e teve de engolir com força a fim de não vomitar o tal comprimido para dormir.

Acordou no dia seguinte sonhadora e entorpecida. Ouviu uma batida na porta. Uma enfermeira com o cabelo preso num coque ergueu-a dos lençóis. Havia uma cama sobre rodas, com cheiro de álcool e aço, esperando ali ao lado para transportá-la. Ela viu a distância o rosto do prof. Bolk, perguntando:

– Ela está bem? Precisamos ter certeza de que ela está bem. – Mas não registrou muito mais do que isso. Percebeu que ainda era cedo, e que estava sendo empurrada pelo corredor da clínica antes que o sol se erguesse sobre os campos de colza, a leste de Dresden. E também percebeu que as portas de vaivém, com aqueles vidros feito escotilhas, se fecharam atrás dela antes que a luz da aurora atingisse a base do Terraço Brühlsche. Fora de lá que ela lançara o olhar para o Elba, a cidade e o resto da Europa, convencendo-se de que jamais olharia para trás novamente.

Quando acordou, Lili viu uma cortina de feltro amarelo cerrada sobre uma janela. Do outro lado do quarto, havia um armário pequeno, com um espelho e uma chave da qual pendia um pompom azul. A princípio ela achou que fosse o armário de freixo; então recordou, embora fosse algo que acontecera com outra pessoa, a tarde em que o pai de Einar o pegara mexendo no armário da mãe com um lenço amarelo na cabeça.

A cama em que ela estava deitada tinha um apoio para os pés feito de canos de aço, e ela só podia ver o quarto através daquilo. Era como lançar o olhar pelo meio de uma grade. Ramalhetes rosados e vermelhos se alternavam na padronagem do papel de parede. No canto, havia uma cadeira, sobre a qual jazia um cobertor. Ao lado da cama, via-se uma mesa de mogno coberta por um retalho de renda e um vasinho de violetas. A mesa tinha uma única gaveta, e ela calculou que seus pertences deviam estar ali. Um carpete empoeirado e puído em certos trechos cobria o piso.

Ela tentou se levantar, mas sentiu uma dor forte no meio do corpo e caiu de volta sobre o travesseiro, que era duro e espinhoso por causa das penas. Revirou os olhos até fazer o quarto escurecer. Pensou em Greta, imaginando que ela talvez estivesse ali no quarto naquele momento, no canto oposto à janela; mas não tinha forças para virar a cabeça e espiar. Não sabia o que lhe acontecera; não podia saber, com o clorofórmio ainda forte nas narinas. Sabia apenas que estava doente, e a princípio achou que era uma criança com o apêndice rompido no hospital provincial de Jutland, que tinha corredores de piso emborrachado. Hans logo chegaria à porta com um punhado de cenouras silvestres. Mas aquilo não tinha lógica, porque ela também estava pensando em Greta, que era esposa de Einar. Isso fez com que se perguntasse, quase em voz alta: Onde está Einar?

Pensou em todos eles: Greta, Hans, e depois Carlisle, cuja voz monótona e persistente era boa para esclarecer as coisas; pensou em Einar, assustado e perdido naquele terno folgado, separado dos outros, de alguma forma distante – permanentemente distante. Então ergueu as pálpebras. No teto, havia uma lâmpada num soquete prateado. Um longo cordão pendia da lâmpada, e ela viu que o cordão vinha até o lado da cama, com a ponta encapada por uma bolota marrom. A bolota estava caída sobre o cobertor verde, e Lili ficou muito tempo pensando em livrar a mão do peso do cobertor, puxar a bolota marrom e desligar a luz. Concentrou-se naquela bolota marrom, parecida com as peças de madeira trabalhada que correm ao longo dos arames dos ábacos. Quando por fim tentou livrar a mão, o esforço e a dor causada pelo movimento explodiram dentro do seu corpo feito um clarão incandescente. Sua cabeça afundou de novo no travesseiro, com as penas grudadas ao crânio, e ela fechou os olhos. No negrume da madrugada, as mãos do prof. Alfred Bolk haviam feito Einar Wegener passar de homem a mulher, removendo os dois testículos do saco escrotal. Poucas horas depois, Lili Elba afundava na inconsciência por três dias e três noites.

Capítulo vinte e dois

Greta não aguentava mais. Abotoava o guarda-pó, prendia o cabelo com o pente de casco de tartaruga, misturava as tintas na tigela de cerâmica Knabstrup e postava-se à frente do retrato inacabado de Lili, mas não conseguia descobrir como terminá-lo. O quadro – com a parte superior do corpo de Lili completa, e a metade inferior apenas esboçada a lápis – parecia-lhe obra de outra pessoa. Ela ficava olhando para a tela, esticada ali no cavalete devido aos pregos que ela mesma martelara, e simplesmente não conseguia se concentrar. Qualquer coisa a distraía. Podia ser alguém à porta, oferecendo a assinatura de um clube literário. Ou a água derramada por Edvard IV ao beber. Ou a porta entreaberta do ateliê de Einar, revelando o divã cuidadosamente coberto pelo edredom rosa e vermelho e o aspecto arrumado e vazio dos aposentos desabitados. As gavetas da cômoda haviam sido esvaziadas, e o armário tinha apenas um cabide no cano de chumbo. Greta sentia uma palpitação no peito e só conseguia pensar em Einar, chacoalhando sozinho num vagão de trem Europa afora e chegando a Dresden à noite, com um orvalho gélido umedecendo-lhe as pontas do cabelo, e o endereço da clínica no punho fechado.

Houvera outra exposição de seus quadros na galeria de Hans, e pela primeira vez ela não comparecera à abertura. Algo dentro de Greta enjoara daquilo tudo, mas ela tomara cuidado para não demonstrar esse sentimento diante de Hans. Pareceria muita ingratidão. Muita petulância. Pois cinco anos antes Greta não tinha reputação alguma; mas naquela manhã mesmo dera uma entrevista a um jornalista de Nice, bem-apessoado e de olhar velado, que ficara interrompendo-a e dizendo: "Mas quando você percebeu a grandeza do seu talento?" Ela conseguira tudo isso, e até mais, em cinco anos; mas mesmo assim se recostava e pensava: Sim, eu conquistei algumas coisas, mas o que importa isso? Pois ela estava sozinha, e seu marido e Lili estavam em Dresden, também sozinhos.

Uma semana e meia depois da partida de Einar para Dresden, num dia chuvoso, escorregadio e barulhento devido às derrapagens dos automóveis, Greta foi ao encontro de Hans na galeria. Ele estava no escritório dos fundos, e havia um funcionário sentado à escrivaninha, anotando coisas num livro-caixa.

– Nem todos os quadros foram vendidos – disse Hans sobre a exposição. Um dos quadros dela, que mostrava Lili numa barraca dos Bains du Pont-Solférino, estava no chão, encostado à escrivaninha onde o funcionário arrastava o lápis sobre o papel pautado. – Gostaria que você tivesse vindo à abertura. Há algo de errado? – continuou Hans. – Já conhece o meu novo assistente? Este é *monsieur* Le Gal.

O funcionário tinha o rosto estreito, e algo naqueles olhos castanhos e suaves fez Greta lembrar-se do marido. Visualizou Einar embarcando cautelosamente num bonde em Dresden, com o olhar baixo e as mãos enfiadas timidamente nos bolsos, e estremeceu. Aí pensou consigo mesma, embora não exatamente com essas palavras: O que foi que eu fiz com meu marido?.

– Há alguma coisa que eu possa fazer? – perguntou Hans, aproximando-se de Greta. O funcionário mantinha os óculos e o lápis apontados para a tarefa que executava. Hans chegou ao lado dela, mas não a tocou. Greta sentiu sua presença e ficou olhando para o quadro de Lili no chão, vendo o sorriso esticado pela apertada touca de banho e os olhos escuros e vivos, que pareciam insondáveis. Depois sentiu algo encostar em seu braço, mas quando olhou não viu nada; Hans já voltara à escrivaninha do funcionário, com as mãos nos bolsos. Será que ele queria dizer algo a ela?

Carlisle os flagrara abraçados, naquela tarde de chuva gélida em que o barbeiro deixara o pescoço de Hans avermelhado. Greta só ouvira o ranger da chave quando já era tarde demais. Durante um instante longo e desconfortável, ela e Carlisle haviam ficado paralisados: ela com a cabeça no peito de Hans, e Carlisle com um cachecol em torno da garganta e a mão segurando a maçaneta.

– Não sabia que havia alguém... – começara ele. Greta se afastara de Hans, que erguera as mãos e começara a dizer:

– Não é o que você está pensando... – Então Carlisle dissera:

– Eu volto daqui a pouco. – Desaparecera antes que ela pudesse dizer qualquer coisa.

À noite, ela sentara-se ao pé da cama dele, esfregara-lhe a perna por cima dos cobertores e dissera:

– Às vezes acho que Hans é o meu único amigo. – E Carlisle, com o camisolão aberto na gola, dissera:

– Eu entendo isso. Greta, não precisa se culpar por nada, se é o que você está pensando.

Ali no escritório de Hans, com o funcionário ocupado com o lápis e a régua, Greta disse:

– Nenhuma notícia de Einar ainda.

– Você está preocupada?

– Não deveria estar, mas estou.

– Por que você não foi com ele?

– Ele não quis que eu fosse.

Hans deteve-se, e Greta viu-o comprimir os lábios; será que ele estava com pena dela? Detestaria que as coisas chegassem a esse ponto.

– Não que isso tenha me incomodado – disse ela. – Eu compreendo por que ele precisava ir sozinho.

– Greta – disse Hans.

– Sim?

– Por que você não vai visitar Einar?

– Ele não me quer lá.

– Provavelmente estava envergonhado demais para pedir a sua ajuda.

– Einar? Não. Ele não é assim. E, além disso, por que ficaria envergonhado? Depois de tudo que houve, por que ficaria envergonhado só agora?

– Pense no que ele está passando na situação atual. Não é igual ao resto.

– Mas então por que não quis que eu fosse junto? Ele não me queria lá. Foi claro em relação a isso.

– Provavelmente estava com medo.

Ela fez uma pausa.

– Você acha?

O funcionário acendeu um cigarro, fazendo um ruído áspero com o fósforo na lixa da caixa. Greta sentiu novamente aquela vontade de ser abraçada por Hans, mas não se permitiu ir na direção dele. Endireitou as costas e alisou as pregas da saia. Sabia que aquilo era antiquado, mas não poderia deixar-se abraçar enquanto ainda estivesse casada com Einar.

– Você devia fazer uma visita a Einar – disse Hans. – Se quiser, posso ir com você. Seria um prazer.

– Eu não posso ir.

– É claro que pode.

– E o meu trabalho?

– Pode esperar. Ou, melhor ainda, leve o cavalete. Leve as tintas com você.

– Acha mesmo que eu devia fazer isso?

– Posso ir com você – disse ele mais uma vez.

– Não – disse ela. – Isso não seria bom.

– Por que não?

Sobre a escrivaninha do funcionário, havia um exemplar de *L'Echo de Paris*; na página aberta via-se uma resenha sobre a última exposição de Greta. Ela ainda não a lera, mas havia um parágrafo que saltava aos olhos como que sublinhado: "Após tantos quadros sobre o mesmo tema – essa moça estranha chamada Lili –, Greta Wegener tornou-se entediante. Desejo-lhe uma nova modelo e um novo esquema de cores. Oriunda da Califórnia, por que ela jamais virou os olhos para os dourados e azuis de sua terra natal? Pinte-me um quadro do Pacífico e dos arroios!"

– Se eu for, terei de ir sozinha – disse Greta.

– Agora você está parecendo Einar.

– Eu sou parecida com Einar – disse ela.

Ficaram alguns instantes em silêncio, examinando o quadro e escutando a chuva misturar-se ao trânsito. Fazia frio em Paris; a cada manhã a umidade se entranhava profundamente na pele de Greta, e ela imaginava que só Dresden podia ser ainda mais úmida e cinzenta. Ir até lá seria como penetrar mais profundamente na caverna do inverno.

Mais uma vez Hans disse:

– Se houver algo que eu possa fazer...

Aproximou-se dela novamente, e Greta sentiu a mesma sensação no braço, como se houvesse uma pena em sua pele. Hans estava usando um terno de espinha de peixe, e ela sentiu a suave pulsação acalorada dele através do tecido. Então ele disse:

– Greta.

– Preciso ir embora.

– Você acha que já é tempo...

– Realmente tenho de ir – disse Greta.

– Está bem, então – disse Hans. Ele ajudou-a a vestir-se, ajeitando os ombros da capa de chuva. – Desculpe.

O funcionário disse com voz rouca:

– Vai entregar algum quadro novo, sra. Wegener? Devo esperar algo em breve?

– Por enquanto, não – disse ela, saindo. Quando chegou à rua, viu os automóveis chapinhando no granizo e o movimento de guarda-chuvas na calçada; aí percebeu que teria de empacotar o cavalete e as tintas, e reservar um compartimento no próximo trem para Dresden.

O que mais surpreendeu Greta em Dresden foi o jeito com que os transeuntes caminhavam pelas ruas com o olhar baixo. Ela não estava acostumada a olhos que se negavam a erguer-se, percorrer-lhe o corpo comprido e saudá-la. No primeiro dia lá, teve a impressão de que desaparecera, de que se enfiara nas profundezas da Europa e se escondera do mundo. E foi com certo pânico que avançou em direção à portaria da Clínica Municipal Feminina de Dresden, sentindo o cascalho esmagado sob os pés; era um pânico causado pelo temor súbito de que, como ninguém podia achá-la, talvez ela também não conseguisse achar Einar.

A princípio deu-se certa confusão.

– Estou procurando a srta. Wegener – anunciou Greta ao chegar ao balcão, onde Frau Krebs fumava um cigarro Hacifa.

O nome Wegener nada significava para Frau Krebs. Ela comprimiu os lábios e abanou a cabeça, fazendo o cabelo perfeitamente aparado chocar-se contra a mandíbula. Greta tentou novamente.

– Ela é magra, tem olhos escuros e é extremamente tímida. Uma mocinha dinamarquesa.

– Refere-se a Lili Elba?

Greta visualizou o rosto de Einar iluminado pelo sol enquanto o trem cruzava a ponte Marienstrasse sobre o Elba, e disse:

– Sim. Ela está aqui?

Um fogão a gás portátil encontrava-se aceso dentro do quarto. A cortina amarela estava cerrada, e as chamas azuis do pequeno fogão lançavam uma sombra bruxuleante sobre a cama. Greta segurava os canos de aço ao pé da cama. Lili estava enfiada sob o cobertor, com os braços estendidos ao lado do corpo. Dormia, respirando pelas narinas.

– Por favor, não perturbe a paciente – sussurrou Frau Krebs da porta. – Foi uma operação difícil.

– Quando foi feita?

– Há três dias.

– E como ela está?

– Isso não é fácil de dizer – disse Frau Krebs, cruzando os braços sobre os seios. O quarto ardia com os eflúvios do sono, e Greta achou que aquele silêncio parecia antinatural. Sentou-se na cadeira do canto, puxando um cobertor sobre o colo. Estava com frio e cansada da viagem de trem; Frau Krebs deixou-a sozinha com Lili.

As duas adormeceram. Greta despertou poucas horas depois, e a princípio pensou que estava em Pasadena, cochilando num dos alpendres de sesta. Aí viu Lili, cuja cabeça rolava sobre o travesseiro, com as pálpebras delicadas tremelicando.

– Por favor, não se preocupe comigo – disse Lili.

Por fim Greta viu os olhos dela, cujas pálpebras piscavam pesadamente para espantar o sono. Ainda eram castanhos e aveludados. A única coisa que sobrara do seu marido era aquele par de olhos, através dos quais Greta podia recordar toda a vida dele.

Ela se aproximou da cama e começou a acariciar a perna de Lili por cima do áspero cobertor de crina de cavalo. Algo no músculo daquela panturrilha pareceu-lhe mais mole; ou talvez fosse apenas imaginação de sua parte, como achava que estava imaginando o volume dos seios sob o tecido do cobertor.

– Você sabe o que eles fizeram comigo? – perguntou Lili. Seu rosto parecia mais cheio nas bochechas e na garganta, tão cheio que o gogó desaparecera dentro de um pequeno cachecol de carne. Ou Greta estaria imaginando isso também?

– Nada além do que nós conversamos.

– Já sou Lili? Eu me tornei Lili Elba?

– Você sempre foi Lili.

– Sim, mas, se eu olhasse para baixo agora, veria o quê?

– Não pense dessa forma – disse Greta. – Não é isso que define você como Lili.

– A operação deu certo?

– Frau Krebs disse que sim.

– Como é que eu estou? Diga, Greta... como é que eu estou?

– Muito bonita.

– Já sou realmente uma mulher?

Por um lado, Greta estava chocada. Seu marido já não estava vivo. Ela sentiu um choque formigante, como se estivesse sendo atravessada pela alma dele. Greta Waud enviuvara mais uma vez; ela pensou no caixão de Teddy, afundando terra adentro com os ramos de flores por cima da tampa. Mas Einar não precisaria ser enterrado. Ela o acomodara num compartimento revestido de feltro dentro de um trem com destino à Alemanha, e agora ele se fora – como se o trem houvesse simplesmente adentrado o gélido nevoeiro de janeiro e desaparecido para sempre. Aí imaginou que, se chamasse por Einar, ouviria o nome dele ecoando sem parar pelo resto da vida.

Aproximou-se mais ainda de Lili. Sentiu de novo aquela necessidade de abraçá-la, e segurou a cabeça de Lili entre as mãos. As veias das têmporas latejavam levemente, e Greta sentou-se na borda da cama com a cabeça orvalhada de Lili entre a palma das mãos. Havia uma fresta na cortina; através dela via-se um gramado de brilho primaveril que se estendia em direção ao Elba. O rio fluía no mesmo ritmo das nuvens que corriam pelo céu. Na outra margem, viam-se dois meninos de suéter embarcando numa canoa.

– Ah, olá – disse uma voz junto à porta. Era uma mocinha de nariz arrebitado. – Você deve ser Greta.

Greta assentiu, e a moça entrou com passo leve. Trajava a túnica hospitalar sob um roupão, e tinha chinelos nos pés. Lili adormecera novamente, e o quarto estava acinzentado. No canto, o aquecedor a gás emitia seus estalidos compassados.

– Meu nome é Ursula – disse a moça. – Nós ficamos amigas. – Apontou para Lili com o queixo. – Ela vai ficar boa?

– Acho que sim. Mas Frau Krebs me disse que tem sido muito duro para ela.

– Ela dorme a maior parte do tempo, mas, na única vez em que vi Lili acordada, ela parecia feliz – disse Ursula.

– Como ela estava antes da operação? Estava assustada?

– Não muito. Ela adora o prof. Bolk. Faria qualquer coisa por ele.

Greta se ouviu dizendo:

– Ele é um bom médico.

Ursula portava uma caixinha embrulhada em papel-alumínio, onde estava escrito UNTER DEN LINDEN numa caligrafia elaborada. Entregou-a a Greta, dizendo:

– Pode dar isso a Lili quando ela acordar?

Greta agradeceu a Ursula, notando o inchaço da barriga, que parecia estranhamente distendida, com o abdome alto e encaroçado.

– E você, como está? – perguntou.

– Ah, eu? Estou bem – disse Ursula. – Mais e mais cansada a cada dia. Mas o que mais posso esperar?

– Eles tratam vocês bem aqui?

– Frau Krebs é boazinha. Parece muito severa a princípio, mas é boazinha. E as outras moças também. Mas Lili é a minha predileta. Tão doce. Preocupada com todo o mundo, menos consigo mesma. Ela me falou de você. Sentia a sua falta.

Por um instante, Greta se perguntou o que Ursula queria dizer, mas resolveu deixar o comentário passar em branco. Não tinha importância.

– Pode dizer a ela que eu passei por aqui? – disse Ursula. – E dar os bombons a ela?

Greta hospedou-se num quarto no Bellevue. À noite, depois de deixar Lili na Clínica Municipal Feminina, ela tentava pintar. A luz das barcaças de carvão subia até suas janelas. Às vezes ela as abria, ouvindo o suave ruído dos remos dos barcos dos turistas, o rangido profundo dos cargueiros e o clangor dos bondes na Theater-Platz.

Começou um retrato do prof. Bolk numa tela grande que comprara numa loja na Alunstrasse. Enrolara a tela debaixo do braço e voltara ao hotel, cruzando a Augustusbrücke. Do mirante semicircular da ponte podia-se avistar a cidade quase toda. Ela vira o Terraço Brühlsche, com seus bancos recém-pintados de verde; a abóbada de arenito da Frauenkirche, enegrecida pela fuligem dos automóveis e das fundições em Plauenscher Grund; e a longa fileira de janelas prateadas do Palácio Zwinger. Uma ventania erguera-se do rio e arrancara o rolo dos braços de Greta. A tela desenrolara-se feito uma vela de navio e ficara batendo na meia-parede de pedra sulcada da ponte. Greta a agarrara e, enquanto lutava para enrolá-la novamente, sentira uma mão pousar sobre seu ombro. Uma voz familiar dissera:

– Posso ajudar?

– Eu estava voltando para o hotel – dissera ela, enquanto o prof. Bolk pegava uma ponta da tela e a enrolava feito uma persiana.

– A senhora deve estar planejando um quadro bem grande – dissera ele.

Mas não era o caso. Naquele momento ela não sabia o que queria pintar; não parecia ser uma boa época para pintar Lili.

– Pode me acompanhar até o hotel? – dissera Greta, apontando para o bosque de castanheiros diante do Bellevue; o prédio parecia um salva-vidas atarracado, sentado numa cadeira de pernas altas e observando petulantemente a praia do Elba.

– Queria saber como foi a operação – dissera ela. – E quais são as perspectivas de Lili. – Começara a perceber que o professor vinha fugindo dela; já estava em Dresden havia dois dias e Bolk ainda não respondera às indagações que ela deixara no balcão de Frau Krebs. Greta até mencionara a Ursula que queria que o professor lhe telefonasse. Mas, como Bolk não fora vê-la, ela levara-o à sua suíte no hotel. Os dois haviam se acomodado em poltronas junto às janelas, bebendo o café trazido por uma camareira com uma tira rendada no cabelo.

– A primeira operação foi um sucesso – começara o professor. – Foi até bastante simples, e a incisão está cicatrizando como deveria. – Descrevera a cirurgia feita naquele dia no anfiteatro de operações, onde antes da aurora Einar se tornara Lili. Explicara que todos os exames clínicos, como a contagem sanguínea, a análise da urina e o monitoramento horário da temperatura de Lili, mostravam sinais de recuperação adequada. A assepsia listeriana estava protegendo Lili das infecções. – Atualmente, nossa maior preocupação é a dor – dissera Bolk.

– O que o senhor está fazendo em relação a isso?

– Dando uma injeção diária de morfina.

– Isso não é arriscado?

– Muito pouco – dissera ele. – Podemos ir reduzindo a dosagem durante as próximas semanas. Mas por enquanto ela precisa disso.

– Entendi. – Agora que Greta tinha Bolk ali, ele já não a preocupava tanto. Ele era como a maioria dos homens ocupados e importantes: parecia impossível de encontrar, mas era muito atencioso depois que você o encurralava.

– Eu estava preocupado com as hemorragias dela – continuara o professor. – Ela não devia sangrar daquele jeito. Aquilo me fez pensar que havia algo de errado com um dos órgãos abdominais.

– Como o quê?

– Eu não sabia. Um baço esmagado. Um buraco no revestimento do intestino. Qualquer coisa era possível. – Ele cruzara as pernas. Greta ficara assustada por Lili e sentira o coração bater mais forte.

– Ela está bem, não está? Ou devo me preocupar com ela?

– Resolvi abrir Lili – dissera Bolk.

– Como assim?

– Abrir o abdome dela. Sabia que havia algo de errado ali. Já vira um número suficiente de cavidades abdominais para saber que havia algo de errado.

Greta fechara os olhos por um instante, e visualizara por trás das pálpebras um bisturi traçando uma linha sangrenta na barriga de Lili. Tivera de fazer força para não imaginar as mãos do prof. Bolk, com a ajuda de Frau Krebs, abrindo as bordas da incisão.

– É verdade que Einar era realmente feminino. Ou pelo menos parcialmente feminino.

– Mas isso eu já sabia – dissera Greta.

– Não. Acho que a senhora não entendeu. – Bolk pegara um biscoito doce, em forma de estrela, na bandeja trazida pela camareira. – Trata-se de outra coisa. Uma coisa realmente notável. – Tinha os olhos brilhando de interesse, e Greta percebera que ele era um daqueles médicos que desejam ter algo, uma doença ou um procedimento cirúrgico, batizado com seu nome.

– No abdome dele – continuara o professor –, emaranhado nos intestinos, achei algo. – Bolk entrelaçara as mãos e estalara as juntas dos dedos. – Achei um par de ovários. Subdesenvolvidos, é claro. Pequenos, é claro. Mas eram ovários.

Fora naquele instante, vendo a linha quadrada dos ombros, os braços caídos, o pescoço comprido, que emergia do colarinho engomado, e a tenra pele enrugada ao redor dos olhos do prof. Bolk, que Greta decidira pintá-lo. Recostara-se na cadeira. Uma cantora de ópera hospedara-se na suíte vizinha, e estava cantando o papel de Erda em *Siegfried*. A voz tinha um registro médio que vibrava, e flutuava no ar feito um falcão à caça. Parecia até a voz de Anna, mas isso era impossível, pois Anna estava em Copenhague: voltara a cantar no Teatro Real pela primeira vez em anos. Quando Lili melhorasse, pensara Greta, ela gostaria de levá-la à ópera, e imaginara as duas de mãos dadas na escuridão da Semperoper, vendo Siegfried partir para o cume da montanha incendiada de Brünnhilde.

– O que isso significa para Lili? – perguntara Greta por fim. – Esses ovários são de verdade?

– Significa que estou mais seguro ainda de que a operação terá êxito. Estamos no rumo certo.

– O senhor acha mesmo que isso explica as hemorragias, então?

– É bem provável – dissera ele, elevando a voz. – Isso explica quase tudo.

Não, pensara Greta; ela sabia que os ovários não podiam explicar tudo.

– Há um processo de enxerto que quero tentar – continuara o professor. – A partir de um par de ovários saudáveis. Isso já foi feito com testículos, mas nunca com os órgãos femininos. Como já se chegou a alguns resultados, porém, eu gostaria de colher o tecido de um par de ovários saudáveis e enxertá-lo sobre os de Lili. Mas é uma questão de oportunidade. De achar o par certo.

– Quanto tempo isso levará? O senhor tem certeza de que pode fazer isso?

– Não muito. Mas tenho uma moça em mente.

– Lá na clínica?

– Há uma mocinha de Berlim. Quando ela chegou, achamos que estava grávida. Acontece que um tumor tomou conta do seu estômago. – Bolk levantara-se para ir embora. – Ela não sabe disso, é claro. O que adiantaria dizer-lhe agora? Mas talvez ela sirva. Pode levar apenas um ou dois meses. – Depois apertara a mão dela e fora embora. Greta abrira a caixa de tintas com tampa dupla e começara a arrumar os frascos, estendendo uma lona no chão. A voz da cantora de ópera surgira através das paredes, lenta e sombria, galgando as notas sozinha.

Várias semanas depois, Greta e Lili estavam sentadas no jardim da clínica. As bétulas e os salgueiros ostentavam brotos reluzentes. A folhagem das sebes ainda estava rala, mas os dentes-de-leão já começavam a brotar na trilha de lajotas. Dois jardineiros cavavam buracos para uma fileira de cerejeiras, cujas raízes estavam envoltas em sacos de aniagem. As groselheiras já começavam a cobrir-se de folhas.

Um círculo de moças grávidas formara-se sobre um cobertor xadrezado no gramado, trançando folhas de relva. As alvas túnicas hospitalares, folgadas nos ombros, tremiam ao vento. O relógio sob o beiral da clínica batia meio-dia.

Uma nuvem deslocou-se, e a sombra deixou o gramado quase negro. As cerejeiras tombaram, e o vulto de um homem surgiu na porta de vidro da clínica. Greta não conseguia perceber quem era; via apenas um jaleco branco, que o vento agitava feito as flâmulas hasteadas no barco de turistas que navegava pelo Elba.

– Olhe – disse Lili. – É o professor.

Bolk aproximou-se delas; a nuvem deslocou-se novamente, e o rosto do professor iluminou-se quando o sol caiu sobre seus óculos. Quando chegou perto delas, ele ajoelhou-se e disse:

– Será amanhã.

– O quê? – perguntou Lili.

– Sua próxima operação.

– Mas por que tão de repente? – perguntou Lili.

– Porque o tecido para o enxerto está pronto. Devemos operar amanhã. – Greta já falara a Lili da operação seguinte e do tecido dos ovários que Bolk colocaria no abdome dela.

– Creio que tudo sairá como planejado – disse o professor. A luz do sol fazia a pele do rosto de Bolk parecer mais fina, revelando as veias da cor do mar. Greta pensou em Hans, desejando que ele houvesse viajado a Dresden com ela. Poderia conversar sobre aquilo com ele; gostava de ouvir os conselhos de Hans, vendo como ele juntava as mãos à frente da boca para refletir sobre uma situação. Sentiu-se subitamente exausta.

– E se não sair como planejado? – perguntou.

– Teremos de esperar mais. Só quero trabalhar com o tecido de uma moça jovem.

– É difícil acreditar nisso tudo – disse Lili. Não estava olhando para Greta, nem para Bolk. Virara o rosto para o círculo de moças, as quais estavam deitadas de lado.

Quando o prof. Bolk se foi, Lili sacudiu a cabeça.

– Ainda não consigo acreditar – disse, continuando a olhar para as moças. – Ele está conseguindo, Greta. Exatamente como você disse que ele conseguiria. Está me transformando numa mocinha. – Tinha o rosto imóvel, e a ponta de seu nariz estava avermelhada. Sussurrou: – Acho que ele é um homem capaz de fazer milagres.

Uma brisa empurrou o cabelo de Greta para trás, e ela olhou para as persianas cerradas das janelas do laboratório do professor Bolk, com aquelas paredes de estuque e o corredor envidraçado que levava ao resto da clínica. Era proibido entrar ali, mas ela imaginou as arquibancadas do anfiteatro de operações, a superfície fria das camas de aço, e uma prateleira de jarras cheias de formol. Uma das persianas foi erguida; por um instante Greta viu a silhueta de uma pessoa com a cabeça curvada trabalhando no laboratório; aí outra pessoa, uma segunda sombra negra, cerrou novamente a persiana; e o prédio de estuque voltou a ficar tão amarelo e sem vida quanto antes.

– Pois então – disse ela – que seja amanhã. – Baixou a cabeça de Lili sobre o colo; as duas fecharam os olhos e ficaram absorvendo o fraco calor do sol. Escutavam os gritinhos abafados das moças no gramado, e o ruído distante da roda de uma barcaça sobre o Elba. Greta pensou em Teddy Cross, que ela outrora também pensara ser capaz de fazer milagres. Pensou no que ele fizera com a perna de Carlisle. Greta e Teddy haviam se casado poucos meses antes; estavam morando na tal casa em estilo espanhol de Bakersfield, e os primeiros ventos quentes começavam a soprar entre os bosques de eucaliptos.

Ela estava grávida do bebê Carlisle, e vivia enjoada naquele sofá da Gump. Certo dia Carlisle pegara o Detroiter com para-choques amarelos, atravessara a estrada das montanhas e fora visitá-los, a fim de investigar o potencial petrolífero da região.

Os campos de morangos pareciam um tapete naquela primavera, margeados pelo ouro amanteigado das papoulas nos morrotes. Bakersfield estava cheia de gente vinda de Los Angeles e de San Francisco, pois espalhara-se o boato de que talvez houvesse petróleo debaixo da terra ali. Ao sul dos campos do casal Cross, um fazendeiro cavara um poço com a enxada e descobrira petróleo, e Teddy tinha certeza de que seus pais também poderiam descobrir. Secretamente, Greta imaginara que Teddy devia sentir necessidade de enriquecer, num esforço bizarro para igualar-se a ela. Nos finais de tarde, após cuidar de Greta, ele pegava a estrada esburacada que ia até as terras dos pais e ficava cavando sob as longas sombras de um velho carvalho. Usava uma lâmina giratória que podia ser gradativamente prolongada; enquanto o sol criava reflexos prateados na parte de baixo das folhas de morango, Teddy enfiava a broca no barro.

E aí Carlisle chegara a Bakersfield. Na época ainda era aleijado e usava um par de muletas feitas à mão, que lhe chegavam aos cotovelos e tinham manoplas sulcadas feitas de marfim trabalhado. Tinha um segundo par feito de prata de lei, que a mãe exigia que ele usasse em ocasiões formais. Logo na primeira noite que ele passara na casa em estilo espanhol, Teddy o levara até as terras dos pais e lhe mostrara o tal poço; Greta adormecera, e só soubera disso mais tarde.

– Estou com medo de desapontar os velhos – dissera Teddy. Os pais estavam encolhidos dentro da casinhola, cujas tábuas de madeira deixavam o vento entrar. Cercado por uma plataforma de madeira, o tal buraco no chão tinha o diâmetro de uma coxa humana, aproximadamente. Aí Teddy içara uma amostra do solo com um balde amarrado a uma corda. Boquiabertos, os dois rapazes haviam examinado a amostra. Teddy olhara para Carlisle, como se esperasse que o cunhado, só por estudar em Stanford, fosse capaz de discernir algo naquele balde de terra preta. – Você acha que tem petróleo aí embaixo? – perguntara.

Carlisle olhara para o carvalho nodoso na borda do campo de morangos, erguera o olhar para o céu, que se arroxeava, e dissera:

– Não tenho muita certeza.

Haviam ficado meia hora parados diante do pôr do sol, enquanto o vento levantava poeira em torno dos tornozelos deles. A abóbada celeste esmaecia, e as estrelas começavam a cintilar.

– Vamos andando – dissera Teddy; e Carlisle, que jamais o culpara por tudo que acontecera a Greta, dissera:

– Está bem.

Teddy fora para o caminhão e Carlisle o seguira, mas a ponta de sua muleta ficara presa entre as tábuas da plataforma; quando ele dera por si, a perna ruim já deslizara poço abaixo feito uma cobra. Ele até riria da rapidez com que se vira estatelado na plataforma, mas a perna voltara à vida com dor. Teddy ouvira-o gritar e correra de volta para o poço seco, dizendo:

– Você está bem? Dá para levantar?

Carlisle não conseguia se levantar, pois a perna estava presa no buraco. Com um pé de cabra, Teddy começara a arrancar as tábuas, soltando-as com estalos que uivavam pelos campos. Os coiotes também haviam começado a uivar nos morrotes, rompendo a negra imobilidade da noite de Bakersfield junto com o choro suave de Carlisle no próprio ombro. Uma hora se passara antes que ele conseguisse se soltar e visse a perna quebrada na canela. Não havia sangue, mas a pele estava ficando mais escura do que uma ameixa. Teddy ajudara Carlisle a subir no caminhão e partira rumo a oeste na escuridão. Cruzara toda a largura do vale, vendo nos campos as plantações mudarem: primeiro morangos, depois alface roxa, depois vinhedos e por fim pomares de nogueiras. Depois subira as montanhas e chegara a Santa Barbara. Por volta de meia-noite, um médico de monóculo engessara a perna de Carlisle, enquanto uma enfermeira do turno da noite, com crespo cabelo ruivo, mergulhava faixas de gaze numa tina de gesso. Só bem mais tarde, quase ao alvorecer, Teddy e Carlisle haviam estacionado o carro na alameda sombreada por bambuzais da casa em estilo espanhol. Estavam exaustos, e finalmente em casa. Greta ainda dormia.

– Dormindo desde que vocês partiram – dissera Akiko. Seus olhos eram negros feito a pele machucada da canela de Carlisle.

Greta acordara tão enjoada e entorpecida que nem notara a perna engessada do irmão; mas o gesso era tão poroso que deixava uma trilha por onde quer que Carlisle passasse. Greta notara a poeira e se perguntara parcialmente interessada, como sempre fazia com o trabalho doméstico, de onde aquilo viera. Em seguida, limpara a almofada do otomã. Percebera que Carlisle se machucara, mas mal registrara o fato.

– Ah, eu estou bem – dissera o irmão. Ela esquecera o assunto, porque só conseguia descrever como se sentia dizendo que fora envenenada; olhara para o gesso e revirara os olhos para o alto. Só no auge do verão, quando os termômetros haviam chegado a marcar quarenta e seis graus e Greta finalmente dera à luz, é que o gesso fora serrado. O bebê nascera morto, mas a perna de Carlisle estava mais saudável do que jamais estivera desde o dia do acidente, quando ele e Greta tinham seis anos. Ele ainda arrastava um pouco o pé, mas já não precisava das muletas, e podia até descer os degraus da sala da casa em estilo espanhol sem se agarrar ao corrimão.

– A única coisa boa que saiu de Bakersfield – dizia Greta às vezes, e durante todo o resto de seu casamento sempre pensara em Teddy Cross como um homem capaz de fazer milagres; quando o via concentrado com os lábios comprimidos, tinha a impressão de que ele poderia fazer qualquer coisa.

Mas, quando Lili disse o mesmo acerca do prof. Bolk, Greta baixou o olhar para o Elba e contou os barcos; depois contou as moças sobre o gramado e disse:

– Veremos.

Capítulo vinte e três

Lili acordou gritando. Não sabia quanto tempo passara dormindo, mas podia sentir a morfina, que lhe encharcava o cérebro, deixando as pálpebras pesadas demais para serem erguidas.

Seus gritos eram agudos e cristalinos; até ela sabia que o som infiltrava-se pelos corredores da Clínica Municipal Feminina, provocando calafrios na espinha das enfermeiras e arrepiando a pele esticada da barriga das grávidas. Havia uma dor inflamada na metade inferior do seu corpo. Se tivesse forças, Lili ergueria a cabeça e olharia para o abdome, a fim de ver se havia uma fogueira assando-lhe os ossos da pelve.

Tinha a sensação sonhadora de que se elevara acima da cama e estava olhando para baixo: aquele corpo de mocinha, que fora esculpido e criado pelo prof. Bolk, jazia amarrado sob o cobertor com os braços estendidos, expondo a parte inferior dos pulsos levemente esverdeados. Quatro pesados sacos de areia pendiam de cada lado da cama. Os sacos estavam amarrados a grossas cordas de cânhamo-italiano, que passavam sobre as canelas de Lili a fim de conter-lhe os espasmos.

Uma enfermeira que ela não reconheceu entrou correndo no quarto. Tinha seios volumosos e buço, e perguntou:

– O que você quer que eu traga? – E empurrou-a sobre os travesseiros novamente.

Era como se aqueles gritos pertencessem a outra pessoa. Por um instante, Lili pensou que era Einar quem estava gritando; talvez o fantasma dele estivesse surgindo dentro dela. Era uma ideia horrível; ela afundou a cabeça nos travesseiros e cerrou os olhos. Mas ainda estava gritando, pois não conseguia parar; seus lábios estavam rachados e feridos nos cantos, e a língua virara uma tripa fina e seca.

– Qual é o problema? – insistia em perguntar a enfermeira. Parecia apenas parcialmente preocupada, como se já houvesse visto aquilo antes. Era jovem e tinha um colar de contas de vidro, que lhe entrava pescoço adentro. Lili olhou para ela, vendo a garganta, que quase escondia o colar de tão gorda, e pensou que talvez já tivesse visto aquela enfermeira antes. A linha de pelos finos sobre o lábio superior: aquilo era familiar, tal como os seios esticando o peitilho do avental. – Você não pode se mexer – disse a enfermeira. – Assim só vai piorar. Tente ficar parada.

Em seguida, encostou uma máscara de borracha verde no rosto dela; pelo canto do olho, Lili viu-a abrir a torneira do tanque e liberar o éter. Só então percebeu que já vira aquela enfermeira antes. Lembrava-se vagamente de acordar gritando; a enfermeira entrara correndo para sentir-lhe a temperatura, e quase encostara nela os seios apertados dentro do peitilho do avental. Depois reajeitara as cordas em cima das canelas dela, e lhe enfiara sob a língua o bastão de vidro do termômetro. Aquilo já acontecera antes, e Lili lembrava-se principalmente do cone de borracha verde, que se encaixava perfeitamente sobre sua boca e seu nariz. Era como se a máscara houvesse sido feita sob medida numa daquelas fábricas rio acima, cujas chaminés cercadas por labaredas arrotavam os negros eflúvios de plástico e borracha derretida.

Ela levou várias semanas até começar a livrar-se da dor, mas por fim o prof. Bolk eliminou as doses de éter. A enfermeira, cujo nome era Hannah, desenganchou os sacos de areia, libertando as canelas dela. As pernas estavam azuladas e finas demais para que Lili pudesse caminhar pelo corredor, mas ela já podia sentar-se ereta, durante uma ou duas horas a cada manhã, antes que a injeção diária de morfina afundasse em seu braço feito a picada profunda de uma vespa.

Hannah levava Lili até o Wintergarten numa cadeira de rodas. Deixava-a descansando lá, estacionando a cadeira ao lado de um vaso de samambaias. Era maio, e lá fora os rododendros floresciam. Ao longo da parede do laboratório de Bolk, num canteiro de terra adubada, as tulipas esticavam-se em direção ao sol.

Lili ficava vendo as outras moças fofocarem no gramado salpicado de dentes-de-leão. O sol brilhava forte no pescoço branco das grávidas. Novas moças haviam chegado desde o final do inverno. Sempre haveria novas moças, pensava Lili, bebericando o chá e puxando o cobertor sobre o colo, que debaixo da túnica hospitalar azul, das faixas de gaze e das pinceladas de iodo estava aberto, úmido e esfolado. Ursula já não estava na clínica, e isso deixara Lili confusa. Mas ela estava por demais cansada e entorpecida de drogas para refletir sobre o assunto. Perguntara uma vez pela amiga a Frau Krebs, que rearrumara os travesseiros dela e dissera:

– Não se preocupe com ela. Está tudo bem.

Greta só podia visitá-la por poucas horas a cada tarde. Uma regra, instituída pelo prof. Bolk, e colocada em vigor pela voz metálica de Frau Krebs, bania visitas pela manhã e à noite. Durante esses períodos, as moças da clínica deveriam estar sozinhas, mas juntas. Era como se a gravidez criasse uma camaradagem que não pudesse ser compartilhada por pessoas de fora. E, assim, as visitas de Greta sempre começavam logo depois do almoço, quando os lábios de Lili ainda estavam respingados de sopa de batatas, e iam até o final da tarde, quando as sombras se alongavam e a cabeça dela tombava sobre o peito.

Lili sempre esperava animada a chegada de Greta ao espaço envidraçado do Wintergarten. Frequentemente, ela aparecia à porta com o rosto escondido atrás de um grande buquê de flores. Começara com junquilhos; depois, à medida que a primavera avançava, trouxera bocas-de-leão; e, por fim, peônias rosadas. Lili aguardava pacientemente na cadeira de rodas de vime, escutando o ruído dos sapatos de Greta no piso ladrilhado. As outras moças cochichavam sobre Greta com frequência. dizendo:

– *Quem é aquela americana alta com a cabeleira linda?* – E Lili gostava do falatório; gostava de ouvir as vozes agudas daquelas moças, cujos seios a cada dia se enchiam mais de leite.

– Assim que nós sairmos daqui – dizia Greta, acomodando-se na espreguiçadeira e esticando as pernas sobre a longa almofada branca –, vamos a Copenhague, para você dar umas voltas por lá.

Ela vinha prometendo isso desde que chegara de Paris: o trem e a barca de volta à Dinamarca, a reabertura do apartamento havia muito fechado na Casa da Viúva e um acesso de compras no provador particular da Fonnesbech.

– Mas por que não podemos ir já? – perguntava Lili. Elas haviam passado cinco anos sem voltar a Copenhague. Lili tinha uma vaga lembrança de Einar mandando os embaladores de mangas arregaçadas tomarem cuidado com o caixote das telas ainda não emolduradas. Também se lembrava de Greta, esvaziando as gavetas do armário de freixo num baú pequeno que ela jamais vira novamente.

Mas aí Greta a lembrava:

– Você ainda não acabou aqui.

– Por que não?

– Ainda falta um pouco. Aí poderemos ir para casa – dizia Greta. Lili olhava para ela descansando ali do lado e achava-a linda, com aquela saia de retalhos e as botas de salto alto. Sabia que Greta jamais amara alguém mais do que a ela. E agora que até os seus documentos oficiais declaravam que ela era Lili Elba, tinha certeza de que Greta não mudaria. Fora isso que a ajudara a passar por tudo aquilo: as noites solitárias sob o cobertor pesado no quarto da clínica e os acessos de dor que subitamente a assaltavam feito um ladrão. Lili estava sempre mudando, mas Greta não; Greta nunca mudava.

Às vezes, o prof. Bolk se juntava a elas, avultando sobre as pernas de Greta esticadas na espreguiçadeira e o corpo de Lili na cadeira.

– Não quer sentar conosco? – perguntava Greta, repetindo o convite três ou quatro vezes, mas o professor nunca ficava tempo suficiente para tomar a xícara de chá que Lili sempre lhe servia.

– Parece estar funcionando – disse ele certo dia.

– Por que o senhor diz isso? – perguntou Greta, levantando-se para recebê-lo.

– Dê uma olhada nela. Não lhe parece estar bem?

– Parece, mas ela está ansiosa para acabar logo com isso – disse Greta.

– Ela está se tornando uma mocinha muito bonita – disse ele.

Lili ficou observando-os; tinha o rosto perto das pernas deles, coisa que a fazia sentir-se uma criança.

– Ela já está aqui há mais de três meses – disse Greta. – Está começando a pensar na vida fora da clínica. Está ansiosa para partir...

– Parem de falar como se eu não estivesse aqui – interrompeu Lili. A pequena interrupção irritada escapuliu sem querer de sua boca, tal como acontecia com a comida durante os primeiros dias de torpor após as operações.

– Não estávamos fazendo isso – disse Greta, ajoelhando-se. – É verdade, você tem razão. Como você está se sentindo, Lili? Me diga. Como está se sentindo hoje?

– Estou bem, a não ser pela dor, mas isso já está melhorando. Tanto Frau Krebs quanto a enfermeira Hannah dizem que a dor vai melhorar, e que poderei ir para casa. – Inclinou o corpo para a frente na cadeira de balanço de vime, firmando as mãos e tentando se erguer.

– Não levante – disse Greta. – A não ser que se sinta preparada.

Lili tentou novamente, mas seus braços não aguentaram. Ela ficara quase oca: era uma moça sem peso, esvaziada tanto pela doença quanto pela faca do seu cirurgião.

– Logo vou estar preparada – disse ela por fim. – Talvez semana que vem. Vamos nos mudar para Copenhague novamente, professor Bolk. Greta já lhe contou que vamos voltar a Copenhague?

– Foi o que eu entendi.

– E vamos morar no nosso antigo apartamento na Casa da Viúva. O senhor tem de ir nos visitar lá. Conhece Copenhague? Nós temos uma vista maravilhosa da abóbada do Teatro Real, e você sente o cheiro do porto quando abre a janela.

– Mas Lili – disse Greta –, você não vai estar preparada para partir na semana que vem.

– Se eu continuar melhorando assim, por que não? Amanhã vou dar meus primeiros passos novamente. Vamos tentar caminhar um pouco no parque amanhã.

– Você não se lembra, Lili? – disse o professor, segurando uma papelada junto ao peito. – Ainda temos outra operação.

– Outra operação?

– Só mais uma – disse Greta.

– Mas para quê? Vocês já não fizeram tudo? – Ela não podia falar claramente, mas estava pensando: Já não restauraram meus ovários e removeram minhas gônadas? Não, jamais poderia dizer isso. Aquilo tudo era humilhante demais, mesmo com Greta ali.

– Uma última intervenção – disse Bolk – para remover o seu...

E aí Lili – que não era nem mais velha nem mais jovem que seu estado de espírito atual; que era um fantasma de moça, ao mesmo tempo sem idade e sem jamais envelhecer; que tinha uma ingenuidade adolescente, capaz de apagar as décadas de vivência de outro homem; que a cada manhã segurava os seios, que cresciam, feito uma menina exageradamente ansiosa que reza pela primeira menstruação – fechou os olhos de vergonha. O prof. Bolk estava lhe informando que lá embaixo – sob o curativo de iodo marrom parecido com as gororobas que todo dinamarquês tivera de engolir durante a guerra –, perto de sua ferida recente e ainda convalescente, jazia um último pedaço de pele pertencente a Einar.

– Eu só preciso removê-lo e dobrar para trás a...

Lili não conseguiria suportar os detalhes, de modo que olhou para Greta, em cujo colo havia um caderno aberto. Ela estava desenhando Lili naquele momento, olhando para ela, depois para o caderno e para ela de novo, e disse:

– Lili tem razão. Não pode apressar a próxima operação, professor? Para que esperar?

– Acho que ela ainda não está pronta. Ainda não está forte o suficiente.

– Eu acho que está – disse Greta.

Enquanto eles continuavam a discutir, Lili fechou os olhos e imaginou Einar sobre o rochedo de liquens quando garoto, vendo Hans devolver uma bola com a raquete de tênis. Pensou no suor da mão de Hans no Baile dos Artistas. Nos olhares ardentes que Carlisle lhe lançara naquela manhã úmida no Marché Buci. E em Greta, concentrando-se e estreitando os olhos enquanto ela posava sobre o baú laqueado.

– Operem logo – disse suavemente.

Greta e o professor se calaram.

– O que você disse? – perguntou Bolk.

– Você disse alguma coisa? – disse Greta.

– Por favor, operem logo.

Lá fora no parque, a tarde chegava ao fim. As moças novas, que Lili não conhecia, estavam reunindo os livros e cobertores e voltando à clínica. Os ramos dos salgueiros varriam o gramado da Clínica Municipal Feminina, e atrás das moças um coelho enfiou-se correndo sob uma groselheira. A correnteza do Elba segurava as barcaças de carga; do outro lado do rio, o sol batia nos telhados de cobre de Dresden e na abóbada grande, quase prateada, da Frauenkirche.

Lili fechou os olhos e visualizou-se no futuro, cruzando a praça de Kongens Nytorv sob a sombra da estátua do rei Cristiano V; a única pessoa do mundo que pararia e ficaria olhando para ela seria um desconhecido bonito, forçado por um coração apaixonado a tomar-lhe a mão e declarar seu amor.

Quando abriu os olhos, viu que Greta e o professor estavam olhando para a porta do Wintergarten. Um sujeito alto estava parado no umbral. Veio andando na direção deles, mas era apenas uma silhueta com o casaco sobre o braço. Lili viu que Greta olhava fixamente para o homem. Viu-a prender o cabelo atrás das orelhas e coçar a cicatriz na bochecha. Depois viu-a esfregar as mãos, fazendo tinir as pulseiras. Com um leve arquejo, Greta disse:

– Olhe. É Hans.

PARTE QUATRO

COPENHAGUE, 1931

Capítulo vinte e quatro

Elas voltaram à Casa da Viúva, mas ao longo dos anos o prédio caíra em decadência. Durante sua estada em Paris, Greta contratara um sujeito chamado Poulsen para fazer a manutenção. Uma vez por mês, enviava-lhe um cheque e um bilhete com instruções. "As calhas devem estar precisando de limpeza a essa altura", escrevia ela. Ou então: "Por favor, troque as dobradiças das persianas." Mas Poulsen não obedecia às ordens, pouco fazendo além de varrer o saguão e queimar o lixo. Quando Greta e Hans chegaram de automóvel a Copenhague, numa manhã em que uma nevasca caía sobre os parapeitos da cidade, Poulsen desapareceu.

A fachada esmaecera, assumindo um tom rosa-pálido. Nos andares superiores, a titica das gaivotas formara uma crosta sobre os caixilhos das janelas. Faltava uma vidraça num dos apartamentos; uma senhora nervosa, com mais de noventa anos, morrera lá durante a noite, sufocada pelas dobras do lençol. E uma camada de sujeira negra manchava as paredes da escadaria que levava ao último andar.

Greta levou algumas semanas aprontando o apartamento para Lili. Hans ajudou-a, contratando o pessoal da pintura e um encerador para polir os assoalhos.

– Ela já pensou em morar sozinha? – perguntou ele certo dia. Greta retrucou, espantada:

– O quê? Sem mim?

Pouco a pouco, ela foi inserindo Lili no mar da vida de Copenhague. Nas tardes úmidas, as duas iam passear de mãos dadas ao longo das sebes, já desfolhadas àquela altura do inverno, de Kongens Have. Lili arrastava os pés e enfiava a boca nas dobras do cachecol de lã; as cirurgias haviam-na deixado com uma dor constante, que aumentava quando o efeito da morfina passava. Sentindo a pulsação dela, Greta dizia: Não se apresse. Quando você estiver pronta, é só me dizer. Ela supunha que um dia Lili quereria partir mundo afora sozinha. Percebia isso no olhar com que Lili estudava as moças que a cada manhã cruzavam apressadamente a praça de Kongens Nytorv, voltando da padaria com pacotes de croissants amanteigados; eram moças tão jovens que a esperança ainda lhes fulgurava nos olhos. Também percebia isso na voz com que Lili lia os anúncios de casamento nos jornais. Temia a chegada desse dia; às vezes até se perguntava se teria apoiado aquela transformação toda, caso soubesse que no final veria Lili partir da Casa da Viúva com uma maleta nas mãos. Após voltar a Copenhague, chegara a acreditar que ela e Lili poderiam criar um lar no último andar da Casa da Viúva, e que só se afastariam de lá para passarem as tardes fora. Às vezes, quando as duas sentavam-se juntas ao pé do fogão de ferro, ela até pensava que os anos anteriores de caos e evolução haviam terminado, e que agora elas poderiam pintar e viver em paz, sozinhas mas juntas. Pois essa era a luta inexaurível de Greta: a necessidade perpétua de estar sozinha, mas sempre amada, e sempre amando. Mas, à medida que a primavera voltava e o cinza se esvaía do porto, substituído pelo azul, Lili começara a perguntar:

– Você acha que um dia eu vou me apaixonar por alguém? Acha que isso pode acontecer comigo?

A primavera de 1931 trouxe a contração dos mercados, a queda das moedas e uma tempestade negra de ruína, tanto econômica quanto de outros tipos. Greta leu nos jornais que os americanos começavam a abandonar a Europa. Chegou até a ver uma americana reservando passagem aérea e marítima no escritório da Deutscher Aero-Lloyd: era uma mulher com gola de castor e uma criança no quadril. Os quadros de Lili, mesmo quando bons, já ficavam pendurados nas paredes das galerias sem serem vendidos. O mundo que recebia Lili já não era o mesmo; era um mundo melancólico.

Toda manhã Greta cutucava Lili, que às vezes não conseguia acordar sozinha. Depois tirava dos cabides uma saia, uma blusa com botões de madeira e um suéter de punhos estampados com flocos de neve. Ajudava Lili a se vestir, servindo-lhe café, pão preto e salmão salpicado com ervas aromáticas. Lili só despertava plenamente lá pelo meio da manhã, com a boca seca e os olhos injetados de morfina.

– Acho que eu estava cansada – dizia ela em tom de desculpa; Greta assentia e respondia:

– Não há nada de errado nisso.

Quando Lili saía sozinha – fosse para fazer compras no mercado de peixe de Gammel Strand, ou para ir à aula de cerâmica na qual Greta a matriculara –, ela tentava pintar. Embora parecesse mais, apenas seis anos haviam se passado desde que sentira pela última vez o cheiro fantasmagórico de arenque daquele apartamento. Algumas coisas continuavam iguais, como as buzinas das barcas com destino à Suécia e a Bornholm; ou como a luz da tarde, que se infiltrava pelas janelas pouco antes que o sol mergulhasse atrás da cidade, realçando os campanários das igrejas. Postada junto ao cavalete, Greta pensava em Einar naquela época e em Lili atualmente; então fechava os olhos e ouvia um certo tilintar na lembrança, mas reconhecia os címbalos da lavadeira cantonesa que ainda chamava lá da rua. Não havia do que se arrepender, pensava ela.

O rei concedeu-lhes o divórcio com uma rapidez que deixou Greta alarmada. É claro que eles já não podiam viver como homem e mulher, pois agora eram ambas mulheres e Einar jazia no caixão da memória. Mesmo assim, Greta ficou surpresa diante da alacridade incomum com que a papelada foi processada por aqueles funcionários de gravata-borboleta preta e dedos nervosamente trêmulos. Ela esperava uma demora burocrática, e até contava com isso; chegara quase a imaginar a solicitação perdida num arquivo qualquer. Embora não gostasse de admitir, ela se assemelhava às moças de Pasadena que consideravam o divórcio um sinal de flacidez moral; mais especificamente, Greta achava que se tratava de ausência de espinha do oeste. Estranhamente, ficou preocupada com o que os outros poderiam pensar e falar dela: por exemplo, que ela era tão frívola e fraca de cabeça que simplesmente casara-se com o homem errado. Não gostava de pensar em si mesma desse jeito. Por isso insistiu para que Einar Wegener recebesse um atestado de óbito, coisa que ninguém em posição de autoridade concordou em dar, embora todos no departamento conhecessem a natureza do caso dela. Apenas um funcionário, que tinha um bigodinho sob o nariz comprido, reconheceu que a solicitação dela tinha amparo na verdade.

– Lamento, mas não posso reescrever a lei – disse ele sobre uma pilha de papéis que quase lhe alcançava o bigode.

– Mas meu marido está morto – tentou Greta, batendo com os punhos no balcão que a separava daqueles burocratas com fitas elásticas nas mangas, ábacos nas mesas e fedor generalizado de tabaco e raspas de lápis. – Ele tem de ser declarado morto – tentou ela na última visita ao escritório governamental, suavizando a voz. No alto da sala de burocratas, observando tudo, havia um dos primeiros retratos feitos por ela: de terno preto, lá estava Herr Ole Skram, vice-ministro da monarquia por menos de um mês, lembrado apenas por sua morte notável e bem documentada nas cordas emaranhadas de um balão de ar quente. Mas os pedidos de Greta foram em vão. E assim Einar Wegener desapareceu oficialmente, partindo sem túmulo.

– Ela precisa viver a vida dela – disse Hans certo dia. – Devia sair sozinha e fazer suas próprias amizades.

– Não impeço Lili de fazer isso. – Greta esbarrara com ele na portaria da Academia Real de Artes. Era abril, e o vento frio e salgado soprava do leste, vindo do Báltico. Greta ergueu o colarinho contra o vento. Estudantes de luvas com os dedos cortados passavam por eles. Hans disse:

– E você também devia fazer isso.

Greta não disse nada, sentindo o frio entranhar-se na espinha. Dali avistava-se a praça de Kongens Nytorv. Diante da estátua do rei Cristiano V, um rapaz com o cachecol azul batendo nos joelhos beijava uma moça. Hans tinha a mania de lembrá-la daquilo que ela não tinha, ou daquilo de que ela já se convencera – sentada na poltrona de leitura esperando que Lili voltasse, com o coração disparando a qualquer ruído em falso na escadaria – que podia dispensar. Do que ela estava com medo?

– Quer ir de carro comigo a Helsingor amanhã? – propôs ele.

– Acho que não posso – disse ela. O vento aumentou, rugindo através do pórtico arqueado da academia, onde os muros exibiam arranhões causados por caminhões largos demais. Greta e Hans foram para um corredor lateral, onde o assoalho de tábuas não tinha verniz, as paredes eram pintadas de verde-claro e o corrimão da escada era branco.

– Quando você vai perceber que ela já não é sua?

– Eu nunca disse que ela era. Estava falando do meu trabalho. Não é fácil tirar um dia de folga.

– Como você pode saber?

Greta teve uma sensação súbita de perda, como se a crueldade do progresso e do tempo tivessem acabado de lhe roubar seus dias de estudante na academia; como se o passado houvesse permanecido seu só até aquele dia.

– Einar está morto – disse, sem pensar.

– Mas Lili não está. – Ele tinha razão. Afinal, Lili estava viva, e provavelmente varria o apartamento naquele instante, com o rosto realçado por um facho de sol, os pulsos delicados e aqueles olhos quase negros. E que na véspera dissera: Ando pensando em arranjar um emprego.

– Você não percebe que eu estou meio triste? – disse Greta.

– E você não percebe que eu quero que se abra comigo?

– Acho melhor eu ir embora – disse Greta, percebendo que eles estavam ao pé da escadaria onde ela e Einar haviam se beijado pela primeira vez e se apaixonado. Viu os corrimões brancos e os degraus de tábuas, desgastados por décadas de alunos atrasados com deveres incompletos enfiados debaixo do braço. Viu as vidraças aferrolhadas contra o frio. O corredor se mantinha silencioso; ninguém estava por perto. Para onde haviam ido todos os alunos? Greta ouviu uma porta fechar-se em algum lugar. Então fez-se silêncio novamente, e algo imperceptível passou de Hans para ela, enquanto através da janela, sob a longa sombra da academia projetada na praça, o rapaz de cachecol azul beijava a namorada, beijava-a várias vezes, beijava-a sem parar.

Capítulo vinte e cinco

Lili estava sentada na cadeira de assento de corda, pensando se seria um bom momento para falar com Greta. Através da janela, podia ver os mastros dos barcos de arenque no canal. Atrás dela, Greta pintava um retrato de Lili de costas. Desenhava o esboço sem dizer nada, e Lili ouvia apenas o tilintar das pulseiras dela. A dor ainda lhe ardia na virilha, mas ela aprendera progressivamente a ignorá-la; a parte interna do seu lábio estava em frangalhos, de tanto ser mordida. O prof. Bolk prometera que um dia aquilo passaria.

Lili pensou nas moças da clínica. Haviam oferecido uma festa para ela no jardim, um dia antes de o professor dar-lhe alta. Duas moças haviam arrastado uma mesa branca de ferro forjado até o gramado, e uma terceira trouxera do quarto uma prímula num vasinho com coelhinhos pintados. As moças haviam forrado a mesa com um pano amarelo, que o vento teimava em levantar. Lili sentara-se numa cadeira metálica fria à cabeceira da mesa, vendo o pano ondular enquanto as moças tentavam prender os cantos. A luz do sol varava o pano amarelo e ofuscava os olhos dela, que pusera o vasinho no colo.

Frau Krebs dera-lhe uma caixa amarrada com uma fita, dizendo:

– Da parte do professor. Ele queria dar-lhe isso, mas precisou ir a Berlim. Ao Hospital São Norberto, para assistir a uma cirurgia. Pediu que eu me despedisse por ele. – O laço estava apertado e Lili não conseguira desatar o nó, de modo que Frau Krebs tirara um canivete do avental e cortara a fita. Isso desapontara as moças, que queriam prendê-la no cabelo de Lili, o qual já passava dos ombros de tanto que crescera.

A caixa era grande e estava cheia de papel; lá dentro ela achou um porta-retrato de prata formado por dois ovais. Num deles via-se uma fotografia de Lili, deitada sobre a grama alta às margens do Elba; a fotografia só podia ter vindo da parte de Greta, pois Lili jamais caminhara até o rio com o prof. Bolk. No segundo oval, via-se o rosto de um homem franzino sob um chapéu; os olhos eram escuros e sombrios, a pele era tão branca que quase brilhava e o pescoço parecia fino demais para o colarinho.

Sentada na cadeira de assento de corda, Lili podia ver o porta-retrato duplo sobre a estante e ouvir o ruído do lápis de Greta sobre a tela. Seu cabelo estava repartido ao meio, caindo de ambos os lados do pescoço. As contas de âmbar pendiam-lhe em torno da garganta, e ela podia sentir a frieza do fecho de ouro do colar. Visualizou a mulher atarracada, de pernas roliças e polegares calosos, que usara aquelas contas outrora; não conhecera a mulher, é claro, mas podia vê-la com as botas de lona e borracha no campo de esfagno, com as contas enfiadas na fenda entre os seios.

Lili não se deixava perturbar pelo que lembrava e não lembrava. Sabia que a maior parte de sua vida anterior era como um livro que ela lera quando criança: ao mesmo tempo familiar e esquecido. Lembrava-se de um campo de esfagno, lamacento na primavera e esburacado por uma família de raposas vermelhas; da lâmina achatada e enferrujada de uma enxada golpeando a turfa; e dos estalidos ocos das contas de âmbar balançando em torno da garganta de alguém. Também se lembrava do vulto de um garoto alto e cabeçudo, caminhando ao longo da crista do campo de esfagno. Não sabia quem o garoto era, mas sabia que ela já fora uma criancinha assustada observando aquele vulto negro e plano no horizonte. Algo em seu peito vibrava, quando o vulto se aproximava e o braço silhuetado repuxava a aba do chapéu; disso ela sabia. Pois lembrava-se de ter dito a si mesma que sim, ela estava apaixonada.

– Você está enrubescendo – disse Greta lá do cavalete.

– Estou? – Lili sentiu o calor no pescoço, e o rápido acúmulo de suor em torno do rosto. – Não sei por quê – disse.

Mas não era verdade. Poucas semanas antes, ela fora ao Landmandsbanken, para trancar num cofre particular o broche de pérolas e brilhantes que Greta lhe dera. Mas, antes de chegar ao banco, parara numa lojinha de porão a fim de comprar dois pincéis duros para Greta. O velho vendedor estava com as mãos rosadas e macias estendidas para uma prateleira cheia de terebintina. Estava atendendo outro freguês, um sujeito com uma cabeleira crespa que passava das orelhas. Lili não conseguira ver-lhe o rosto, e ficara irritada por ele ter pedido justo a maior lata de terebintina sobre a prateleira mais alta.

– Vou aqui perto buscar um par de luvas e volto já – dissera o freguês para o vendedor, que ainda se equilibrava sobre a escada. Depois virara-se e passara por Lili, dizendo: "Com licença, *froken*."

Quando o sujeito passara por ela, Lili se encostara na estante e prendera a respiração. O cabelo dele roçara-lhe o rosto, e ela sentira um leve aroma campestre.

– Com licença – dissera ele mais uma vez.

Então Lili tivera certeza. Afundara o queixo no peito, sem saber direito o que queria que acontecesse a seguir. Ficara preocupada com sua aparência: provavelmente tinha o rosto ressecado pelo vento. Vira na prateleira inferior uns conjuntos de aquarelas para crianças em caixas metálicas com dobradiças. Ajoelhara-se para conferir o preço de um conjunto vermelho, com doze almofadas secas de cores diferentes. E começara a puxar o cabelo em torno do rosto.

Mas Henrik a vira, e pusera a mão no ombro dela, dizendo:

– Lili? É você?

Haviam saído da loja, com o saco que continha a lata de terebintina balançando no braço de Henrik. Ele estava mais velho, e tinha a pele em torno dos olhos enrugada e levemente azulada. Seu cabelo estava mais escuro, feito carvalho manchado, sem muito brilho. E o pescoço e os pulsos haviam engrossado. Já não era um rapaz bonito; tornara-se um belo homem.

Foram tomar um cafezinho na esquina, sentando-se à mesa de um bar. Henrik lhe falara de si, descrevendo suas marinhas, que eram vendidas com mais facilidade em Nova York do que na Dinamarca; falara do acidente automobilístico em Long Island que quase o matara, quando o estepe do Kissel Gold Bug soltara-se do estribo e atingira-o na testa; e por fim mencionara a noiva de maxilares pronunciados oriunda de Sutton Place, que o largara sem motivo algum, simplesmente porque não o amava mais.

– Esqueci – dissera Lili subitamente. – Esqueci de comprar os pincéis de Greta.

Ele a acompanhara de volta à loja, que já fechara. Ficaram parados ali na rua, enquanto a placa da loja oscilava na haste de ferro.

– Tenho pincéis sobressalentes no ateliê – dissera ele. – Podemos ir buscar alguns lá, se você quiser. – Os olhos dele tinham o formato de lágrimas, e Lili já esquecera como aqueles cílios eram curtos e grossos. Sentira novamente aquele aroma campestre, feito casca de trigo.

– Tenho um pouco de medo disso – dissera Lili diante da aproximação do rosto de Henrik.

– Pare – dissera Henrik. – Por favor, não fique com medo por minha causa. – A placa da loja ficara lá chacoalhando, mas Henrik e Lili partiram para o ateliê dele, do outro lado do Inderhavn, onde mais tarde, após ele servir-lhe vinho tinto, alimentá-la com morangos e mostrar a ela suas marinhas, eles haviam se beijado.

– Você está enrubescendo cada vez mais – disse Greta. Acendeu um abajur e começou a enxaguar os pincéis numa jarra. – Precisa de um comprimido? Está se sentindo bem?

Lili não sabia como contar aquilo a Greta. Na época da mudança de volta a Copenhague, dissera-lhe:

– Acha mesmo que devemos continuar morando juntas? Duas mulheres neste apartamento?

– Você está preocupada com o que as pessoas podem falar? – dissera Greta. – É isso?

E Lili, que não sabia direito por que dissera aquilo, respondera:

– Não. Nem um pouco. É só que... eu estava pensando em você.

Não, ela não podia falar de Henrik a Greta, pelo menos por enquanto. Afinal, por onde começaria? Por aquele beijo na penumbra do ateliê? Pelo calor daquele braço em torno de seus ombros ao voltarem a Kongens Have à hora do crepúsculo, quando as babás já empurravam os carrinhos das crianças para casa? Por aquela mão, coberta de grossos pelos pretos, que lhe alisara primeiro a garganta e depois a macia almofada do seio? Pela carta que ele mandara no dia seguinte por intermédio da lavadeira cantonesa, jurando amor e arrependimento num quadrado de papel manchado de tinta? Sim, por onde ela começaria? Apenas três semanas haviam se passado desde aquele encontro na loja de material artístico, mas Lili tinha a impressão de que durante esse período sua vida recomeçara. Como poderia contar isso a Greta?

– Estou com vontade de dar uma caminhada – disse ela levantando-se.

– Ainda não acabei – disse Greta. – Você não pode posar mais uns minutinhos?

– Estou com vontade de ir agora, antes que escureça.

– Quer que eu vá com você?

– Não é preciso.

– Vai assim, sozinha?

Lili assentiu, sentindo-se tomada por uma duplicidade inexaurível, pois ao mesmo tempo amava e detestava aqueles cuidados por parte de Greta. Essa é que era a verdade.

Abriu o armário para pegar o casaco e o cachecol. Greta começou a arrumar as tintas, os pincéis e o cavalete. Edvard IV pôs-se a latir em torno dos tornozelos de Lili. O último raio angulado de sol rebrilhou dentro do apartamento. Ouviu-se a buzina da barca para Bornholm; enquanto punha um casaco de feltro azul com botões curvos de bambu, Lili pensou em ir até o cais, subir a prancha e tomar assento na cabine de onde se avistava a ilhota por cima da proa.

Mas, ao menos por enquanto, ela não embarcaria.

– Eu vou voltar – disse sem pensar.

– Sim, bem... ótimo. Tem certeza de que não quer companhia?

– Hoje não.

– Está bem, então. – Greta pegou Edvard IV nos braços e ficou parada num facho de luz que se esvaía no centro do apartamento, enquanto Lili, sentindo necessidade de escapar, preparava-se para sair. Henrik dissera que ficaria trabalhando até tarde no ateliê. "Procure a luz acesa", escrevera ele num bilhete contrabandeado para dentro do apartamento na trouxa da lavadeira.

– Você vai demorar muito?

Lili abanou a cabeça.

– Não tenho muita certeza. – Estava pronta, com o casaco abotoado. Teria de falar de Henrik a Greta, mas não naquela noite. – Boa-noite – disse ela, pressentindo algo; então abriu a porta e viu Hans com os dedos erguidos, prestes a bater.

Ele entrou, e Lili permaneceu junto à porta. Hans parecia cansado, e afrouxara a gravata. Convidou-as a sair para jantar, mas Lili disse:

– Estou de saída. – Greta disse que ela andava muito ocupada ultimamente. Parecia irritada com aquilo, pelo jeito com que falou a Hans do emprego que ela arranjara na Fonnesbech, atrás do balcão de perfumes. – Eles me contrataram porque eu falo francês – explicou Lili, ainda de casaco. A gerente da Fonnesbech, uma mulher cuja blusa negra achatava-lhe os seios, pedira-lhe que se dirigisse às freguesas falando com sotaque. – Fale como uma francesa. Finja que você é outra pessoa. A loja é um palco! – Lili arrumava os frascos de vidro trabalhado numa bandeja de prata, mantinha os olhos baixos e discretamente perguntava às freguesas que passavam se elas gostariam de uma gotinha nos pulsos.

– Preciso ir – disse Lili, indo dar um beijo de despedida em Hans.

Ele se ofereceu para acompanhá-la na caminhada, mas Greta disse que ela queria ficar sozinha.

– Vou só um pouquinho – disse ele. – Depois eu volto, Greta, e podemos ir jantar.

Na rua, a noite estava úmida. Na outra calçada, uma mulher batia à porta do dr. Möller. Lili e Hans pararam, hesitantes, junto à porta da Casa da Viúva.

– Para onde vamos? – disse ele.

– Eu vou para Christianshavn. Mas você não precisa vir comigo – disse ela. – É longe demais.

– Como anda Greta ultimamente?

– Você não conhece Greta? Sempre a mesma.

– Isso não é verdade. Ela está se adaptando bem?

Lili fez uma pausa, pensando no que ele queria dizer. Pois aquele não era o traço mais frustrantemente maravilhoso de Greta? Estar sempre igual, sempre pintando, sempre planejando, sempre puxando o cabelo para trás?

– Ela está bem. Mas acho que está com raiva de mim.

– Por quê?

– Às vezes me pergunto por que ela me deixou fazer isso, para começar. Será que ela achava que tudo continuaria igual depois?

– Ela nunca achou isso – disse Hans. – Sempre soube o que isso significaria.

A mulher, cujo braço estava numa tipoia, foi admitida à casa do dr. Möller. Lili ouviu um grito vindo da janela do marinheiro ali em cima.

Em seguida Hans perguntou:

– Para onde você está indo? – Pegou as mãos de Lili e começou a esfregá-las para espantar o frio. Às vezes, ela ficava surpresa por não desabar sob o toque de um homem. Não acreditava que sua carne e seus ossos pudessem aguentar o escrutínio da ponta dos dedos de um homem. Sentia isso mais fortemente com Henrik, cujas mãos já haviam apalpado cada vértebra da sua espinha. Quando ele a segurara pelos ombros, ela esperara dobrar-se feito uma folha de papel, mas isso não acontecera; então Henrik continuara abraçando-a e beijando-a.

– Nós já nos conhecemos há muito tempo, não é? – disse Hans.

– Acho que eu me apaixonei – começou Lili. Então falou a Hans de Henrik; e disse que, quando eles se beijavam no ateliê à noite, ela só pensava em nunca mais voltar à Casa da Viúva.

– Achei que talvez estivesse acontecendo isso – disse Hans. – Por que você não contou para Greta?

– Ela ficaria com ciúmes. Tentaria acabar com isso.

– Como você sabe?

– Já tentou acabar com isso uma vez.

– Isso foi há muito tempo, não foi?

Lili refletiu. Hans tinha razão, é claro. Mas ele não conhecia Greta tão bem quanto ela. Não aguentara aquele olhar enviesado, toda vez que ela saía de casa ou voltava tarde da noite. O que fora mesmo que Greta lhe dissera certa vez? "É óbvio que não sou sua mãe, mas mesmo assim gostaria de saber por onde você anda ultimamente."

– Ela não tem o direito de saber? – perguntou Hans.

– Quem, Greta? – Lili tinha de admitir que ela não era assim sempre. Pois na semana anterior Greta fora encontrá-la na portaria dos funcionários da Fonnesbech e dissera: "Lamento a mudança de planos, Lili, mas Hans e eu vamos sair para jantar. Espero que você não se importe de comer sozinha." – Em outro dia as duas haviam acordado de um cochilo, e Greta dissera: "Sonhei que você se casava, Lili."

– Posso ir com você até a ponte? – disse Hans.

– Não é preciso – disse ela. – Volte e vá visitar Greta. – Então lhe ocorreu que Greta e ele haviam ficado muito íntimos. Pensou nas refeições que eles compartilhavam à mesa comprida, nas noites calmas que passavam jogando pôquer até ela chegar em casa, e no jeito com que Greta, contrariando suas características, começara a depender cada vez mais dele, dizendo: "Preciso consultar Hans antes."

– Você quer casar com ela? – disse Lili.

– Ainda não pedi.

– Mas vai pedir?

– Se ela deixar.

Lili não se sentiu enciumada; por que deveria se sentir assim? Sentiu-se aliviada, e ao mesmo tempo inundada por uma torrente de lembranças: Hans e Einar brincando no quintal da fazenda, o avental pendurado ao lado da chaminé do fogão, Einar perseguido por Greta pelos corredores da Academia Real, e Greta quase correndo pela igreja de Santo Albânio no dia do casamento deles, sempre apressada. A vida de Lili virara do avesso, e ela sentiu-se grata por isso.

– Ela só vai casar comigo quando você montar uma casa e estiver vivendo bem.

– Ela disse isso?

– Não precisou.

Ouviu-se outro grito do marinheiro lá em cima, e uma janela se fechando com força. Lili e Hans sorriram. Na luz da rua, ele parecia jovem feito um rapaz. Seu topete se empinara, e suas bochechas estavam rosadas no centro. Lili viu seu próprio hálito se misturando ao dele. "Tu é uma piranha!", berrou o marinheiro, como sempre fazia.

– Eu fiz alguma coisa errada? – perguntou Lili.

– Não – disse Hans, soltando as mãos dela e dando-lhe um beijo de despedida na testa. – Mas Greta também não.

Capítulo vinte e seis

Após refletir, Greta abandonou o último retrato de Lili. A nuca estava errada, com a base gorda demais; e ela pintara as costas largas demais, com a tela quase toda preenchida pela extensão entre um ombro e outro. Era feio; Greta enrolou o quadro e queimou-o no fogão com pés de ferro, que ficava no canto, sentindo a garganta arder devido aos gases da fumaça.

Não era o primeiro quadro que fracassava, nem o último. Ela vinha tentando completar o primeiro grupo de retratos desde que voltara a Copenhague, mas eles teimavam em sair mal concebidos. Lili ficava grande demais, ou estranhamente colorida; ou então a luz branca e sonhadora que Greta gostava de pintar nas faces dela saía turva. Ela já experimentara contratar um modelo da Academia Real nas horas em que Lili passava junto ao balcão de perfumes da Fonnesbech. Escolhera o menor menino da turma: um louro magrinho, com cílios pesados, que enfiava os suéteres dentro das calças. Pusera o baú laqueado diante da janela e pedira ao menino que ficasse em pé ali, com as mãos atrás das costas. "Olhe para os seus pés", indicara, postando-se atrás do cavalete. A tela estava em branco, e de repente parecera-lhe impossível desenhar sobre aquela textura áspera. Ela traçara a lápis a curvatura da cabeça e a linha das ilhargas. Mas depois de uma hora o retrato começara a ficar caricato, com uma cintura de ampulheta e os olhos enormes e aguados. Ela dera dez coroas ao menino e mandara-o para casa.

Houvera ainda outros modelos: uma mulher bonitona que era cozinheira do Hotel Palace, e um sujeito de bigode encerado. Ao ser convidado a despir a camiseta, o sujeito revelara ter um peito que era um verdadeiro tapete de pelos pretos.

– O mercado está se contraindo – disse Hans ao voltar do passeio com Lili. A galeria em Krystalgade fechara, e suas janelas estavam manchadas de cal. O proprietário desaparecera; alguns diziam que ele fugira para a Polônia, cheio de dívidas; outros diziam que ele agora carregava caixotes de caril nas docas da Companhia Asiática. E ele era apenas um entre muitos. A fábrica de porcelana Henningsen falira, após encomendar vinte novos fornos a fim de produzir tigelas de sopa para os americanos. Os misturadores de cimento de Herr Petzholdt andavam ociosos. Na fábrica de margarina Otto Monsted, os boatos espalhavam-se junto com o aroma de manteiga queimada. E o aeródromo, que antes fervilhava feito uma colmeia, agora jazia inerte e silencioso, transportando poucos emigrantes e recebendo um ou outro cargueiro aéreo na pista branca.

– Ninguém está comprando nada – disse Hans, pondo a mão no queixo e examinando os quadros que Greta arrumara em torno do aposento. – Eu gostaria de esperar as coisas melhorarem antes de expor estes retratos. A época não é boa. Talvez ano que vem.

– Ano que vem? – Greta recuou e olhou para as próprias obras. Nenhuma era bela; nenhuma tinha a aura de luz que a tornara famosa. Ela esquecera como criar aquela luz de fundo que trazia à vida o rosto de Lili. O único quadro que parecia ter algum mérito era o retrato do prof. Bolk: alto, com mãos grandes, e robusto naquele terno de lã xadrezado. Greta percebeu que os demais nem se comparavam àquele; e também percebeu que Hans, com a testa franzida, tentava achar um jeito de dizer-lhe isso.

– Estive pensando em viajar para a América – disse Hans. – Para ver se ainda há negócios a fazer por lá.

– Para Nova York?

– E também para a Califórnia.

– Para a Califórnia? – Greta encostou-se na parede entre os quadros; imaginou Hans sob o sol de Pasadena, tirando o chapéu com aba de feltro pela primeira vez.

Carlisle já estava a caminho de Copenhague, tendo reservado passagem via Hamburgo. Escrevera dizendo que o inverno em Pasadena fora seco, e que os canteiros de papoulas haviam ressecado já em março. Isto fora em resposta ao bilhete lacônico de Greta: "Einar está morto." Ao que ele escrevera de volta: "Pasadena está seca, e não há água no rio Los Angeles; por que você e Lili não vêm nos visitar? Como está Lili? Está feliz?" Greta guardara a carta dele no bolso do guarda-pó.

Às vezes, ela entrava sorrateiramente na Fonnesbech à tarde, e ficava observando Lili por cima dos balcões que exibiam as luvas de pelica e os lenços de seda dobrados em triângulos. Via Lili por trás do mostruário de vidro, com o cabelo por cima dos olhos e as contas de âmbar contrastando com o colarinho do uniforme. Se uma freguesa passava, Lili erguia o dedo; a freguesa parava e levava um frasco de perfume ao nariz. Um sorriso e uma venda; Greta observava tudo isso do outro lado da loja, atrás de um cabide de guarda-chuvas remarcados pela metade do preço. Ficara espionando desse jeito algumas vezes; na última, saíra da Fonnesbech, chegara em casa e encontrara um telegrama de Carlisle: "Embarco sábado."

E agora Hans dizia que estava pensando em viajar à Califórnia.

– Quer ir comigo? – disse ele.

– À Califórnia?

– Sim, é claro – disse ele. – E não venha me dizer que não pode.

– Não posso.

– Por que não?

Greta não disse por quê, pois até ela sabia que pareceria absurdo. Pois quem *cuidaria* de Lili? Então pensou em Carlisle, que naquele momento devia estar bronzeando a perna numa cadeira de lona no convés do *Estonia*.

– Greta, sua ajuda viria a calhar – disse Hans.

– Minha ajuda?

– Na América.

Ela recuou um passo, afastando-se de Hans; ele parecia tão mais alto do que ela. Será que ela nunca notara como ele era alto? Estava ficando tarde, e eles ainda não haviam jantado. Edvard IV lambia a água da tigela. Hans era o amigo de infância do seu marido. Mas ele já não parecia ser isso; era como se esse lado dele, essas lembranças dele, houvessem desaparecido junto com Einar.

– Pense no assunto – disse Hans.

– Posso dar os nomes de algumas pessoas para você procurar. Posso escrever cartas de apresentação, se é disso que você precisa. Não seria incômodo algum – disse ela.

– Não é isso. Você não percebe?

– Percebe o quê?

A mão dele caiu sobre o centro das costas dela.

– Mas e Lili? – disse ela.

– Ela pode se virar sozinha – disse Hans.

– Não posso abandonar Lili – disse Greta. A mão de Hans acariciava-lhe o quadril. Era uma noite primaveril, e as persianas tremiam ao vento; Greta pensou na casa sobre a colina em Pasadena, onde no verão o vento lançava ramos de eucalipto contra as telas.

– Vai ter de fazer isso – disse Hans, enlaçando-a. Ela sentiu o coração dele batendo sob a camisa, e o próprio coração na boca.

Quando chegou, Carlisle não ficou no quarto de hóspedes. Em vez disso, hospedou-se num quarto no Hotel Palace, com vista para a Rådhuspladsen e o chafariz dos três dragões. Disse que gostava do barulho dos bondes cruzando os trilhos na praça, e do chamado do vendedor ambulante que vendia biscoitos com especiarias na carrocinha. Disse que gostava de olhar para o comprido muro de tijolos do Tivoli, que estava prestes a reabrir, e ver os assentos da roda-gigante balançando no céu. Disse que gostava de visitar Lili no balcão da Fonnesbech, onde ela fizera jus a um pequeno broche por ter sido a melhor vendedora do mês. Disse que gostava de vê-la ocupada, caminhando pela Stroget e batendo papo com as outras vendedoras após emergirem da portaria dos funcionários com aqueles uniformes azuis. Por fim, disse a Greta que achava que Lili deveria morar sozinha.

– Por que você acha isso? – respondeu Greta.

– Ela é uma mulher adulta.

– Não tenho tanta certeza disso – disse ela. – Em todo caso, isso é com ela.

– Está falando sério? – disse ele.

– É claro que estou falando sério – disse Greta, que nunca se via no espelho quando olhava para o irmão gêmeo.

Na semana anterior, ela fora até o umbral de um prédio em frente à portaria dos funcionários da Fonnesbech. A noite ainda estava caindo. Ela saíra correndo da Casa da Viúva com tanta pressa que esquecera de tirar o guarda-pó. Enfiara as mãos nos bolsos, apalpando os retratos de Teddy e Einar, as cartas recebidas deles, e as alianças. Aí escondera-se na portaria do prédio, que tinha um capacho feito de crina de cavalo.

Aguardara apenas alguns minutos. A porta metálica se abrira e enchera a viela de luz e vozes juvenis. Greta ouvira os sapatos das moças ressoando sobre um bueiro na calçada.

Aguardara até Lili se juntar a três ou quatro moças que tinham por destino um café turco, onde jovens reclinavam-se no chão sobre almofadas bordadas com linha de seda e pequenos espelhos. "Até amanhã", haviam exclamado duas delas para as demais. "Boa-noite", dissera outra. "Divirtam-se", dissera uma quarta por cima do ombro, acenando. As bochechas das moças eram rechonchudas e cobertas por uma leve penugem; seus rabos de cavalo balançavam enquanto desciam a viela e dobravam na Stroget. Lili continuara falando com as outras; uma delas tinha uma sacola de compras, e a segunda, uma espécie de atadura em torno da mão. Greta não conseguira ouvir o que elas diziam, mas aí as duas haviam dito "Até amanhã". E por fim Lili vira-se sozinha na rua. Conferira o relógio e olhara para o céu baixo e úmido.

Uma mulher passara pedalando de bicicleta, derrapando ao rodar sobre os paralelepípedos escorregadios. Lili amarrara um cachecol em torno da cabeça e partira rua abaixo. Greta vira-a afastar-se suavemente, e logo Lili tornara-se apenas um casaco azul sustentado por dois tornozelos finos e sapatos que chapinhavam na garoa.

Greta seguira-a. Lili não aparentava estar com pressa: desviava-se das pessoas na rua, chegando a deter-se para examinar a vitrine de uma loja que vendia rodos e outros materiais de limpeza. Na vitrine, havia uma pirâmide feita de latas pretas e brancas de Zebralin, e a fotografia de uma mulher limpando o tampo do fogão. Lili virara-se e olhara para o relógio novamente; então seus tornozelos, que a distância não pareciam mais grossos que os de uma criança, haviam começado a afastar-se rapidamente de Greta. Ela descera a Snaregade, com os casebres de pau a pique e a lâmpada do poste queimada, e partira para Gammel Strand. Logo chegara ao canal Slotsholms, com a balaustrada curva onde ficavam amarradas as cordas dos botes. Havia um salva-vidas branco amarrado à balaustrada, e um esturjão pendia abandonado de um anzol. A agulha de cobre retorcido do Borsen fulgurava no céu do outro lado do canal, e a luz vinda de lá reluzia sobre a água. Lili continuara a andar, olhando para os vultos negros dos barcos de pesca que rangiam amarrados do outro lado do canal.

Lili parara e abrira a bolsa. Estava escuro demais para Greta ver os olhos dela ao examinar o interior da bolsa, mas vira-a tirar um lenço, um estojo para moedas e depois a caixinha esmaltada que continha os comprimidos. Lili abrira-a com um estalido. Colocara um deles sobre a língua, e Greta achara que ela fizera uma careta ao engolir o comprimido branco.

Pensara em chamá-la nesse momento, mas se detivera. Vira Lili continuar caminhando noite afora, indo em direção ao Knippelsbro. Era abril, e os ventos sopravam vindos do Báltico. Quando Lili chegara à segunda ponte, o vento erguera-lhe a ponta do cachecol. Ela parara a fim de ajeitar o laço junto ao pescoço. Parara também a fim de conferir o trânsito, mas não havia trânsito algum. O Inderhavn estava turbulento. Greta ouvira a água gélida batendo no básculo duplo da ponte. Ouvira a barca sueca preparando-se para fazer a última travessia da noite.

Não sabia exatamente qual era o destino de Lili em Christianshavn, mas já podia imaginar; provavelmente se tratava de um encontro amoroso clandestino. Aí um trecho de uma velha canção surgira-lhe na mente: *Era uma vez um velho que vivia num charco.* Ela se apoiara na fria balaustrada metálica do canal Slotsholms. A balaustrada estava cheia de bolhas de ferrugem, e fedia a sal; Greta firmara ambas as mãos ali e vira Lili atravessar a ponte sobre o Inderhavn, com a ponta do cachecol ondulando feito a mão de uma criança, acenando em despedida.

Capítulo vinte e sete

Ao final da primavera, os luzidios brotos verdes dos salgueiros do Ørstedsparken já haviam se aberto, e os canteiros de rosas em torno de Rosenborg Slot já se avermelhavam. A prolongada cobertura invernal do céu se dissipara, e os crepúsculos começaram a se alongar em direção ao solstício de verão.

Lili ganhara ainda mais forças; e aceitou, como uma criança aceita o beijo da mãe, o pedido de casamento de Henrik, feito na véspera da partida dele para Nova York a bordo do *Albert Herring*. Ele fechara as velhas malas de couro e encaixotara as tintas e os pincéis. E não parava de dizer: "Nova York! Nova York!" Então Lili, que já falara da iminente partida de Henrik para as outras vendedoras da Fonnesbech, ergueu a cabeça e disse:

– Sem mim?

Estavam no ateliê de Henrik em Christianshavn; o aroma do canal entrava pela janela. O ateliê estava vazio, exceto pelas malas e pelo caixote, nos quais fora escrito com letras vermelhas: HENRIK SANDAHL, NOVA YORK. A remoção da mobília deixara redemoinhos de poeira e penas nos cantos, e a brisa que entrava pela janela fazia ondular os pequenos tufos. Henrik, que recentemente tosquiara a cabeleira, deixando apenas alguns cachos bem aparados, disse:

– É claro que não. Já perguntei uma vez, e vou perguntar de novo. Quer casar comigo?

Lili sempre desejara aquilo. Sabia que se casaria um dia; quando pensava no assunto, sentia que não poderia representar papel maior na vida do que ser a esposa de um homem, a esposa de Henrik. Mas também sabia que aquilo era tolice: era algo que jamais repetiria para Greta, que não pensava dessa forma. Mas era assim que ela se sentia. Imaginava-se fazendo compras no segundo andar da Fonnesbech, onde ficavam penduradas as roupas de homem, e apalpando o material das camisas de punho francês até achar uma que servisse em Henrik. Imaginava-se carregando a sacola do armazém cheia de compras – a peça de salmão, as batatas e o molho de salsa – que se tornaria o jantar deles. Imaginava-se sob a sombra que toldaria a cama e o peso que afundaria o colchão quando Henrik se aproximasse dela.

– Quero que você saiba uma coisa a meu respeito – disse Lili. Pensou naquela noite em Ørstedsparken, anos antes, quando o largara lá exclamando o nome dela. – Antes de nos casarmos.

– Pode me dizer qualquer coisa.

– Meu nome não era Lili Elba quando nasci.

– Isso eu já sei – disse ele. – Já disse a você que eu sei de tudo. Eu sei quem você é.

– Não – disse Lili. – Você sabe quem eu era. – Falou-lhe do professor Bolk, da clínica de estuque às margens do Elba e dos cuidados de Frau Krebs até que ela recuperasse a saúde. Jamais contara aquilo a alguém. O pequeno círculo de Lili, que incluía Greta, Hans, Carlisle e Anna, sabia de tudo, mas ela jamais contara os detalhes daquela transformação quase impossível a outras pessoas. Jamais convidara alguém a entrar naquele círculo íntimo, que às vezes parecia fechado demais para incluir outro membro.

– Eu já achava que algo assim tinha acontecido – disse Henrik. Lili esperava que, ao ouvir seu relato, todos se afastassem enojados, mas não percebeu horror algum no rosto dele. – Isso não me surpreende.

Ela perguntou o que ele achava dela: você acha que eu sou uma espécie de aberração, perguntou. Pois a concepção que tinha de si mesma podia virar de ponta-cabeça a qualquer instante: às vezes ela se olhava no espelho, respirava fundo e sentia-se inundada de paz e gratidão; outras vezes via um homem-mulher, com a cabeça espiando por cima da gola de um vestido. Greta e Hans diziam que ela não devia pensar assim. Mas, quando ficava sozinha, a insegurança voltava-lhe sorrateiramente ao peito.

Henrik falou que só podia dizer que estava apaixonado por ela.

– Estou apaixonado por uma mulher extraordinária – disse ele. Até então Lili pensava que não conseguiria retribuir o amor de um homem que conhecesse o seu passado. Prometera a si mesma rejeitar todos que a vissem como uma mulher incompleta. Por essa razão, dera as costas a Henrik naquela noite no parque. Mas, ali, deu-lhe a mão.

– Você consegue me amar, mesmo eu sendo assim? – disse.

– Ah, Lili – disse ele, balançando-lhe o ombro. – Quando você vai entender?

– Mas é por isso que não posso ir a Nova York com você imediatamente – disse ela. – Preciso voltar a Dresden uma última vez. – Contou que o professor queria que ela voltasse. Bolk queria que ela tentasse a metamorfose final. Mas preferiu não explicar os detalhes a Henrik. Achou que ele ficaria preocupado. Que tentaria convencê-la a desistir daquilo. Que não acreditaria que fosse possível.

No ano anterior, antes que ela partisse de Dresden, o prof. Bolk prometera fazer mais uma coisa por Lili, algo que faria dela uma mulher ainda mais completa. Algo que, no dizer de Greta, era "loucura rematada". Algo tão magnífico que parecia um sonho dourado, mas que era, conforme o professor prometera com aquela voz de baixo-profundo, totalmente possível. Enquanto Lili se preparava para deixar a clínica, Bolk lhe dissera que os transplantes ovarianos haviam sido bem-sucedidos, e que ele gostaria de tentar um transplante uterino para torná-la fértil.

– Quer dizer que eu poderia ser mãe? – perguntara Lili.

– Eu não fiz tudo que prometi? Posso fazer isso também – dissera o professor. Mas Greta a dissuadira daquilo.

– Para que fazer isso? – dissera ela, agitando as mãos. – Além disso, é totalmente impossível. Como ele conseguiria fazer isso?

No ano que decorrera desde então, Lili escrevera a Bolk com frequência. Falava de sua recuperação, das tardes passadas no balcão de perfumes, das dificuldades de Greta com a pintura e de Henrik. O professor respondia, embora com menos frequência do que ela escrevia, em finas folhas de papel datilografadas por Frau Krebs. "Notícias maravilhosas", escrevia ele. "Se um dia você quiser realizar a última operação que discutimos, por favor, me avise imediatamente. Estou mais confiante do que nunca."

Pois agora ela iria. Ainda não dissera nada a Greta. Mas sabia que precisava voltar a Dresden e terminar o que Bolk começara. Para provar ao mundo – ao mundo não, a si mesma – que ela era de fato mulher, e que toda aquela vida anterior como um homem franzino chamado Einar fora simplesmente um grave equívoco da natureza, agora corrigido de uma vez por todas.

– Então me encontre em Nova York ao final do verão – disse Henrik, sentado sobre uma das malas; no dia seguinte, um taifeiro embarcaria aquilo tudo num navio que partia para Nova York via Hamburgo. – Finalmente está resolvido. Nós nos casaremos lá.

O verão começou, e certa manhã Lili foi posar para Greta. Seu vestido branco tinha gola em V e ilhoses na bainha, e ela prendera os cabelos na nuca. Greta lhe pusera um pequeno buquê de rosas brancas no colo. Depois lhe pedira que cruzasse os tornozelos e erguesse o queixo.

A essa altura, Lili já tinha muito para contar a Greta, pois havia a história de Henrik e a decisão de voltar a Dresden. Como pudera permitir que tanta coisa ficasse sem ser dita entre elas? Um pequeno segredo crescera e se transformara num segundo mundo, sobre o qual Greta nada sabia. Lili sentiu um remorso profundo: toda uma vida de intimidade entre elas fora reduzida àquilo.

Greta vinha trabalhando naquele retrato havia quase uma semana, e o quadro estava indo bem. O rosto de Lili mostrava-se vivo e corretamente iluminado, tal como os olhos encovados, os finos traços azulados nas têmporas e o rubor embaraçado que lhe ardia na garganta. Junto ao cavalete, Greta dizia a Lili como ela estava e como o quadro estava ficando.

– Este aqui vai ser lindo. Finalmente estou pintando você direito. Já fazia tempo. Eu já estava começando a duvidar de mim mesma.

Ao longo do ano anterior, Lili vira Greta produzir quadros que pareciam apressados e mal planejados. Um dos retratos a deixara grotesca, com pupilas negras e oleosas, o cabelo encrespado de estática, os lábios reluzentes e inchados, e as veias das têmporas brilhantes e verdes. Outros quadros guardavam pouca semelhança com ela, ou eram fracos de cor e concepção. Nem todos eram ruins, só alguns, e Lili sabia que Greta estava se esforçando. Já não era como nos anos em Paris, quando tudo que Greta pintava tinha uma qualidade cintilante, e desconhecidos olhavam para os retratos de Lili, alisavam o queixo e diziam: "Quem é essa moça?" Mas o mais surpreendente fora a perda do desejo de pintar por parte dela, que deixava os dias irem se acumulando sem trabalhar; dias esses que enfileirados faziam Lili se perguntar, quando estava na Fonnesbech, o que Greta fazia para passar o tempo. "Ainda estou me acostumando a morar de novo em Copenhague", dizia ela às vezes. "Achava que tínhamos partido de vez." Outras vezes dizia que simplesmente não estava com vontade de pintar, sentimento este que nela era tão estranho que Lili retrucava: "Você está bem?"

Mas o quadro que ela estava pintando naquela manhã de verão parecia lindo. Greta tagarelava livremente, como fizera todas as manhãs naquela semana.

– Acho que nunca falei a você da ocasião em que pedi que minha mãe posasse para um retrato. Foi quando voltei a Pasadena, durante a guerra. Ela era autoritária nessa época. Vivia dando ordens para os empregados e vasculhando o jardim em busca de uma sebe por aparar. Deus protegesse o jardineiro que deixasse uma folha no gramado. Um dia perguntei se podia pintar o retrato dela, que pensou um pouco e mandou que eu marcasse hora com nosso mordomo, o sr. Ito. Então marquei cinco sessões com ela na sala do café da manhã, onde a luz era boa. Teddy e eu já estávamos namorando a essa altura, e mamãe sabia, mas não queria nem ouvir falar do assunto. Eu tinha dezoito anos e estava quase explodindo de amor. Só conseguia pensar em Teddy; mas sem o citar; no seu jeito arrastado de falar, na curvatura dos ombros dele, e na sensação do seu cabelo na minha mão. Minha mãe não queria ouvir uma palavra sobre Teddy. Erguia a mão sempre que eu começava a falar. Então passei as cinco manhãs calada, só pintando o retrato dela, que estava sentada à cabeceira da mesa, de costas para uma janela onde se via uma buganvília. Foi durante uma onda de calor no outono. Eu via as gotas de suor no lábio dela, e só conseguia morder a língua, sem dizer nada sobre o que estava sentindo.

– E como é que ficou? – perguntou Lili.

– O quadro? Ah, ela detestou. Disse que tinha ficado com cara de malvada. Mas não é verdade. Ela ficou com cara de mãe que quer evitar que a filha se machuque, mas sabe que não pode. Ela sabia que nada me afastaria de Teddy. Sabia disso, e passou cinco manhãs seguidas imóvel, com os lábios comprimidos feito um cadáver.

– Onde está o quadro?

– Em Pasadena. No corredor do segundo andar.

Lili resolveu que chegara a hora de contar tudo a Greta. Já não podia esconder-lhe nada. Até conhecer Greta na academia, Einar passara por um período terrível desde que Hans partira de Bluetooth, pois não tinha com quem compartilhar seus segredos. Lili lembrava-se daquela sensação de reprimir os próprios sentimentos e pensamentos, guardando-os para ninguém. Mas então Greta mudara a vida de Einar. E Lili também se lembrava daquela sensação de gratidão, ao perceber que a solidão enfim terminaria. Como ela poderia continuar omitindo coisas de Greta?

– Tem uma coisa que ando querendo contar para você – disse.

Greta murmurou algo com os olhos concentrados na tela, e firmou o pente de tartaruga que lhe prendia o cabelo para trás. Sua mão movimentava-se com rapidez, retocando a tela, circulando pelas tigelinhas Knabstrup com as tintas e voltando ao retrato de Lili, que estava quase pronto.

Mas por onde Lili deveria começar? Que notícia ela deveria dar primeiro? Que Henrik partira no *Albert Herring* poucas semanas antes? Que antes de embarcar ele enfiara a mão no bolso e tirara uma aliança de brilhantes? Que ambos haviam ficado doce e estranhamente constrangidos quando a aliança não coubera no dedo de Lili? Que ele enviara um telegrama de Nova York, descrevendo o prédio com fachada de pedra na rua 37 Leste onde eles iriam morar? Ou que recentemente o prof. Bolk enviara uma carta perguntando quando deveria esperá-la, pois estava ansioso para vê-la novamente? Sim, por onde começar?

– Isso é muito difícil para mim – disse ela. Imaginava o choque que se espalharia pelo rosto de Greta, e a raiva que lhe cerraria os punhos. Queria que houvesse outra saída. Outra saída para ela e para Greta. – Não sei bem por onde começar – disse.

Greta largou o pincel.

– Você está apaixonada?

No apartamento de baixo ouviu-se uma porta batendo com força. Umas passadas pesadas. Uma janela abrindo-se com violência.

Lili recostou-se na cadeira de assento de corda. Não conseguia acreditar que ela tivesse adivinhado. Não conseguia acreditar que ela já soubesse – pois tinha total certeza de que Greta tentaria pôr fim à coisa se descobrisse que ela estava apaixonada. E percebeu o quanto se enganara a respeito de Greta. Mais uma vez, ela se enganara.

– Estou – disse.

– Tem certeza? – perguntou Greta.

– Tenho, muita.

– E ele, está apaixonado por você?

– Eu nem consigo acreditar nisso, mas está.

– Bom, é isso que importa, não é? – disse ela, iluminada por um facho de sol. Lili pensou nas noites em que Greta lhe escovara o cabelo, com os seios encostados nas suas costas. Pensou na cama que elas compartilhavam, com os dois mindinhos enroscados na madrugada. E pensou na luz matinal que caía sobre o rosto descansado de Greta, quando ela, Lili, lhe beijava a face, pensando: Ah, se eu pudesse ser bonita como você!

– Você está feliz por mim?

Greta disse que estava. Depois perguntou quem ele era; Lili prendeu a respiração e disse que era Henrik.

– Henrik – disse Greta. Lili examinou o rosto dela em busca de uma reação. Não sabia se Greta se lembraria dele, ou se o simples nome de Henrik tornaria as coisas mais difíceis. Mas o rosto de Greta permaneceu quase imóvel; somente os lábios fizeram um biquinho quase imperceptível.

– Ele sempre amou você, não é?

Lili assentiu. Sentia-se quase envergonhada. Pensou na cicatriz na testa de Henrik, causada por um acidente de automóvel, e encheu-se de alívio por muito em breve poder começar uma vida onde poderia beijar aquela linha em cruz toda noite.

– Vamos nos casar ao final do verão.

Greta disse suavemente:

– Casar.

– É o que eu sempre quis.

Greta começou a arrolhar os frascos de tinta.

– São notícias boas – disse ela. Sem olhar para Lili, limpou a borda dos frascos com a bainha do guarda-pó e depois os arrrolhou.

Em seguida, cruzou o aposento e ajoelhou-se para enrolar uma tela em branco. – Em alguns momentos eu ainda olho para você e penso comigo mesmo: Éramos casados há bem pouco tempo. Você e eu, nós éramos casados e vivíamos naquele pequeno espaço escuro onde um casamento existe.

– Era você e Einar.

– Eu sei que era Einar. Mas, na verdade, era eu e você.

Lili entendeu. Lembrava-se de como se sentira ao se apaixonar por Greta. Lembrava-se de como se sentira ao ficar imaginando ociosamente quando Greta apareceria de novo à sua porta. Lembrava-se do peso pequeno e delicado de uma fotografia de Greta no bolso da camisa de Einar.

– Estou me esforçando ao máximo para me acostumar com tudo isso – disse Greta. Falou tão baixinho que Lili mal a ouviu. Um automóvel buzinou bem alto na rua, ouviu-se uma derrapagem, e depois se fez silêncio. Por pouco não ocorrera um acidente ali na frente da Casa da Viúva: dois para-choques cromados reluziam, um diante do outro, sob o sol de Copenhague, que subia cada vez mais e ficaria no céu até tarde da noite.

– Onde vocês vão se casar? – perguntou Greta.

– Em Nova York.

– Nova York? – Greta estava junto à pia, tirando a tinta das unhas com uma escovinha de arame. Disse: – Entendi.

Lá embaixo, o marinheiro começou a chamar a mulher. “Cheguei!”, berrou ele.

– Mas tem uma coisa que eu quero fazer primeiro – disse Lili. A manhã avançava e o calor aumentava dentro do apartamento. Lili já sentia o coque do cabelo pesado, e a gola em V grudava-lhe no peito. O *Nationaltidende* previra um calor inaudito, ideia que ao mesmo tempo atraía e repelia Lili.

– Quero voltar a Dresden – disse ela.

– Para quê?

– Para fazer a última operação.

Então olhou para o rosto de Greta e viu suas narinas inflando-se rapidamente, os olhos cerrando-se de despeito, as faces avermelhando-se de raiva e quase fervendo.

– Você sabe que eu não acho boa ideia.

– Mas eu acho.

– Mas Lili... o prof. Bolk, ele é... sim, ele é um bom médico, mas nem ele pode fazer *isso*. Ninguém pode. Achei que já tínhamos encerrado esse assunto ano passado.

– Eu já me decidi – disse Lili. – Greta, você não entende? Quero ter filhos com o meu marido.

O sol já batia na abóbada do Teatro Real. Lili Elba e Greta Waud, como ela voltara a se chamar, estavam sozinhas no apartamento. O cão, Edvard IV, dormia ao pé do armário, com um corpo artrítico e frágil. Recentemente, Lili sugerira que chegara a hora de sacrificar o velho Edvard, mas Greta quase chorara em protesto.

– O professor sabe o que está fazendo – disse Lili.

– Eu não acredito nele.

– Mas eu acredito.

– Ninguém pode engravidar um homem. É isso que ele está prometendo fazer. Isso jamais vai acontecer. Nem com você, nem com ninguém. Uma coisa assim não é para acontecer.

Lili sentiu-se ferida pelos protestos de Greta, e seus olhos se umedeceram.

– Ninguém acreditava que um homem pudesse virar mulher. Não é mesmo? Quem teria acreditado nisso? Ninguém, só eu e você. Nós acreditamos, e agora olhe para mim. Aconteceu porque nós sabíamos que podia acontecer. – Lili estava chorando. Acima de tudo, ela odiava Greta por ficar do lado oposto.

– Não é melhor pensar mais, Lili? Só um pouquinho?

– Já pensei.

– Não, espere mais um pouco. Pense melhor.

Lili ficou calada, com o rosto à janela. Lá embaixo botas ressoaram, e depois se ouviu o guincho de um gramofone.

– Isso me preocupa – disse Greta. – Estou preocupada com você.

Enquanto o sol se movia ao longo das tábuas do assoalho, outra buzina soou na rua; o marinheiro do andar de baixo berrava com a mulher, e Lili sentiu algo mudar dentro de si mesma. Greta já não podia dizer-lhe o que fazer.

O quadro estava pronto, e Greta virou-o para mostrá-lo. Os ilhoses da bainha revelavam as pernas de Lili, e o buquê de rosas parecia algo misterioso que brotava do seu colo. Se ao menos eu tivesse metade dessa beleza, pensou Lili consigo mesma. E então pensou que deveria mandar o quadro para Henrik como presente de casamento.

– Ele está me esperando semana que vem – disse ela. – O prof. Bolk.

A dor voltara, e Lili olhou para o relógio. Já haviam se passado oito horas desde que ela engolira o último comprimido? Começou a procurar a caixa esmaltada dentro da bolsa.

– Ele e Frau Krebs já sabem que eu vou. Meu quarto já está pronto – disse ela, abrindo as gavetas da cozinha à caça do pequeno estojo. A rapidez com que a dor podia voltar a assustava; ela ia do nada a um sofrimento violento em poucos minutos. Aquilo parecia o retorno de um espírito malévolo.

– Você viu minha caixinha de comprimidos? – perguntou. – Acho que estava na bolsa. Ou talvez ali no parapeito. Viu, Greta? – Sua respiração se acelerara devido ao calor e à dor. – Você sabe onde está a caixa? – Depois acrescentou, como quem pega delicadamente na mão do outro: – Gostaria que você fosse a Dresden comigo. Para me ajudar na recuperação. O professor disse que seria bom você ir. Disse que vou precisar de alguém lá depois. Você não se incomoda, não é, Greta? Irá comigo, não irá, Greta? Pela última vez?

– Você percebe, não percebe – disse Greta –, que isto é o fim?

– Do que você está falando? – A dor aumentava tão depressa que Lili já tinha dificuldade para enxergar. Sentou-se e curvou-se para frente. Assim que achasse os comprimidos, o alívio viria em poucos minutos, menos do que cinco. Mas naquele instante parecia que uma faca atravessava o seu abdome. Ela pensou nos seus ovários; o prof. Bolk garantira que eles estavam vivos. Era como se ela pudesse senti-los dentro de si mesma, inchados e latejando, ainda sarando quase um ano após a operação. Onde ela largara o estojo de comprimidos, e por que Greta dissera que aquilo era o fim? Olhou para o outro lado do aposento, onde Greta desabotoava o guarda-pó, pendurando-o num gancho ao lado da porta de treliça da cozinha.

– Desculpe – disse Greta. – Não posso.

– Não pode achar meus comprimidos? – disse Lili, piscando para livrar-se das lágrimas. – Tente no armário. Talvez eu tenha posto a caixa lá. – De repente, Lili teve a impressão de que ia desmaiar, devido ao calor, aos comprimidos desaparecidos, àquela angústia interior feroz e às voltas que Greta dava pelo apartamento, dizendo não posso, não vou.

Então Greta enfiou a mão no fundo da gaveta de baixo do armário de freixo. Tirou a caixinha esmaltada, levou-a até Lili e disse, com a voz embargada de lágrimas:

– Desculpe, mas não posso levar você. Não quero que você vá, e não vou levar você. – Tentou dar de ombros, mas o gesto transformou-se num tremor. – Você terá de ir a Dresden sozinha.

– Se Greta não quiser levar você – disse Carlisle –, eu levo. Ele viera passar o verão em Copenhague; após o expediente na Fonnesbech, Lili às vezes o visitava no Hotel Palace, onde eles se sentavam diante da janela aberta. Ficavam vendo as sombras dançarem sobre os tijolos da Rådhuspladsen e os rapazes e moças em trajes de verão se encontrarem a caminho dos clubes de jazz em Norrevold.

– Greta sempre fez o que quis – dizia Carlisle. Lili o corrigia e dizia:

– Nem sempre. Ela mudou.

Começaram a se preparar para a viagem. Reservaram passagens na barca para Danzig, e certo dia Lili aproveitou o intervalo para comprar dois roupões novos na seção feminina da Fonnesbech. Disse à sua chefe, cujos braços se cruzaram assim que ela começou a falar, que partiria dali a uma semana.

– Você vai voltar? – quis saber a mulher, cuja blusa preta fazia-a parecer um pedaço de carvão.

– Não – disse Lili. – De lá, parto para Nova York.

E era isso que aumentava a dificuldade da viagem a Dresden. O prof. Bolk dissera que ela deveria prever uma estada de um mês. "Vamos operar imediatamente", telegrafara ele. "Mas sua recuperação levará tempo." Lili mostrou os telegramas a Carlisle, que os leu da mesma forma que sua irmã os lera, com o papel afastado do rosto e a cabeça inclinada. Mas Carlisle não discutiu; não aconselhou outro caminho. Leu a correspondência toda, e ao acabar disse:

– O que Bolk vai fazer, exatamente?

– Ele sabe que eu quero ser mãe – disse Lili.

Carlisle assentiu e franziu levemente a testa.

– Mas como?

Lili olhou para ele, e subitamente temeu que ele tentasse interferir.

– Do mesmo jeito que ele me fez a partir de Einar.

O olhar dele percorreu Lili dos pés à cabeça; ela sentiu os olhos dele sobre seus tornozelos, que estavam cruzados, sobre seu colo, sobre seus pequenos seios e sobre seu pescoço, que se erguia feito um caule do colar de contas de âmbar. Carlisle levantou-se:

– Deve ser uma coisa empolgante para você. Acho que foi o que você sempre quis.

– Desde menininha.

– Sim – disse Carlisle. – Que menininha não quer isso? – Era verdade, e Lili ficou aliviada por Carlisle ter concordado em viajar com ela. Durante alguns dias, implorara que Greta mudasse de ideia. Greta a enlaçara nos braços, fizera-a encostar a cabeça no seu ombro e dissera:

– Eu acho que isso é um erro. Não vou ajudar você a cometer um erro. – Lili fizera a mala e apanhara as passagens da barca com uma leve sensação de pavor, e enrolara o fino xale de verão em torno do corpo como que se protegendo do frio.

Depois dissera a si mesma para encarar a coisa como uma aventura: a barca até Danzig, o trem noturno para Dresden, a estada de um mês na Clínica Municipal Feminina. De lá ela viajaria para Nova York. Mandara avisar Henrik que chegaria por volta de primeiro de setembro. Começara a pensar em si mesma como uma viajante, embarcando para um mundo que só ela podia imaginar. Quando fechava os olhos, via a sala do apartamento de Nova York, com um apito policial soando na rua e um bebê pulando no seu colo. Imaginava uma mesinha com um paninho sobre a superfície e o porta-retrato de prata com os dois ovais exibindo duas fotografias: uma de Henrik e dela no dia do casamento; e a segunda do primeiro filho deles, numa túnica de batismo comprida com ilhoses na bainha.

Ela precisava organizar seus pertences e garantir que fossem encaixotados, para que estivessem prontos quando mandasse buscá-los. Havia as roupas: os vestidos de mangas curtas daquele verão em Menton, os vestidos com contas bordadas dos seus tempos em Paris, antes de adoecer, e o casaco de pele de coelho com capuz. Percebeu que não quereria a maioria daquelas roupas em Nova York. Já lhe pareciam vulgares, como se outra pessoa as tivesse comprado e o corpo de outra pessoa as tivesse usado até puírem.

Num certo final de tarde, quando Lili estava fechando os caixotes e enfiando-lhes pregos nas tampas, Greta disse:

– E os quadros de Einar?

– Os quadros dele?

– Sobraram alguns. Empilhados no meu ateliê – disse Greta. – Achei que você talvez quisesse ficar com eles.

Lili ficou em dúvida. Os quadros de Einar já não estavam pendurados no apartamento, e por alguma razão ela não se lembrava mais da aparência deles: pequenas molduras douradas, paisagens congeladas, porém mais o quê?

– Posso ver os quadros? – Greta trouxe-lhe as telas enroladas de dentro para fora, com as bordas franjeadas por uma pesada linha encerada. Abriu-as sobre as tábuas do assoalho, e Lili teve a impressão de que jamais as vira antes. A maioria retratava um pântano; uma no inverno, vendo-se a geada e um céu encardido, e outra no verão, cheia de musgos e com o sol brilhando tarde da noite. Numa terceira via-se simplesmente o solo azul-acinzentado, devido ao barro arrastado pelas geleiras e misturado ao calcário. Eram pequenas e belas. Greta continuou a desenrolá-las sobre o assoalho; eram dez, depois vinte, depois mais ainda, feito um tapete de flores-do-campo que brotasse diante dos olhos delas. – Ele pintou tudo isso?

– Ele foi um homem muito trabalhador – disse Greta.

– Onde fica isso?

– Você não reconhece esse pântano?

– Acho que não. – Lili ficou incomodada, pois sabia que deveria reconhecer aquele lugar, que tinha a familiaridade de um rosto perdido no passado.

– Não se lembra nem um pouco?

– Só vagamente. – Lá embaixo, o gramofone foi ligado e ouviu-se uma polca tocada por um acordeão e um trompete.

– É o pântano de Bluetooth – disse Greta.

– Onde Einar nasceu?

– Sim. Einar e Hans.

– Você já esteve lá? – disse Lili.

– Não, mas já vi tantos quadros e ouvi tantas histórias que até consigo enxergar o lugar quando fecho os olhos.

Lili examinou os quadros, vendo o pântano cercado pelas aveleiras e tílias, e um grande carvalho que parecia brotar de um rochedo. Tinha uma vaga lembrança, embora não fosse dela mesma, de seguir Hans por uma trilha lamacenta que grudava nas suas botas quando ela pisava. Lembrava-se de jogar coisas roubadas da cozinha da avó dentro do pântano, e de ficar vendo-as afundarem para sempre: um prato de jantar, uma caçarola, um avental com cordões. Havia o trabalho de cortar a turfa em tijolos, e o trabalho com a enxada nos campos de esfagno. E Edvard I, um cachorro nanico, um dia escorregara nos liquens do rochedo e se afogara naquela água negra.

Greta continuou espalhando os quadros, prendendo-lhes os cantos com frascos de tinta e pires tirados da cozinha.

– Era a terra dele – disse ela ajoelhada no chão, com o cabelo caindo-lhe no rosto. Desenrolava metodicamente cada tela, ancorava os cantos e depois a alinhava no diagrama que estava criando, feito a partir de dúzias e dúzias dos quadrinhos que compunham grande parte da obra de Einar.

Lili ficou observando o jeito com que os olhos de Greta focalizavam a ponta do nariz. As pulseiras chacoalhavam em torno dos pulsos enquanto ela trabalhava. A sala da Casa da Viúva, com janelas que davam para o norte, o sul e o oeste, se encheu das cores discretas dos quadros de Einar: os cinzas, os brancos, os amarelos-esmaecidos, o marrom da lama e o preto-profundo do pântano à noite.

– Ele costumava trabalhar sem parar, o dia inteiro e no dia seguinte também – disse Greta num tom suave, cauteloso e pouco familiar.

– Você pode vender tudo isso? – disse Lili.

Greta deteve-se. O assoalho estava quase todo coberto; ela levantou-se e procurou onde pisar. Ficara encurralada contra a parede, junto ao fogão de pés de ferro.

– Quer dizer que você não quer nenhum deles?

Por um lado, Lili sabia que estava cometendo um erro, mas disse:

– Não sei se vamos ter espaço. E não sei se Henrik gostaria de ter isso em casa. Além dos quadros dele mesmo. Ele prefere coisas mais modernas. Afinal, é Nova York.

Greta disse:

– Achei que você fosse querer ficar com eles. Pelo menos alguns?

Quando Lili fechava os olhos também via aquele pântano, com a família de cachorros brancos, a avó guardando o fogão, Hans estendido sobre a curva de um rochedo salpicado de mica; depois, estranhamente, também via a jovem Greta no corredor verde-sabonete da Academia Real de Arte, com um maço novo de pincéis de pelo de marta vermelha nas mãos. "Encontrei a loja de material artístico", dizia Greta naquela lembrança perdida.

– Não é que eu não queira os quadros – disse Lili sem pensar; aquele dia, um de seus últimos na Casa da Viúva, já desaparecia na lembrança. Mas na lembrança de quem? – Mas não posso levar tudo isso comigo. – Nesse momento estremeceu, com a impressão súbita de que tudo ao seu redor pertencia a outra pessoa.

Capítulo vinte e oito

Um dia após a partida de Lili e Carlisle para Dresden, uma tempestade de verão caiu sobre Copenhague. Greta estava na sala, regando a planta no vaso sobre a mesa lateral em estilo império. O aposento ficava acinzentado sem sol, e Edvard IV dormia ao lado de uma mala. O marinheiro lá de baixo estava no mar, provavelmente preso na tempestade; ouviu-se uma trovoada, e depois a risadinha abafada da mulher do marinheiro.

Era engraçado, pensou Greta, como os anos haviam passado: sobre a Dinamarca, a repetição interminável daquelas auroras suaves, enquanto do outro lado do globo o pôr do sol incendiava o Arroyo Seco e as montanhas San Gabriel. Haviam sido anos na Califórnia e em Copenhague, anos em Paris, anos casada e anos solteira; agora ela se via naquele apartamento vazio, com as malas feitas e fechadas. Lili e Carlisle chegariam a Dresden no mesmo dia, se não se atrasassem por causa da chuva. Na véspera, ela e Lili haviam se despedido no ancoradouro da barca. Havia gente em volta carregando bagagem, com cachorros nos braços, e uma equipe de ciclismo empurrava as bicicletas prancha acima. Hans juntara-se a Carlisle, Greta, Lili e centenas de outros, todos dizendo adeus: um bando de escolares pastoreados pela diretora da escola, rapazes magros à caça de emprego, e uma condessa de partida para um mês de banhos minerais em Baden-Baden. E Greta e Lili, lado a lado, de mãos dadas e esquecidas do resto do mundo em torno. Pela última vez, Greta afastara o resto do mundo, e tudo o que ela sabia ou sentia reduzira-se àquele diminuto círculo de intimidade onde elas estavam paradas. Então pusera o braço em torno da cintura de Lili. Haviam prometido escrever uma à outra. Lili prometera se cuidar. E dissera com voz quase inaudível que elas se veriam na América. Sim, dissera Greta, sem conseguir imaginar a cena. Mas dissera: Sim, é claro. Quando pensava naquilo, um tremor horrível corria-lhe pela espinha, sua espinha do oeste, porque aquela partida no ancoradouro parecia dizer que ela fracassara, de alguma forma.

Estava esperando que Hans buzinasse da rua. Lá fora, a tempestade enegrecera os campanários, as cumeeiras e os telhados de ardósia, deixando a abóbada do Teatro Real opaca, como se fosse feita de latão velho. Então se ouviu a buzina de Hans; Greta pegou Edvard IV nos braços e apagou as luzes, virando a chave na fechadura pesadamente.

A tempestade continuava, e a estrada de saída da cidade estava escorregadia. A chuva manchava os prédios. Poças engoliam os meios-fios. Greta e Hans viram uma mulher gordota sobre uma bicicleta, com o corpo envolto numa capa, colidir com a rampa traseira do caminhão de um pedreiro. Greta levou as mãos à boca ao ver os olhos da mulher se fecharem de medo.

Depois de ultrapassar os limites da cidade, o Horch conversível avançou pelos campos ondulantes com a capota branca fechada. Os descampados de grama, capim-rabo-de-gato e festuca estavam úmidos e pesados de chuva. Trevos vermelhos e brancos e moitas de alfafa margeavam a estrada, curvados e gotejantes. E além dos campos viam-se as lagoinhas, redondas e profundas.

A barca balançou bastante na travessia até Århus, e Hans e Greta ficaram sentados no banco dianteiro do Horch dourado durante o trajeto. O cheiro do pelo molhado de Edvard IV, encrespado pela umidade, enchia o carro. Hans e Greta estavam silenciosos, e ela sentia a trepidação dos motores da barca quando punha a mão no painel. Hans perguntou se ela precisava de um café, e ela disse que sim. Ele levou Edvard IV, e quando ficou sozinha no carro ela pensou na jornada que Lili e Carlisle estavam empreendendo; dali a poucas horas eles se instalariam no quarto da clínica e veriam os salgueiros daquele parque que se estendia até o Elba. Ela pensou no prof. Bolk, cuja semelhança havia capturado num quadro que jamais vendera e que estava enrolado atrás do armário. Quando voltasse a Copenhague dali a poucos dias, quando terminasse de separar a mobília, as roupas e os quadros, ela o mandaria para ele, disse a si mesma. Podia ser pendurado atrás do balcão de Frau Krebs, numa moldura de madeira cinzenta. Ou então acima do sofá no escritório dele, onde dali a alguns anos outras mulheres desesperadas como Lili certamente acorreriam em peregrinação.

Já era noite quando eles chegaram a Bluetooth. O casarão de tijolos estava às escuras, pois a baronesa retirara-se para seu apartamento no terceiro andar. Um criado com poucos tufos de cabelo branco e nariz achatado conduziu Greta a um quarto, onde havia uma cama coberta por uma colcha de renda. Acendeu os abajures com o nariz achatado inclinado à frente, e ergueu as janelas. "Não tem medo de sapos, tem?", disse ele. Greta já podia ouvi-los coaxando no pântano. Quando o criado saiu, ela abriu as janelas mais ainda. A noite estava límpida; uma meia-lua pairava perto do horizonte, e Greta podia ver o pântano através de uma abertura entre os freixos e os olmos. Parecia quase um campo úmido, ou um grande gramado de Pasadena encharcado após uma chuvarada de janeiro. Pensou nas minhocas que saíam do solo após uma chuvarada de inverno, e no jeito com que se retorciam nas trilhas de lajotas tentando se salvar do afogamento. Fora realmente ela que, quando menina, cortara as minhocas ao meio com uma faca de manteiga roubada da despensa da mãe, e depois as apresentara a Carlisle numa travessa sob um *réchaud* de prata?

As cortinas eram feitas de um tecido azulado; passavam do rodapé e estendiam-se pelas tábuas do assoalho, espalhando-se feito a cauda de um vestido de noiva. Hans bateu na porta e disse:

– Estou no fim do corredor, Greta, se você precisar de alguma coisa. – Havia algo na voz dele. Greta imaginou-o com os dedos dobrados junto à porta almofadada e a outra mão pousada delicadamente na maçaneta. Imaginou-o ali no corredor, iluminado pelo castiçal de parede que havia no topo da escadaria. Imaginou-o pressionando a porta com a testa.

– Por enquanto, nada – disse ela. Fez-se um silêncio, quebrado apenas pelo coro dos sapos nas ilhotas de turfa e das corujas nos olmos.

– Está bem, então – disse Hans; Greta não conseguiu ouvi-lo recuar até o quarto, com os pés metidos nas meias deslizando suavemente pela passadeira. O tempo deles viria, disse ela a si mesma. Tudo no seu tempo.

No dia seguinte, ela conheceu a baronesa Axgil na sala de café da manhã. O aposento dava para o pântano, que cintilava por entre as árvores. À volta da sala, viam-se vasos de samambaias equilibrados sobre suportes de ferro, e diversos pratos de porcelana azuis e brancos estavam presos às paredes. A baronesa Axgil era magra e tinha os membros compridos, com o dorso das mãos coberto por veias esponjosas. Ela também tinha uma cabeçorra, que se erguia sobre um pescoço cheio de tendões. Seu cabelo prateado era todo puxado para trás, angulando-lhe os olhos. A baronesa sentara-se à cabeceira da mesa, com Hans na outra ponta e Greta no meio. O criado serviu-lhes salmão defumado, ovos cozidos e triângulos de pão amanteigado. A baronesa Axgil disse apenas:

– Infelizmente não me recordo de nenhum Einar Wegener. W-E-G, foi o que você disse? Tantos garotos passavam aqui pela casa. Ele tinha cabelo ruivo?

– Não, era castanho – disse Hans.

– Sim. Castanho – disse a baronesa, que convidara Edvard IV a subir em seu colo e alimentava-o com tiras de salmão. – Devia ser um bom menino. Morto há quanto tempo?

– Cerca de um ano – retrucou Greta. Olhou para uma ponta da mesa do café da manhã, depois para a outra, e lembrou-se de outra sala de café da manhã do outro lado do mundo, onde uma mulher semelhante à baronesa ainda reinava.

Mais tarde, Hans conduziu-a por uma trilha que margeava um campo de esfagno até a casa de uma fazenda. Tinha telhado de sapê e beirais de madeira, e uma coluna de fumaça erguia-se da chaminé. Hans e Greta não se aproximaram do quintal, onde havia galinhas num galinheiro e três crianças riscando a lama com gravetos. Uma mulher de cabelo amarelo estava à porta, estreitando os olhos contra o sol e vigiando os filhos, dois meninos e uma menina. Um pônei resfolegou dentro da baia; as crianças riram, e o velho Edvard IV tremeu junto à perna de Greta.

– Não sei direito quem eles são – disse Hans. – Estão aqui há algum tempo.

– Você acha que ela nos deixaria entrar, se pedíssemos? Só para dar uma olhada na casa?

– É melhor não fazer isso – disse Hans, pondo a mão nas costas de Greta e levando-a de volta pelo campo. O capim alto arranhou as canelas dela. Edvard IV foi trotando atrás deles.

No cemitério, havia uma cruz de madeira onde estava escrito WEGENER.

– O pai dele – disse Hans. Via-se um túmulo coberto de grama sob a sombra de um amieiro vermelho. O cemitério ficava ao lado de uma igreja caiada; o terreno era irregular e pedregoso, e o orvalho que se evaporava sobre a grama dava um cheiro doce ao ar.

– Estou com os quadros dele – disse ela.

– Fique com eles – disse Hans, ainda com a mão nas costas dela.

– Como ele era antigamente?

– Um menininho com um segredo. Só isso. Não era diferente do resto de nós.

O céu estava límpido, sem nuvens, e o vento soprava por entre as folhas do amieiro vermelho. Greta parou de pensar no passado ou no futuro. Era um dia de verão em Jutland: um dia igual aos dias de verão da juventude de Einar, dias em que ele certamente estava ao mesmo tempo alegre e triste. Ela voltara para casa sem ele. Greta Waud, que se erguia alta em meio à relva e cuja sombra se estendia sobre os túmulos, voltaria para casa sem Einar.

Na viagem de volta a Copenhague, Hans disse:

– E a Califórnia? Ainda vamos?

Os doze cilindros do Horch giravam com força, e a vibração fazia tremer a pele de Greta. O sol brilhava forte, e a capota estava abaixada; uma tira de papel agitava-se em torno dos tornozelos dela.

– O que você disse? – berrou Greta, segurando o cabelo.

– Vamos à Califórnia juntos? – E assim como o vento rodopiava à sua volta, levantando-lhe o cabelo, a barra do vestido e a tira de papel, os pensamentos começaram a rodopiar caoticamente pela cabeça de Greta. Ela viu seu quartinho em Pasadena, com a janela arqueada que dava para as roseiras; a casinha na borda do Arroyo Seco, atualmente alugada a uma família com um bebezinho; as janelas vazias do antigo ateliê de cerâmica que Teddy Cross tinha na rua Colorado, transformado após o incêndio numa gráfica; os membros da Sociedade de Artes & Ofícios de Pasadena, com suas boinas de feltro. Como ela poderia voltar para aquilo? Mas ainda havia mais coisas na sua cabeça, e Greta pensou no pátio coberto de musgo da casinha, onde ela pintara seu primeiro retrato de Teddy Cross, sob a luz que se infiltrava pelo abacateiro. Pensou também nos bangalôs construídos por Carlisle nas ruas transversais da avenida Califórnia para os recém-casados vindos de Illinois, e nos hectares de laranjais. Então olhou para o céu, para aquele azul-pálido que lembrava os pratos antigos nas paredes da sala de café da manhã da baronesa. Era junho; àquela altura, em Pasadena, a grama já estaria queimada, as folhas das palmeiras estariam quebradiças e as empregadas já teriam armado as camas nos alpendres de sesta. Havia um alpendre de sesta nos fundos da casa; as telas tinham dobradiças, e quando menina ela as abria e ficava olhando para as colinas de Linda Vista por cima do Arroyo Seco, desenhando a vista ondulante e verde-seca de Pasadena. Então se imaginou novamente desembrulhando as tintas, aparafusando o cavalete no alpendre de sesta e pintando aquela vista: o borrão cinza-amarronzado dos eucaliptos, o verde-empoeirado dos caules dos ciprestes e o clarão de estuque rosado de uma mansão em estilo italiano entre os oleandros, com o cinza de uma balaustrada de cimento abarcando tudo.

– Estou pronta para ir – disse ela.

– O quê? – exclamou Hans em meio à ventania.

– Você vai adorar. A Califórnia vai fazer o resto do mundo parecer muito distante para você – disse, estendendo o braço e alisando a coxa de Hans. A coisa chegara àquele ponto: ela e Hans voltariam a Pasadena, e Greta percebeu que lá ninguém poderia compreender o que lhe acontecera. As moças do Valley Hunt, certamente já casadas e com os filhos matriculados nas clínicas de tênis das quadras do clube, só saberiam que ela voltara com um barão dinamarquês. Ela já podia até ouvir as fofocas: "Coitada da Greta Waud. Enviuvou novamente. Algo misterioso aconteceu ao último. Um pintor qualquer. Uma espécie de morte misteriosa. Na Alemanha, acho que me disseram. Mas não há com o que se preocupar... ela já voltou, e desta vez com um barão. É isso mesmo, a senhorita Radical está de volta a Pasadena, e, assim que casar com esse sujeito, ela, logo ela, vai virar baronesa."

Isso era apenas parte do que jazia à sua frente, mas o pensamento de voltar para casa era reconfortante. Sua mão estava sobre a coxa de Hans, que sorriu para ela. Guiando de volta a Copenhague, as juntas dos dedos dele estavam brancas sobre o volante do Horch.

Uma carta de Carlisle aguardava Greta. Após lê-la, ela enfiou-a no bolsão lateral de uma das malas que estava fechando. Eram tantas coisas a mandar para casa: pincéis, tintas e as dúzias de cadernos e esboços de Lili. Era típico de Carlisle não mandar notícias suficientes. "A operação durou mais do que Bolk esperava, quase um dia inteiro. Lili está descansando, dormindo devido às injeções de morfina que ainda recebe. Vou ter de ficar em Dresden mais tempo do que planejava", escrevera ele. "Várias semanas a mais. A recuperação dela demorará mais do que nós esperávamos. O progresso tem sido lento até agora. O professor é um homem gentil. Manda lembranças a você. Diz que não está preocupado com ela. Se ele não está preocupado com ela, acho que nós também não precisamos estar, você não concorda?"

Uma semana depois, Greta Waud e Hans Axgil embarcaram num aeroplano da Deutscher Aero-Lloyd para a primeira etapa da viagem até Pasadena. Voariam até Berlim, e depois a Southampton; de lá seguiriam de navio. O aeroplano, refletindo o sol do belo dia de verão, estava sobre o asfalto do aeródromo de Amager. Parada ali com Hans, Greta viu uns rapazes magricelas carregarem suas malas e caixotes para dentro da barriga prateada do aeroplano. Mais abaixo na pista, havia um agrupamento de pessoas em torno de uma plataforma, onde um homem de cartola fazia um discurso. O sujeito tinha barba, e uma bandeirinha da Dinamarca ondulava no canto do púlpito. Atrás dele, via-se o *Graf Zeppelin*, longo e cinza-tempestade, feito uma enorme bala estriada. As pessoas da plateia começaram a agitar pequenas bandeiras da Dinamarca. Greta lera no *Politiken* que o *Graf Zepp* ia sobrevoar o Polo Norte. Viu a plateia aplaudir, enquanto o dirigível pairava acima do asfalto.

– Você acha que eles vão conseguir? – perguntou a Hans. Ele estava pegando a valise de pelica. O aeroplano estava pronto para partir.

– Por que não conseguiriam?

O sujeito que discursava era um político que Greta não reconheceu. Provavelmente era candidato ao parlamento. E atrás dele via-se o capitão do *Graf Zepp,* Franz Josef Land, com um boné de pele de foca. Ele não estava sorrindo. Tinhas as sobrancelhas franzidas sobre os óculos, e parecia preocupado.

– Está na hora – disse Hans.

Greta deu-lhe o braço, e eles acharam seus assentos no aeroplano. Através da janela, podia-se ver o dirigível e a plateia, que se afastava da aeronave. Homens de suspensórios, em mangas de camisa, estavam começando a soltar as amarras. O capitão postara-se no umbral da pequena cabine, acenando em despedida.

– Ele parece que está em dúvida sobre se vai voltar um dia – disse Greta, enquanto a porta do aeroplano era trancada por meio de uma roda giratória.

A viagem a bordo do *Empress of Britannia* foi tranquila; os passageiros ficavam sentados em espreguiçadeiras listadas no tombadilho de teca, e Greta pensava na bananeira que plantara aos dez anos de idade. Aparafusou o cavalete, enfiando as borboletas pelos buracos nas pernas. Tirou uma tela em branco de uma das malas e pregou-a numa moldura. E, sobre o tombadilho do navio, começou a pintar de memória: as colinas de Pasadena erguendo-se do Arroyo Seco, secas e marrons no começo do verão; os jacarandás após terem se despido de seus brotos; e o último lírio sucumbindo ao calor. Ela fechava os olhos e conseguia ver tudo.

Hans passava as manhãs sozinho no camarote, examinando documentos e preparando-se para a chegada na Califórnia, onde eles se casariam nos jardins da mansão dos Waud. Nos finais de tarde, arrastava uma cadeira do convés e sentava-se ao lado dela.

– Enfim partimos – ele dizia.

– De volta ao lar – dizia ela. – Nunca pensei que eu fosse querer voltar para casa um dia.

A coisa chegara àquele ponto, pensava Greta sem parar, umedecendo a ponta do pincel na tinta. O passado que mudara, e o futuro que se estendia: ela atravessara tudo com audácia e cautela ao mesmo tempo, e a coisa chegara àquele ponto. Hans estava bonito com as pernas estendidas na espreguiçadeira. Tinha metade do corpo no sol e metade na sombra, com Edvard IV a seus pés. Os motores do navio giravam sem parar. A proa rachava o oceano em dois, dividindo a água incessantemente ondulante pela metade, cortando ao meio o que antes parecia interminavelmente uno. Enquanto o crepúsculo se avermelhava e afundava no mar pálido que se encolhia, Greta e Hans continuavam trabalhando na luz angulada e no ar pesado de sal, até que a lua surgisse, as luzes decorativas se acendessem ao longo da balaustrada do navio e o frio da noite os mandasse para o camarote, onde eles finalmente se juntavam.

Capítulo vinte e nove

Lili só conseguiu ficar acordada por um período de tempo longo o suficiente para lembrar-se de alguma coisa lá pelo final de julho. Passara quase seis semanas perdendo e recuperando a consciência, babando enquanto dormia e com hemorragia entre as pernas e no abdome. Toda manhã e toda noite, Frau Krebs trocava-lhe os curativos na pelve, que de tão vermelhos e brilhantes pareciam retalhos de veludo escarlate. Lili só tinha consciência de que Frau Krebs mudava as ataduras e a gaze, da picada bem-vinda da agulha com morfina e, em muitos dias, da pressão da máscara de borracha com éter. E sabia que havia alguém ali pondo-lhe um pano úmido na testa e trocando-o sempre que esquentava.

Em certas noites, ela acordava e reconhecia Carlisle dormindo de boca aberta na cadeira do canto, com a cabeça sobre o encosto. Não o acordava, pois achava que já era muita bondade dele passar a noite ao lado dela. Dizia a si mesma que era melhor deixá-lo descansar; aí virava a cabeça de lado e ficava olhando para ele, que tinha o rosto pesado de sono e os dedos enroscados na alça que prendia a almofada ao encosto da cadeira. Ela queria que ele dormisse a noite toda: ficava vendo o peito dele subir e descer, e pensava sobre o dia que haviam passado juntos antes da operação. Carlisle levara-a a uma praia às margens do Elba; eles haviam nadado na correnteza, e depois se bronzeado sobre um cobertor. "Você vai ser uma mãe e tanto", dissera Carlisle. Lili se perguntara por que imaginar aquilo era tão fácil para ele, mas não para Greta. Quando fechava os olhos, ela às vezes achava que sentia o cheiro de talco de um neném de fraldas.

Tinha a impressão de sentir o volume pesado de uma criança em seus braços. Contara isso a Carlisle, que dissera: "Eu também vejo isso."

Então passara a mão sobre o braço, tirando a água do rio. Tinha o cabelo molhado e emaranhado em torno do rosto, e dissera:

– Essa parte é difícil para Greta.

Um barco turístico passava, soltando uma fumaça negra; Lili fizera uma trança com a franja do cobertor, enfiando também umas folhas de relva.

– Sob certos aspectos, ela deve sentir saudades de Einar – dissera Carlisle.

– Eu entendo isso – dissera Lili, com a sensação estranha que sempre tinha quando Einar era mencionado; era como se um fantasma a atravessasse.

– Você acha que ela vai vir me visitar?

– Aqui em Dresden? Talvez. Não vejo por que não.

Lili virara-se de lado e vira a coluna de fumaça negra subir e ondular.

– Você vai escrever para ela, então? Depois da operação?

Alguns dias após a operação, quando a febre de Lili se estabilizara, Carlisle escrevera a Greta. Mas ela não respondera. Ele escrevera novamente, e outra vez não obtivera resposta. Ele telefonara, mas ouvira apenas o sinal diminuto e contínuo em meio à estática. O telegrama que mandara não pudera ser entregue. Fora necessário um cabograma ao Landmandsbanken para descobrir que Greta voltara à Califórnia.

Lili não queria perturbar o sono de Carlisle durante a madrugada, mas não conseguia mais ficar em silêncio. A dor estava voltando, e ela agarrou as dobras do cobertor, chegando a rasgá-lo de medo. Concentrou-se na lâmpada do teto, mordendo o lábio, mas logo a dor se espalhou pelo corpo todo, e ela começou a berrar, implorando por uma injeção de morfina. Gritou por éter. Gemeu, pedindo os comprimidos que continham cocaína. Carlisle começou a se mexer, erguendo o rosto; ficou um instante olhando para ela, com as pálpebras tremelicando, e Lili percebeu que ele estava tentando descobrir onde estava. Mas aí acordou de vez e foi buscar a enfermeira da noite, que também adormecera no posto. Em menos de um minuto, a máscara de éter se fechava sobre o nariz e a boca de Lili; ela desmaiou e passou o resto da noite dormindo.

– Sentiu alguma melhora hoje? – perguntava o prof. Bolk durante a visita matinal.

– Um pouco, talvez – arriscava Lili.

– A dor diminuiu um pouco?

– Um pouquinho – retrucava Lili, embora não fosse verdade. Ela tentava sentar-se ereta na cama. Preocupava-se com a aparência quando o professor entrava no quarto; se ao menos ele batesse na porta, dando-lhe a chance de aplicar o batom coral e o ruge Fin de Théâtre, o qual jazia sobre a mesa numa latinha vermelha do tamanho de um biscoito, pouco além do alcance dela. Ela devia ser uma visão e tanto, pensava ela, enquanto o professor, tão bonito naquele jaleco bem passado, examinava a papelada na prancheta.

– Amanhã vamos tentar fazer você caminhar – dizia o professor.

– Bom, se eu não estiver pronta amanhã, certamente estarei pronta depois de amanhã – dizia Lili. – Provavelmente estarei pronta depois de amanhã.

– Há alguma coisa que eu possa fazer por você?

– O senhor já fez muito – dizia Lili.

O prof. Bolk virava-se para ir embora, mas então Lili se forçava a perguntar o que mais queria saber:

– Henrik está me esperando em Nova York. O senhor acha que eu estarei em Nova York em setembro?

– Sem dúvida.

A voz do professor, tranquilizando-a daquela maneira, era como uma mão no ombro dela, que aí balançava a cabeça e adormecia; não sonhava com algo específico, mas sabia vagamente que tudo daria certo.

Às vezes, ela ouvia o professor e Carlisle conversando do lado de fora da porta.

– O que o senhor pode me dizer? – dizia Carlisle.

– Não muito. Ela parece nas mesmas condições hoje. Estou tentando estabilizar o estado dela.

– Há algo que devíamos estar fazendo por ela?

– Só temos de deixar Lili dormir. Ela precisa descansar.

Lili virava-se de lado e cochilava, querendo acima de tudo obedecer às ordens do professor. A única coisa de que tinha certeza era que Bolk sempre tinha razão.

Certo dia, ela acordou com uma voz no corredor. Era uma voz familiar, a voz de uma mulher vinda de um passado distante, áspera e forte.

– O que ele está fazendo por ela? – perguntou Anna. – Será que ele não tem outras ideias?

– Bolk só começou a se preocupar há dois dias – disse Carlisle. – Só ontem admitiu que a infecção já deveria ter cedido a essa altura.

– O que nós podemos fazer?

– Também andei perguntando isso. Ele diz que não há nada a fazer.

– Ela está tomando alguma coisa?

Nesse momento, dois carrinhos colidiram no corredor; Lili não conseguiu ouvir o que eles disseram, apenas Frau Krebs mandando uma enfermeira tomar mais cuidado.

– O transplante não está funcionando – disse Carlisle. – Ele vai ter de remover o útero. – Quanto tempo você vai ficar aqui?

– Uma semana. Tenho duas *Carmens* na Opernhaus.

– É, eu sei. Antes da operação, Lili e eu fomos passear e ela viu o cartaz. Sabia que você viria ao final do verão. Estava ansiosa para isso.

– E para se casar.

– Você teve notícias de Greta? – perguntou Carlisle.

– Ela me escreveu. Provavelmente já está em Pasadena a esta altura. De casa montada. Você soube do caso dela com Hans?

– Eu mesmo já deveria estar voltando a esta altura – comentou Carlisle.

Lili não conseguiu ouvir o que Anna disse nesse instante. Ficou imaginando por que ela ainda não entrara no quarto. Podia visualizar Anna irrompendo porta adentro e abrindo a cortina amarela. Estaria usando uma túnica de seda verde com contas na gola, e um turbante no mesmo tom sobre a cabeça. Seus lábios estariam vermelhos feito sangue, e Lili podia imaginar a marca que deixariam em sua face. Ela pensou em exclamar: "Anna! Anna, você não vai entrar para me dizer oi?" Mas sua garganta estava seca, e ela sentiu-se incapaz de abrir a boca para dizer qualquer coisa. O máximo que conseguiu foi virar a cabeça e olhar para a porta.

– É grave? – disse Anna no corredor.

– Infelizmente Bolk não deu uma ideia clara do que deve acontecer.

Os dois se calaram, e Lili ficou deitada na cama, imóvel, exceto pelas batidas abafadas de seu coração. Para onde Carlisle e Anna haviam ido?

– Ela está dormindo agora? – disse Anna por fim.

– Está. No início da tarde, há um intervalo entre as injeções de morfina. Você pode passar aqui amanhã, depois do almoço? – disse Carlisle. – Mas dê uma espiadinha nela agora. Para que eu possa dizer a ela que você esteve aqui.

Lili ouviu a porta abrir-se devagarinho. Percebeu a entrada de Anna no quarto por meio do sutil reposicionamento do ar e da mudança quase imperceptível na temperatura. Da cama, sentiu o perfume de Anna, reconhecendo uma essência vendida no balcão da Fonnesbech. O perfume vinha num frasquinho envolto numa rede dourada, mas ela não recordava o nome. Eau-de-Provence, ou algo assim. Ou seria La Fille du Provence? Ela não sabia, e não conseguia abrir os olhos para cumprimentar Anna. Não conseguia falar, não conseguia enxergar nada, nem ao menos erguer a mão em saudação. Percebeu então que Carlisle e Anna estavam parados ao lado da cama, e que ela não podia fazer nada para dizer-lhes que sabia que eles estavam ali.

No dia seguinte, após o almoço, Carlisle e Anna colocaram Lili na cadeira de rodas de vime.

– O dia está bonito demais para não sairmos – disse ele ao ajeitar o cobertor em torno dela. Anna enrolou a cabeça dela num longo cachecol magenta, criando um turbante parecido com o seu. Depois a empurraram até o parque nos fundos da clínica, parando perto de uma groselheira.

– Você gosta de pegar sol, Lili? – perguntou Anna. – Gosta de ficar aqui fora?

Havia outras moças no gramado. Era domingo, e algumas delas recebiam visitantes que lhes traziam revistas e caixas de bombons. Uma mulher de vestido pregueado de bolinhas dava a uma moça bombons embrulhados no papel dourado de uma loja em Unter den Linden.

Lili avistou Frau Krebs dentro do Wintergarten, examinando o gramado, as moças e a curva do Elba lá embaixo. Daquela distância ela parecia pequena feito uma criança. Aí desapareceu. Era a sua tarde de folga, e todas as moças gostavam de fofocar sobre o que Frau Krebs fazia em suas horas de folga. Na verdade, porém, ela simplesmente partia para o parque com uma enxada.

– Vamos dar uma caminhada? – disse Carlisle, soltando o freio de mão e empurrando Lili sobre o gramado pedregoso. As rodas quicavam nos buracos dos coelhos, e, embora os sacolejos a crivassem de dores, Lili não pôde deixar de pensar no quanto estava feliz por sair da clínica com Carlisle e Anna.

– Vamos até o Elba? – perguntou ela quando viu Carlisle desviá-la da trilha de terra batida que levava ao rio.

– Vamos chegar lá – disse Anna, e eles a empurraram através de uma cortina formada por salgueiros. Avançaram com rapidez, e Lili agarrou os braços da cadeira quando passaram por cima de umas raízes e uns pedregulhos.

– Achei que seria bom você dar um passeio – disse Carlisle.

– Mas eu não tenho permissão para isso – disse Lili. – É contra as regras. O que diria Frau Krebs?

– Ninguém vai saber – disse Anna. – Além disso, você é uma mulher adulta. Por que não poderia sair, se tem vontade? – Logo deixaram para trás o portão da clínica e ganharam a rua. Carlisle e Anna foram empurrando-a pela vizinhança, passando por casarões atrás de muros encimados por grades. O sol estava forte, mas uma brisa soprava pela rua, revelando a parte de baixo das folhas dos olmos. A distância, Lili ouviu a campainha de um bonde.

– Vocês acham que eles vão notar a minha ausência? – disse ela.

– E se notarem? – disse Carlisle; o jeito dele, com o rosto fortemente concentrado e as mãos agitadas, fez Lili lembrar-se de Greta novamente. Era quase como se ela estivesse ouvindo o tinir das joias de prata. Tinha uma lembrança, quase como se fosse uma história que alguém houvesse lhe contado, de Greta descendo sorrateiramente Kronprinsessegade com Einar a reboque. Lembrava-se do calor da mão de Greta na sua, e de um bracelete de prata roçando em seus dedos.

Pouco depois, os três cruzaram a Augustusbrücke. Toda a cidade de Dresden jazia diante de Lili: a Opernhaus, a Hofkirche católica, a Academia de Arte em estilo italiano e a abóbada da Frauenkirche, que parecia flutuar. Então chegaram à Schlossplatz e ao pé do Terraço Brühlsche. Um sujeito com uma carrocinha vendia linguiça no pão com taças de vinho de maçã. Os negócios iam bem para ele, pois havia uma fila de oito ou dez pessoas esperando, com os rostos já ficando rosados sob o sol.

– Isso não está com um cheiro bom, Lili? – disse Carlisle, empurrando-a até a escadaria.

Quarenta e um degraus levavam até o terraço e a balaustrada, onde se encostavam os transeuntes de domingo. Os degraus eram adornados por relevos em bronze, representando a Manhã, o Meio-Dia, a Tarde e a Noite. Havia uma fina camada de sujeira sobre os degraus, e lá de baixo Lili viu uma mulher, com saia amarela comprida e chapéu de palha redondo, subindo a escadaria de braços dados com um homem.

– Mas como vamos subir? – perguntou ela.

– Não há com o que se preocupar – disse Carlisle, virando a cadeira ao contrário e içando-a até o primeiro degrau.

– E a sua perna? – disse Lili.

– Está tudo bem – disse Carlisle.

– E as suas costas?

– Greta nunca lhe falou das nossas famosas espinhas do oeste?

E assim Carlisle, que no entender de Lili jamais culpara Greta pela perna aleijada, começou a içá-la escada acima. Uma terrível pontada de dor acompanhava cada tranco, e Anna deu a mão a Lili.

O terraço dava para o Elba, vendo-se do outro lado a margem direita e o Palácio Japonês. Havia muito movimento no rio; viam-se barcaças de roda, cargueiros de carvão, gôndolas com carrancas de dragão na proa e botes a remo alugados por dia. Carlisle trancou o freio da cadeira de Lili entre dois bancos junto à balaustrada do terraço, sob um dos arbustos aparados em forma de quadrado. Depois postou-se de um lado, com Anna do outro. Lili podia sentir as mãos deles no encosto da cadeira. Havia jovens casais de mãos dadas no terraço; os rapazes compravam sacos de balas de uva na carrocinha de um vendedor ambulante. Na margem gramada do outro lado do Elba, quatro meninos empinavam uma pipa.

– Olhem como a pipa deles está voando alto! – disse Anna, apontando para os meninos. – Mais alto do que a cidade, ao que parece.

– Você acha que eles vão perder a pipa? – disse Lili.

– Quer uma pipa, Lili? – disse Anna. – Podemos comprar uma amanhã, se você quiser.

– Como eles chamam este lugar? – indagou Carlisle. – A varanda da Europa, não é?

Ficaram calados durante algum tempo, e depois Carlisle disse:

– Acho que vou comprar uma linguiça naquele vendedor ambulante. Está com fome, Lili? Posso trazer algo para você?

Ela não estava com fome; quase não comia mais, e é claro que Carlisle sabia disso. Tentou dizer "Não, obrigada", mas não conseguiu articular as palavras.

– Você se importa se nós deixarmos você aqui durante alguns instantes e formos até o ambulante? – disse Anna. – Não vai levar mais do que um ou dois minutos.

Lili balançou a cabeça e ouviu o barulho dos sapatos deles se afastando sobre o cascalho. Fechou os olhos. Ali era a varanda do mundo todo, pensou. De todo o meu mundo. Podia sentir o sol sobre suas pálpebras. Ouviu um casal num banco próximo mastigando as balas. E, ao longe, o ruído de água batendo na lateral de um barco. Ouviu-se a campainha de um bonde, e depois o sino da catedral. Pela primeira vez, Lili parou de pensar no passado enevoado e ambivalente e na promessa do futuro. Não importava quem ela fora outrora, nem quem ela se tornara. Ela era Fräulein Lili Elba. Uma moça dinamarquesa em Dresden. Uma moça que fora passear com amigos à tarde. Uma moça cuja amiga mais querida estava na Califórnia e deixara Lili, ao que subitamente parecia, sozinha. Ela pensou em cada um deles: Henrik, Anna, Carlisle, Hans, Greta. Cada um, à sua maneira, fora parcialmente responsável pelo nascimento de Lili Elba. E aí percebeu o que Greta quisera dizer: ela teria de enfrentar o resto sozinha.

Quando abriu os olhos, viu que Carlisle e Anna ainda não haviam retornado. Não ficou preocupada; eles voltariam para buscá-la. Iriam encontrá-la ali na cadeira. Do outro lado do rio, os meninos corriam e apontavam para o céu. A pipa voava mais alto do que os salgueiros, mais alto até do que a Augustusbrücke. Voava sobre o Elba: era um losango de papel que refletia o sol, puxando e repuxando a linha enrolada no carretel. Então a linha partiu-se e a pipa soltou-se. Lili teve a impressão de ouvir os guinchos exageradamente excitados dos menininhos trazidos pela brisa, só que isso era impossível; eles estavam longe demais. Mas ela ouviu um grito abafado em algum lugar; de onde veio aquilo? Os meninos pulavam na grama. O menino que segurava o carretel levou um soco de um dos colegas. Acima deles a pipa tremia ao vento; feito um morcego albino ou um fantasma, subia, caía e subia novamente, cruzando o Elba para buscar Lili.

Posfácio

Quando a *Vanity Fair* liberou sua primeira foto de Caitlyn Jenner no início deste verão, eu logo pensei em outra mulher *trans* que também se apresentou ao mundo por meio de um retrato cerca de cem anos atrás: Lili Elbe. Em 1930, Lili viajou do ateliê parisiense que dividia com sua esposa, Gerda, até a Alemanha, para fazer uma série de cirurgias na Clínica Municipal Feminina de Dresden, a fim de completar sua transição. Enquanto esteve lá, ela gostava de sentar nas margens ensolaradas do rio Elbe, refletindo sobre seu passado, quando vivia como um homem (seu gênero à época do nascimento) chamado Einar Wegener, e sobre seu futuro, já como ela própria. (O rio viria a inspirar seu novo sobrenome.) Depois de sair da clínica, Lili tentou manter sua privacidade, mas notícias de suas cirurgias começaram a vazar na imprensa europeia, de modo que ela deu um passo ousado: contar sua própria história. Em uma série de entrevistas a um jornalista dinamarquês, Lili revelou ser uma mulher *trans*, descrevendo sua jornada, o papel de sua esposa nessa transição e como a arte (tratava-se de um casal de pintores) influenciara e formara sua visão de si mesma. Durante um breve período no início da década de 1930, Lili Elbe virou uma notícia internacional, reconhecida como uma das primeiras pessoas a passar por uma cirurgia de afirmação de gênero, com seu nome impresso em jornais ao redor do mundo. Atualmente, retratada por Eddie Redmayne no filme *A garota dinamarquesa*, Lili Elbe é reconhecida por muito mais gente pelo que sempre foi: uma pioneira *trans*.

Há quase vinte anos, quando eu ainda era um jovem escritor, li sobre Lili pela primeira vez. Muitos elementos de sua história me impressionaram: a coragem de ser ela mesma; o fato de ter feito a transição ainda casada; os cenários que evocavam a Europa entre as duas guerras mundiais; e a importância do seu lugar na história LGBT. Um detalhe em particular acendeu a minha imaginação: a esposa de Lili, Gerda, pintara vários retratos a óleo de Lili, desenhando uma bela mulher com enormes olhos negros e lábios semelhantes a dois corações. Tais retratos, iniciados logo no começo da transição, eram as primeiras imagens públicas de Lili. Mostravam Lili deitada em um divã, com os braços atrás da cabeça; Lili jogando cartas com uma das pernas em cima da cadeira; Lili olhando por cima do ombro, com olhos semicerrados, e uma expressão que pode significar muitas coisas. Os quadros de Lili se tornaram uma sensação no mundo artístico de Copenhague e Paris: os espectadores eram atraídos para os retratos de uma mulher cuja expressão tinha quase tantas interpretações quanto a da Mona Lisa. Da mesma forma, a própria Lili Elbe tem muitas interpretações. Ela pode significar muitas coisas para muitas pessoas. Em parte, é isso que torna seu legado tão rico e inspirador. E eu, quanto mais pensava em Lili, mais começava a pensar na sua vida como uma história de arte, amor e identidade.

Um artista vê aquilo que ainda não existe. Ele ou ela imagina um futuro que outros não conseguem perceber. O artista interpreta a realidade, tornando-a ainda mais vívida e duradoura. A história de Lili Elbe é uma história de arte, de criação, de imaginar o que virá a ser. É sobre artistas que interpretaram o mundo e seus próprios eus através da sua arte. Curiosamente, Lili insistia que não era uma artista, apesar da carreira bem-sucedida que tinha na pintura antes de fazer a transição. Ela dizia que a arte e a pintura pertenciam a Einar (um dos seus quadros está pendurado ao meu lado no escritório, enquanto digito estas palavras; mostra um *chateau* francês, e está assinado por Einar Wegener). Mas eu discordo dos seus protestos. Lili era uma artista, e sua maior criação foi ela própria. Ela imaginou uma vida futura, e fez tudo que podia para criá-la. Eu passei longas horas examinando as pinturas que Gerda fez dela. Não são retratos literais de Lili (tal como os montes de feno de Monet não são literais); são interpretações, altamente estilizadas, simbólicas e vivamente coloridas (muitos rosa, verdes e amarelos). Ainda assim, capturam a essência e o espírito de Lili de forma mais vibrante do que qualquer fotografia que eu já tenha visto dela. O mundo conheceu Lili pela primeira vez por meio desses retratos, e foi através deles que eu vim a compreender um pouco das cores, dos contornos e das sombras da sua alma.

A história de Lili Elbe é também uma história de amor. Nós articulamos e exprimimos muitas das nossas emoções por meio das nossas relações, e eu vim a acreditar que uma chave para entender Lili era por intermédio de Gerda. Com seu casamento, eles criaram uma alcova de intimidade, onde seu amor podia ser mais autêntico e mais vulnerável. Foi nesse espaço particular que Lili emergiu pela primeira vez. Eu fiquei curioso para saber como e por que Gerda aceitara Lili no casamento deles, e qual teria sido o papel de Gerda na transição de Lili. Fora tudo por amor e devoção, cuidado e proteção, ou as motivações de Gerda seriam mais complexas? Lili se tornaria a maior musa de Gerda, e algumas de suas pinturas mais célebres, que hoje valem milhares de dólares, são retratos de Lili. Com Lili, Gerda viu serem realizadas algumas de suas aspirações como artista.

E a história de Lili Elbe é, claramente, uma história de identidade. Lili é hoje reconhecida como um ícone do movimento *trans*. Sua vida, tanto a que ela viveu, quanto a que ela descreveu ao se assumir em entrevistas e em *Man into Woman*, a biografia parcialmente ficcional que ela ajudou a escrever antes de sua morte, ampliou a compreensão do público sobre identidade de gênero na época. Desde então ela inspirou muitos de nós, tanto *trans* quanto não, a sermos nós mesmos. Lili sabia que uma vida falsa simplesmente não é vida.

Quem somos nós? Quem queremos nos tornar? Como nos percebemos? Como queremos ser percebidos? Estas questões de identidade frequentemente estão no núcleo central de nossos conflitos internos. Quem consegue resolvê-las fica mais perto de estar livre. Quase um século atrás, Lili Elbe superou tais questões sobre si mesma. Ela posou para um retrato no ateliê de uma artista e disse para o mundo:
– Esta sou eu.

– David Ebershoff
setembro de 2015

Uma conversa com David Ebershoff

Como você ouviu falar em Lili pela primeira vez?

Muitos anos atrás, eu li uma breve menção dela. Descrevia Lili como a primeira pessoa a passar com sucesso por uma cirurgia de afirmação de gênero (alegação esta que acabaria se provando incorreta; Lili foi uma das primeiras, mas não a primeira). Eu sempre pensei que Christine Jorgensen, participante da Segunda Guerra Mundial, tivesse sido a primeira, de modo que me perguntei quem era Lili, e por que seu nome não era mais conhecido. Fiquei curioso ao ver que a história envolvia arte, artistas e casamento.

Isso foi há tanto tempo que eu fiz o que um escritor costumava fazer antes do Google. Fui à Biblioteca Pública de Nova York e comecei a pesquisar referências a Lili. Cheguei então a algumas reportagens sobre Lili no começo da década de 1930, quando pela primeira vez ela contou sua história a um jornalista dinamarquês. Outras referências, breves e frequentemente contraditórias, acabaram me levando a *Man into Woman*, livro publicado em 1933, pouco após sua morte, como uma biografia semificcional. Foi aí que começou minha verdadeira pesquisa. *Man into Woman* é uma fonte importante para qualquer um que deseje saber mais sobre Lili Elbe, mas, ao menos para mim, suscitou quase tantas perguntas quanto respondeu. Essa pesquisa inicial também me levou a algumas imagens das pinturas de Gerda, que abriram uma janela importante na história.

Quais desafios apresentou a criação de uma personagem que é uma mulher transgênero, mas que viveu em uma época que antecedeu em muito o atual movimento pelos direitos *trans*?

Um dos desafios de imaginar Lili foi pensar sobre o passado e o presente. Ela era muito específica acerca de sua visão do passado, quando vivia como um homem: falava de Einar como outra alma. Provavelmente, isto não reflete a descrição que muitos homens e mulheres *trans* fazem de suas próprias experiências hoje, mas é como Lili descrevia as dela. Portanto, uma questão fundamental para mim era como retratar o passado de uma personagem que desejava com muita clareza romper com seu passado. A infância de quem era lembrada, quais memórias, tanto físicas quanto emocionais, pertenciam a quem? Lili pensava em Einar, e falava dele, como outra pessoa, frequentemente descrevendo-o como seu irmão ou membro da família. Eu precisava resolver isto, a fim de narrar a história de forma tão autêntica quanto profunda. Parte da linguagem em *A garota dinamarquesa* pode parecer ao leitor de hoje dessincronizada com a visão que homens e mulheres *trans* têm de suas experiências, mas era realmente assim que Lili falava de si mesma e que se percebia. Eu adoro a ficção que leva o leitor às profundezas do coração de um personagem, ficção que me permite conhecer um personagem mais profundamente do que conseguimos conhecer a maioria dos seres humanos, talvez até nós mesmos. Esse é, e sempre foi, um dos papéis da ficção histórica: a imaginação inspirada por fatos pode levar o leitor a uma intimidade que os fatos nem sempre permitem. Então, neste caso decidi que queria que o leitor compreendesse uma versão da vida de Lili tal como ela a percebia, e não como nós a percebemos atualmente. Eu estava mais interessado em conhecê-la tal como ela se conhecia (ou desconhecia).

Como você pesquisou os fatos que chegaram até nós?

Sob alguns aspectos, escrever um romance, principalmente um romance de época sobre personagens da vida real, basicamente exige acumular detalhes suficientes e ordená-los apropriadamente, a fim de oferecer ao leitor ou à leitora uma verissimilitude que satisfaça sua curiosidade sobre a história à mão. Ainda assim, tudo isso precisa ser feito com uma voz e um estilo que faça da história uma propriedade do romancista. *A garota dinamarquesa* foi escrito com o auxílio de cinco bibliotecas, sendo que cada uma delas me forneceu fontes valiosas sobre os assuntos, os temas e os locais do romance: a Biblioteca Real e a Biblioteca da Academia de Artes Real, ambas em Copenhague; a biblioteca do Museu de Higiene de Dresden; a Biblioteca Pública de Nova York; e a Biblioteca Pública de Pasadena.

Algumas das mais importantes referências do romance incluem as reportagens sobre a transição de Lili feitas na imprensa dinamarquesa em 1930 e 1931, principalmente as do *Politiken* e *Nationaltidende*. Em 1931, depois que notícias de sua transição começaram a vazar na imprensa europeia, Lili começou a descrever sua vida para o público, colaborando com uma série de matérias do *Politiken*. Essas reportagens narravam ao mundo a sua transição, descrevendo sua jornada emocional, bem como os médicos na Alemanha que a avaliaram e realizaram suas cirurgias. Meses após a publicação dessa série de matérias, como um tributo final à história corajosa e pioneira de Lili, *Politiken* publicou um detalhado obituário sob a assinatura de Fru Loulou. Há razão para se pensar que Lili desempenhou um papel na preparação do obituário (tal como desempenhou um papel na preparação de *Man into Woman*, embora o livro só tenha tido uma publicação póstuma); portanto Lili, de forma característica, ajudou a roteirizar como o mundo a perceberia depois que ela se fosse.

Pouco depois da morte de Lili Elbe em 1931, seu amigo Niel Hoyer editou e formatou seus diários e sua correspondência, publicando um livro sob o título *Fra Mand til Kvinde* (*Man into Woman*). Isso foi uma valiosa fonte para mim, principalmente sobre a transição de Lili, sua estada na Clínica Municipal Feminina de Dresden e os exames e procedimentos médicos. Lili se antecipou à publicação do livro, trabalhando duro no manuscrito durante seu último ano de vida. Ela estava ávida para contar sua história, mas também tinha consciência de estar criando uma espécie de mito acerca de si mesma. Tal como as pinturas altamente estilizadas de Gerda retratam uma versão interpretada de Lili, os esforços de Lili para narrar sua história (as reportagens e seus escritos que virariam *Man into Woman*) constituem uma versão estilizada e interpretativa de sua vida. São fontes cruciais, mas não inteiramente factuais, coisa que eu, como ficcionista, achei libertadora. Afinal, esta é uma história sobre artistas que viveram com o *ethos* de criar, visualizar e formar sua própria realidade.

Quanto de *A garota dinamarquesa* se baseia em fatos? Por que você resolveu se desviar dos fatos às vezes, principalmente no que diz respeito a Greta, cujo nome na vida real é Gerda Gottlieb?

Alguns dos eventos básicos da transição de Lili são baseados em fatos, incluindo o vestido no ateliê, o sangramento misterioso e a estada na Clínica Municipal Feminina de Dresden. Esses eventos são baseados nas fontes que descrevo acima. Muito do meu romance, porém, é inventado. Quando fiz minha primeira viagem de pesquisa à Dinamarca e comecei a levantar o esboço da vida de Lili, eu ainda lutava para descobrir como interpretar a história. Sem dúvida, Lili é uma pioneira do movimento transgênero; da nossa perspectiva atual, podemos olhar para trás e entender seu lugar na história, vendo sua vida como exemplo de coragem e autoaceitação tremendas. Ela merece ser lembrada e celebrada como uma das primeiras pessoas a passar por uma cirurgia de afirmação de gênero, e uma das primeiras a assumir isso publicamente, coisa que a coloca na vanguarda de um movimento poderoso e inacabado em prol de direitos civis e dignidade humana para todas as pessoas *trans*. Mesmo nos primeiros dias de trabalho no livro, porém, eu já percebia que a nossa perspectiva a partir do futuro não era a mesma de Lili na época. Eu estava mais interessado na ideia que ela tinha de si mesma e da vida que levava, do que na visão que a história tem dela agora. Entendo e aceito o impulso de vê-la como uma leoa, definindo sua trajetória dentro da nossa própria compreensão do que significa ser *trans* hoje em dia, mas *A garota dinamarquesa* tenta trazer o leitor para a vida interna de Lili, coisa que é fundamentalmente diferente de tentar situá-la em termos históricos. (É claro que sempre fico feliz ao ver jornalistas e estudiosos escrevendo sobre ela e situando-a naquele contexto histórico, pois isto é eminentemente útil e interessante. Desde que *A garota dinamarquesa* foi publicado pela primeira vez, em 2000, alguns estudiosos e autores já fizeram trabalhos importantes e muito necessários, ampliando nossos conhecimentos sobre Lili e Gerda, inclusive Sabine Meyer, Pamela Caughie e Nikolaj Pors, que está escrevendo o que virá a ser a biografia definitiva de Lili Elbe.)

Durante minha estada na Dinamarca, um dia peguei o trem que sobe o litoral até o castelo de Kronborg em Elsinore, outrora lar, ou assim eu pensava, do príncipe da Dinamarca que inspirou o *Hamlet* de Shakespeare. Enquanto visitava o castelo, com sua vista panorâmica da Suécia por cima do Oresund, eu descobri quão longe Shakespeare se desviara dos fatos para escrever uma das maiores obras literárias da história humana. Antes que alguém me acuse de me comparar a Shakespeare, quero deixar claro que não é isto que pretendo dizer ao contar esta história. Só que os escritores realmente aprendem com os mestres. Uma lição que aprendi com Shakespeare naquele dia outonal dentro das frias muralhas cinza-amareladas do castelo de Kronborg foi que, ao longo da história, os escritores vivem simultaneamente se desviando dos fatos e voltando a eles a fim de atingir o núcleo emocional de uma narrativa. Eu queria transmitir a essência emocional da vida de Lili como ela mesma a percebia. Lili já deixara parte dessa autopercepção registrada historicamente, por meio de entrevistas, cartas, *Man into Woman* e seu legado como a maior musa de Gerda, mas eu acreditava que havia lacunas (telas ainda a pintar, por assim dizer) que necessitavam ser preenchidas a fim de entendermos verdadeiramente o seu coração. É a essas telas em branco na história que sou atraído como ficcionista.

Portanto, voltando à sua pergunta sobre Greta: quanto mais eu pensava sobre essa história, mais percebia que a esposa de Lili não era uma personagem coadjuvante, mas uma igual, e que o espaço entre elas, a caverna particular do seu casamento, como eu descrevo no romance, era aonde eu queria levar o leitor. Parte disso estava documentada, mas outra parte não, pois as intimidades de um casamento, ou de qualquer relação romântica, frequentemente não são registradas em termos históricos. Escrever uma história de amor, a história de um casamento, exigiria imaginação e especulação: criar alguns detalhes sobre como elas viviam, trabalhavam, brigavam, amavam, cuidavam uma da outra, procuravam e se afastavam uma da outra. Resolvi inventar uma personagem, Greta, que é como a figura histórica de Gerda, mas simultaneamente não é. Greta é inspirada pela Gerda real, que era pintora e chegou ao sucesso por meio de Lili, mas muitos detalhes da sua vida no livro foram inventados por mim. Mudei seu nome e sua nacionalidade (Gerda era dinamarquesa), como uma forma de dizer que esta personagem transmite a verdade emocional da história, enquanto se afasta de alguns dos fatos. Se você ler *A garota dinamarquesa*, não ficará sabendo de todos os fatos biográficos acerca da verdadeira Gerda, mas ainda assim terá um retrato, acredito eu, de quem ela era em essência.

Mais uma coisa sobre fato e ficção: em uma entrevista a Terry Gross, de *Fresh Air*, o grande romancista E. L. Doctorow explicou alguns princípios para se escrever ficção histórica. Doctorow é, há muito tempo, um dos meus heróis. *O livro de Daniel* era um dos meus romances favoritos, e Doctorow virou um certo modelo para mim, porque teve uma carreira bem-sucedida como editor literário, enquanto também escrevia romances inspirados pelo passado. Nessa entrevista, ele fala da questão de fato e ficção. Menciona ceticamente "uma demarcação estrita" entre ficção e não ficção. Ao falar dos personagens históricos sobre os quais escreveu, diz, "Estou lidando com as ficções que eles próprios fizeram de suas vidas", e afirma que foi atraído por personagens que "promulgavam um mito sobre si mesmos". Doctorow explica que sempre começava "com as ficções que as pessoas criam sobre si mesmas", e partia daí.

Isso ecoa profundamente dentro de mim, e sempre foi uma parte importante da minha vida literária, não apenas em *A garota dinamarquesa*, mas também no meu último livro, *The 19th Wife*, e, até certo tempo, na obra que estou escrevendo agora. "Todos nós compomos nossas vidas todos os dias", diz Doctorow. Toda rendição é uma interpretação. Toda construção tem elementos de invenção. Podemos ver isso nas pinturas que retratam Lili e na tentativa que ela fez de formatar sua narrativa antes de morrer.

Greta é uma personagem fascinante. Por que ela sugere o vestido na cena de abertura do livro? Qual é a sua motivação, e como ela reconcilia isso com a dor que essa motivação também lhe causa?

Greta possui uma combinação incomum de independência e fidelidade. Ela age por impulso próprio e é ferozmente individualista, mas ao mesmo tempo tem um profundo senso de dedicação a seu par. Mesmo no começo do romance, ela já conhece as camadas mais profundas daquela pessoa (ou pensa que conhece). Greta encoraja Lili a ser ela própria, porque sabe que essa é quem ela é... E a verdade é sempre uma razão mais do que suficiente para Greta. Só que nada é tão simples assim. A carreira de Greta decola a partir dos quadros que ela pinta de Lili. Ela precisa de Lili, tanto quanto Lili precisa de si mesma. E eu acredito que Greta jamais tenha sido totalmente honesta consigo mesma ou com Lili acerca de quanto Lili a afetou como artista. Sem Lili, Greta não poderia ter se tornado a artista que ambicionava ser. Os motivos e atos das duas estão inextricavelmente entrelaçados.

Por que você acha que a história de Lili ficou quase esquecida até recentemente?

Pode se especular eternamente sobre o que levou Lili a sumir da visão do público por tantas décadas. Ela fez suas cirurgias no começo da década de 1930, uma época de grande ansiedade no mundo, principalmente a parte da Europa ocidental onde vivia: Copenhague, Paris, Dresden. A nuvem escura de catástrofe econômica, fascismo e, eventualmente, nazismo e guerra já estava pairando sobre o continente. Não me surpreende que essa história tenha se perdido nos eventos horríveis dos quinze anos subsequentes. Essa é uma das razões. Mas é claro que outra razão vem da própria natureza da história de Lili. Mesmo hoje em dia, homens e mulheres *trans* rotineiramente se deparam com intolerância, ignorância e, muitas vezes, violência horrenda. Na década de 1930, porém, a história de Lili era inimaginável para a maior parte do mundo: com Lili Elbe, muita gente estava descobrindo pela primeira vez aquilo que hoje chamamos de cirurgia de afirmação de gênero. Ao redor do mundo, jornais relatavam a história de Lili com uma mistura de reverência e condenação. Na época, foi uma grande história; já em 1931, quando Lili morreu, até os jornais de Copenhague mais simpáticos a retrataram mais como uma individualista sem igual do que como a precursora de um movimento. Poucos viam Lili como a pioneira de qualquer coisa, ou alguém que representasse algo além de si própria. Ainda assim, seu legado se recusou a ser afogado pelas águas turvas da história. Sua coragem era imensa demais para ser esquecida.

O que nessa história inspirou você a torná-la o assunto de seu primeiro livro?

O casamento é algo que me fascina: como negociamos o seu alcance, como mudamos ao longo do seu curso, como o próprio casamento se modifica e por que algumas relações sobrevivem, enquanto outras não. Não há um só casamento que não possa fornecer um arco narrativo suficiente para um romance. Na minha visão, o coração dessa história jaz no espaço íntimo criado por esse casamento. Foi nesse espaço, protegido por amor, que Lili conseguiu se expressar livremente pela primeira vez, conseguiu se conhecer verdadeiramente pela primeira vez. Eu fiquei muito curioso acerca de um casamento que podia receber Lili tão bem. Posta em termos simples, essa é a pergunta que perpetuamente nos fazemos: O que é o amor? Do que o amor é capaz?

Outra coisa que vim a compreender quando comecei a ler sobre Lili Elbe é que todos nós, sob certos aspectos, lutamos a vida toda para descobrir quem somos e para nos aceitar. Eu acredito que todo mundo ao menos uma vez já tenha se olhado no espelho e pensado: "O mundo não consegue me ver como eu realmente sou." Há uma universalidade na questão de identidade de Lili. Todos nós queremos ser aceitos por quem somos.

Agradecimentos

O número de pessoas que contribuíram para a publicação deste livro é grande, e a cada uma delas ofereço minha gratidão.

Meus primeiros leitores: Michael Lowenthal, Lee Buttala, Jennifer Marshall, Mitchell Waters, Chuck Adams. Meus colegas da Random House, atuais e antigos, que jamais rejeitaram um romancista em seu meio: Ann Godoff, Alberto Vitale, Bruce Harris, Joy deMenil, Leah Weatherspoon, Cathy Hemming, Sascha Alper, Benjamin Dreyer, Courtney Hodell. Os membros da equipe da Viking, verdadeiros advogados do escritor: Jonathan Burnham, que editou inteligentemente os primeiros rascunhos, minha hábil editora e paladina Barbara Grossman, Ivan Held, Hal Fessenden, Leigh Butler, Jim Geraghty, Paul Slovak, Gretchen Koss, Amanda Patten, Paul Buckley, e Alex Gigante pelo aconselhamento jurídico. Pelo trabalho duro na publicação, Lynn Goldberg e Mark Fortier. Pela gentil ajuda em Copenhague, Liselotte Nelson, Susanne Andersen, Mette Paludan, minha excelente tradutora Kirsten Nielsen, Luis Soria e Peter Heering. Pela ajuda com os capítulos alemães e a publicação, Georg Reuchlein. Pelo olhar de padrinho com que acalentaram o romance: Bill Contardi, Eric Price, Todd Siegal e Stephen Morrison.

E finalmente: Elaine Koster, minha agente e amiga.

Impressão e Acabamento:
EDITORA JPA LTDA.